NEW
서울대 선정
인문고전
60선

22
프로이트 꿈의 해석

NEW 서울대 선정 인문 고전㉒
만화 프로이트 꿈의 해석

개정 1판 1쇄 발행 | 2019. 8. 21
개정 1판 2쇄 발행 | 2021. 9. 27

최현석 글 | 이상윤 그림 | 손영운 기획

발행처 김영사 | 발행인 고세규
등록번호 제 406-2003-036호 | 등록일자 1979. 5. 17.
주소 경기도 파주시 문발로 197 (우10881)
전화 마케팅부 031-955-3100 | 편집부 031-955-3113~20 | 팩스 031-955-3111

값은 표지에 있습니다.
ISBN 978-89-349-9447-3
ISBN 978-89-349-9425-1(세트)

좋은 독자가 좋은 책을 만듭니다. 김영사는 독자 여러분의 의견에 항상 귀 기울이고 있습니다.
전자우편 book@gimmyoung.com | 홈페이지 www.gimmyoungjr.com

이 도서의 국립중앙도서관 출판예정도서목록(CIP)은 서지정보유통지원시스템 홈페이지(http://seoji.nl.go.kr)와 국가자료종합목록시스템(http://www.nl.go.kr/kolisnet)에서 이용하실 수 있습니다. (CIP제어번호 : CIP2018042942)

어린이제품 안전특별법에 의한 표시사항
제품명 도서 제조년월일 2021년 9월 27일 제조사명 김영사 주소 10881 경기도 파주시 문발로 197
전화번호 031-955-3100 제조국명 대한민국 ⚠주의 책 모서리에 찍히거나 책장에 베이지 않게 조심하세요.

미래의 글로벌 리더들이 꼭 읽어야 할 인문고전을 만화로 만나다

NEW 서울대 선정 인문고전 60선

22

프로이트 꿈의 해석

최현석 글 · 이상윤 그림

주니어김영사

| 기획에 부쳐 |

〈NEW 서울대 선정 인문고전60〉이 국민 만화책이 되기를 바라며

제가 대여섯 살 때 동네 골목 어귀에 어린이들에게 만화책을 빌려주는 좌판 만화 대여소가 있었습니다. 땅바닥에 두터운 검정 비닐을 깔고 그 위에 아이들이 좋아하는 만화책을 늘어놓았는데, 1원을 내면 낡은 만화책 한 권을 빌릴 수 있었지요. 저는 그곳에서 만화책을 보면서 한글을 깨쳤고 책과의 인연을 맺었습니다.

초등학교 때는 용돈을 아껴서 책을 사서 읽었고, 중학교 때는 학교 도서 반장을 맡아 도서관에서 매일 밤 10시까지 있으면서 참 많은 책을 읽었습니다. 그 무렵 헤밍웨이의《노인과 바다》를 손에 땀을 쥐며 읽으면서 인생에 대해 고민했고, 헤르만 헤세의《수레바퀴 아래서》를 읽으며 사춘기의 심란한 마음을 달랬습니다. 김래성의《청춘 극장》을 밤새워 읽는 바람에 다음 날 치르는 중간고사를 망치기도 했습니다.

당시 저의 꿈은 아주 큰 도서관을 운영하는 사람이 되어 온종일 책을 보면서 책을 쓰는 작가가 되는 것이었습니다. 나이가 들고 어느 정도 바라는 꿈을 이루었습니다. 큰 도서관은 아니지만 적당한 크기의 서점을 운영하고, 글을 쓰는 작가가 되었거든요. 저는 여기에 새로운 꿈을 하나 더 보탰습니다. 그것은 즐거운 마음과 힘찬 꿈을 가지게 해 주고, 나아가 자기 성찰을 도와주는 좋은 만화책을 만드는 일이었습니다. 이렇게 해서 만든 책이 바로 〈서울대 선정 인문고전〉입니다. 서울대학교 교수님들이 신입생과 청소년들이 꼭 읽어야 할 책으로 추천한 도서들 중에서 따로 60권을 골라 만화로 만든 것입니다. 인류 지성사의 금자탑이라고 할 수 있는 고전을 보기 편하고 이해하기 쉽도록 만화책으로 만드는 일은 쉬운 일은 아니었습니다. 약 4년 동안에 수십 명의 학교 선생님들과 전공 학자들이 원서의 내용을 정확하게 전달할 수 있도록 밑글을 쓰고, 수십 명의 만화가들이 고민에

고민을 거듭하면서 만화를 그려 60권의 책을 만들었습니다.

〈서울대 선정 인문고전〉이 완간되었을 무렵에 우리나라에 인문학 읽기 열풍이 불기 시작했습니다. 〈서울대 선정 인문고전〉은 인문학 열풍을 널리 퍼뜨리는 데 한몫을 하면서 독자들의 뜨거운 사랑과 관심을 받았습니다. 덕분에 지금까지 수백만 권이 팔리는 베스트셀러가 되었습니다. 그 사랑에 조금이나마 보답을 하기 위해 《칸트의 실천이성 비판》, 《미셸 푸코의 지식의 고고학》, 《이이의 성학집요》 등 우리가 꼭 읽어야 할 동서양의 고전 10권을 추가하여 만화로 만들었습니다.

〈서울대 선정 인문고전〉은 어린이와 청소년이 부모님과 함께 봐도 좋을 만화책입니다. 국민 배우, 국민 가수가 있듯이 〈서울대 선정 인문고전〉이 '국민 만화책'이 되길 큰마음으로 바랍니다.

손영운

무의식의 세계로 가는 지름길, 꿈

프로이트는 많은 글을 남겼습니다. 독일어판 전집은 19권이나 되고, 편지모음집만 해도 10권이 넘습니다. 이 중 가장 중요한 책은 《꿈의 해석》입니다. 그 자신도 그렇게 생각한 듯합니다. 1908년 2판 서문에서 그는 "여러 해에 걸쳐 신경증의 문제를 연구하는 동안 많이 흔들렸다. 그럴 때마다 자신감을 되찾게 해준 것은 바로 《꿈의 해석》이었다."고 밝혔습니다.

프로이트는 신경과 의사로 팔이 마비되거나 불안증, 공포증으로 고통을 받는 환자들을 치료했습니다. 그런데 이러한 증상들이 환자가 자신의 과거를 털어놓아 마음속 어딘가에 억눌려 숨겨진 아픈 기억을 말해 버리는 것만으로도 치료될 수 있다는 생각을 하게 됩니다. 프로이트는 여기서 무의식의 존재를 발견했고, 그것을 찾는 지름길이 꿈이라고 생각했습니다.

지금 현재 정신과 의사들도 꿈을 분석하기는 하지만 프로이트처럼 꿈을 해석해서 치료하는 경우는 거의 없고, 《꿈의 해석》을 교과서로 생각하는 의사들도 별로 없습니다. 1950년대 이후 뇌의 신경전달물질을 조절하는 약물이 정신병 치료에 효과가 있다는 것이 밝혀지면서 대부분의 환자들이 약물로 치료를 받기 때문입니다. 게다가 뇌 과학의 발달로 프로이트 이론에 일부 오류가 있었다는 것도 밝혀지고 있습니다. 한때 의학계에서는 이 오류를 강조하여 프로이트 이론을 버려야 한다는 주장이 강하게 제기되기도 했습니다. 그러나 그렇다고 해서 프로이트의 이론이 빛을 잃은 것은 아니며, 프로이트가 창안한 정신분석은 의학뿐만 아니라 문학, 철학, 예술 등 다양한 분야에서 계속 발전해 가고 있습니다. 인간의 정신작용에 무의식이 크게 작용하고 있다는 사실을 모두 인정하고 있고, 처음으로 무의식을 과학적으로 체계화했던 책이 《꿈의 해석》이기 때문입니다.

과학이 발전한 지금도 무의식을 공부하려는 사람들은 《꿈의 해석》을 읽어야 합니다. 그러나 꿈에 대한 프로이트의 해석을 그렇게 생각할 수도 있겠구나 하는 정도로 여겨야지 그러한 해석만이 올바른 것이라고 단정하면 안 됩니다. 무의식의 세계는 아직도 잘 모르는 것이 대부분이기 때문입니다.

우리나라에도 프로이트를 공부하고자 하는 사람들이 많아 많은 책이 번역되었습니다. 그중 《꿈의 해석》이 가장 많아 15종 이상이나 됩니다. 대부분의 번역이 가지고 있는 문제이기는 하지만 프로이트의 책은 번역하기가 까다롭습니다. 제가 주로 참고한 책은 김인순 님이 번역한 책이었습니다. 《최고의 고전 번역을 찾아서》(교수신문 엮음, 2006)에서 추천한 번역본 중의 하나입니다. 이번에 만화로 소개되는 이 책이 독자 여러분으로 하여금 《꿈의 해석》을 읽어 보고자 하는 욕구를 자극하는 계기가 되었으면 좋겠습니다.

최현석

그림 작가 머리말

'Dream Theater'의 빗장을 열다!

벌떡

여러분은 평생 얼마 동안이나 잠을 잘까요? 70년을 산다고 가정하고 하루에 여덟 시간 취침한다면 우리는 무려 23년이 넘는 시간을 잠을 자면서 보내게 된답니다. 그리고 그렇게 오랜 시간 잠을 자면서 무수히 많은 꿈을 꾸게 되지요. 하늘을 나는 환상적인 꿈에서부터 다시 꿀까 겁나는 끔찍한 악몽까지, 현실 세상과 다른 '마법의 극장'으로 매일매일 초대되지요.

하지만 우리가 체험하는 경이롭고도 강렬한 이 매일매일의 '꿈'에 대해 우리는 얼마나 알고 있을까요? 아마 그것에 대해 아는 것이 거의 없다는 사실을 깨닫고는 놀라게 될 거예요.

꿈에 관한 유명한 이야기로 '호접지몽胡蝶之夢'이 있습니다. 중국 전국시대의 유명한 사상가 장자의 〈제물론편 齊物論篇〉에 나오는 이야기로, 장자가 어느 날 꿈속에서 나비가 되어 꽃들 사이를 즐겁게 날아다니다 문득 깨보니 자기가 꿈속에서 나비가 된 것인지, 아니면 나비가 꿈에 장자가 된 것인지를 구분할 수 없었다는 데서 나온 이야기지요. 꿈이 현실인지 현실이 꿈인지, 도대체 그 사이에 어떤 구별이 있을까 하고 장자는 생각했답니다. 우리의 삶도 이처럼 '나'라는 존재가 꾸는 근사한 한 편의 꿈에 지나지 않는 것은 아닐까요?

우리는 왜 꿈을 꾸는 걸까요? 그리고 그것은 우리의 의식 활동과 어떤 관계가 있는 걸까요?

지금으로부터 백여 년 전 오스트리아의 정신과 의사였던 프로이트는 사람들이 매일매일 체험하면서도 좀처럼 그 정체를 이해하기 어려워 여전히 신비의 영역 속에 남겨져 있던 이 '꿈' 현상을 통해 우리의 의식 활동의 비밀을 이해하는 데 커다란 업적을 남겼답니다. 유대인이라는 태생적 한계와 끊임없이 싸워가며 이룩한 프로이트의 정신분석 이론은 인간의 정신 상태의 이해에 근본적인 변화를 가져왔고 지금까지도 많은 학문 영역에 지대한 영향을 끼치고 있답니다.

이 책의 만화작업을 하면서 제가 '아, 꿈속의 이런 장면들은 나의 이러저러한 욕구들과 연관이 있을 수도 있겠구나!' 하며 신기해 했듯이 여러분들도 프로이트 꿈 연구의 정수인 이 책 《꿈의 해석》을 통해 평소에 깨닫지 못했던 자신의 의식 세계 속으로 흥미진진한 여행을 떠날 수 있으리라 확신합니다.

"꿈은 미래의 현실이다.(Dream is present of future.)"라는 말이 있습니다. 여러분도 아는 것처럼 '잠자는 동안에 볼 수 있는 환상적인 여행'과 '실현하고 싶은 희망이나 이상' 둘 다를 가리키는 말이 같은 '꿈'이라는 것은 재미있으면서도 의미심장한 사실입니다. 때로는 일장춘몽처럼 허황되어 보이지만 또 한편으로 우리는 모두 자신만의 꿈을 이루기 위해 오늘 하루도 열심히 살아가고 있으니까요.

여러분의 꿈은 어떤 모습인가요? 한 번쯤은 '나의 꿈'과 진지하면서도 재미있는 대화를 나눠보는 것도 좋지 않을까요?

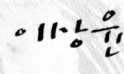

이상윤

| 차 례 |

Der
TRAUM

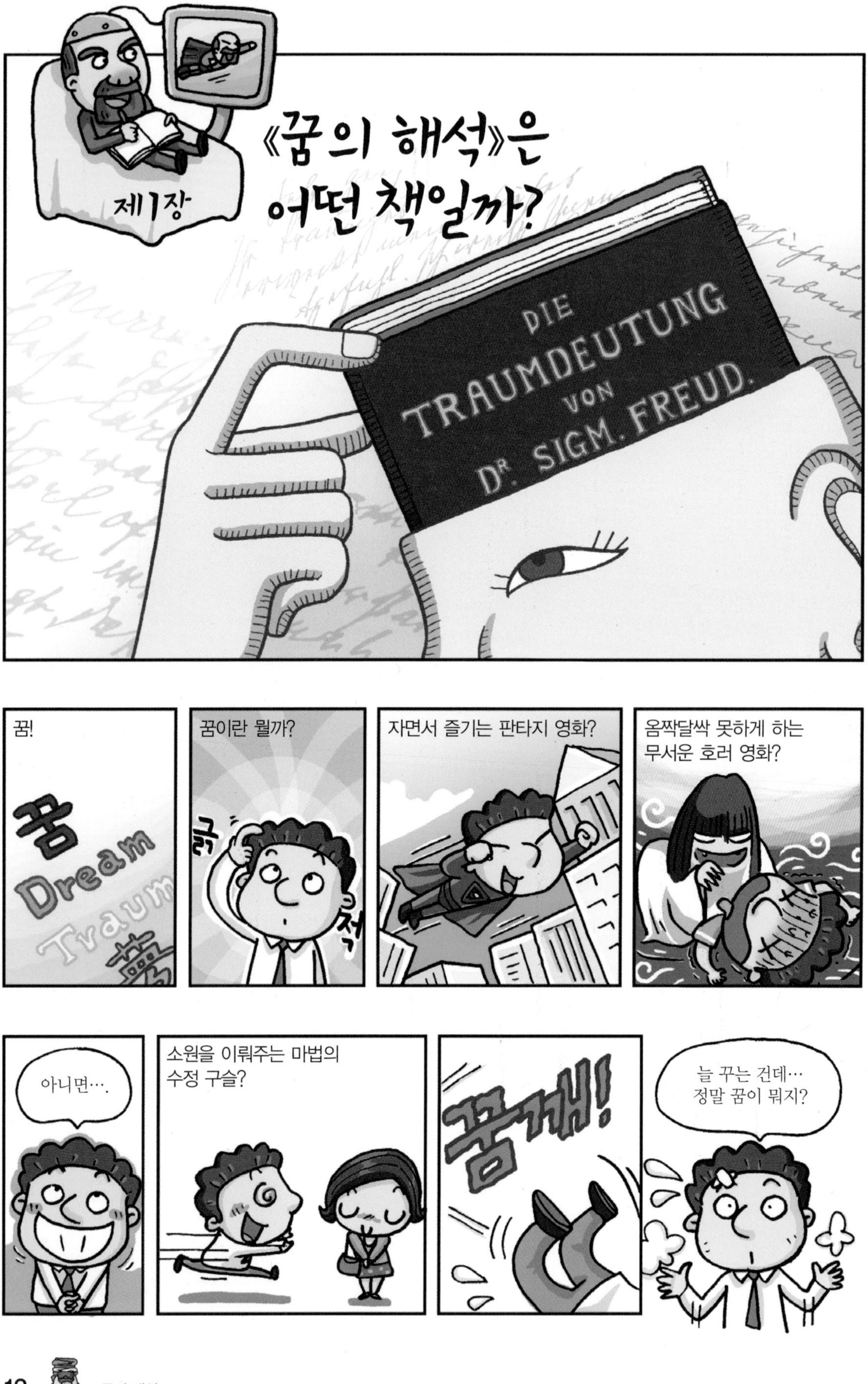
제1장
《꿈의 해석》은
어떤 책일까?
DIE
TRAUMDEUTUNG
VON
Dr. SIGM. FREUD.
꿈!
꿈
Dream
Traum
꿈이란 뭘까?
긁
적
자면서 즐기는 판타지 영화?
옴짝달싹 못하게 하는
무서운 호러 영화?
아니면….
소원을 이뤄주는 마법의
수정 구슬?
꿈깨!
늘 꾸는 건데…
정말 꿈이 뭐지?

해가 지고 어두운 밤이 찾아오면
게임 그만 하고 자라.
네.
우리는 서서히 잠의 세계로 들어가. 팔다리는 힘이 빠지고
주위에 무슨 일이 일어나는지 알지 못한 채….
큭큭~ 자나 본대?
군침 도는군~
그러다가 꿈을 꾸면서 다시 정신적으로 활발해지지.
거기 서
밤에는 낮 세상과는 전혀 다른 새로운 세상이 펼쳐지는 거야.
자는 동안은 바깥 세상에 대해선 문을 닫고 지내는 셈이지.
그러나 몇 시간 후 날이 밝아오면
이크, 퇴근 시간이다!
다시 원래의 몸과 의식으로 되돌아와.
벌떡
밤 세상에서 벌어졌던 일은 거의 기억하지 못한 채, 잠시 접어두었던 낮의 생활을 다시 시작하지.
학교다녀오겠습니다…
잠 깨!
W.C
우리는 잠드는 순간을 정확하게 알기 어려워.
정확하게 내가 언제 잠들었지?
잠들기 전 아늑한 침대에 몸을 눕히던 기억과
푹~
드르릉
지난밤에 잘 잤는지, 못 잤는지에 대한 애매한 느낌과 드문드문 기억나는 꿈 정도가 고작이지.
욱신

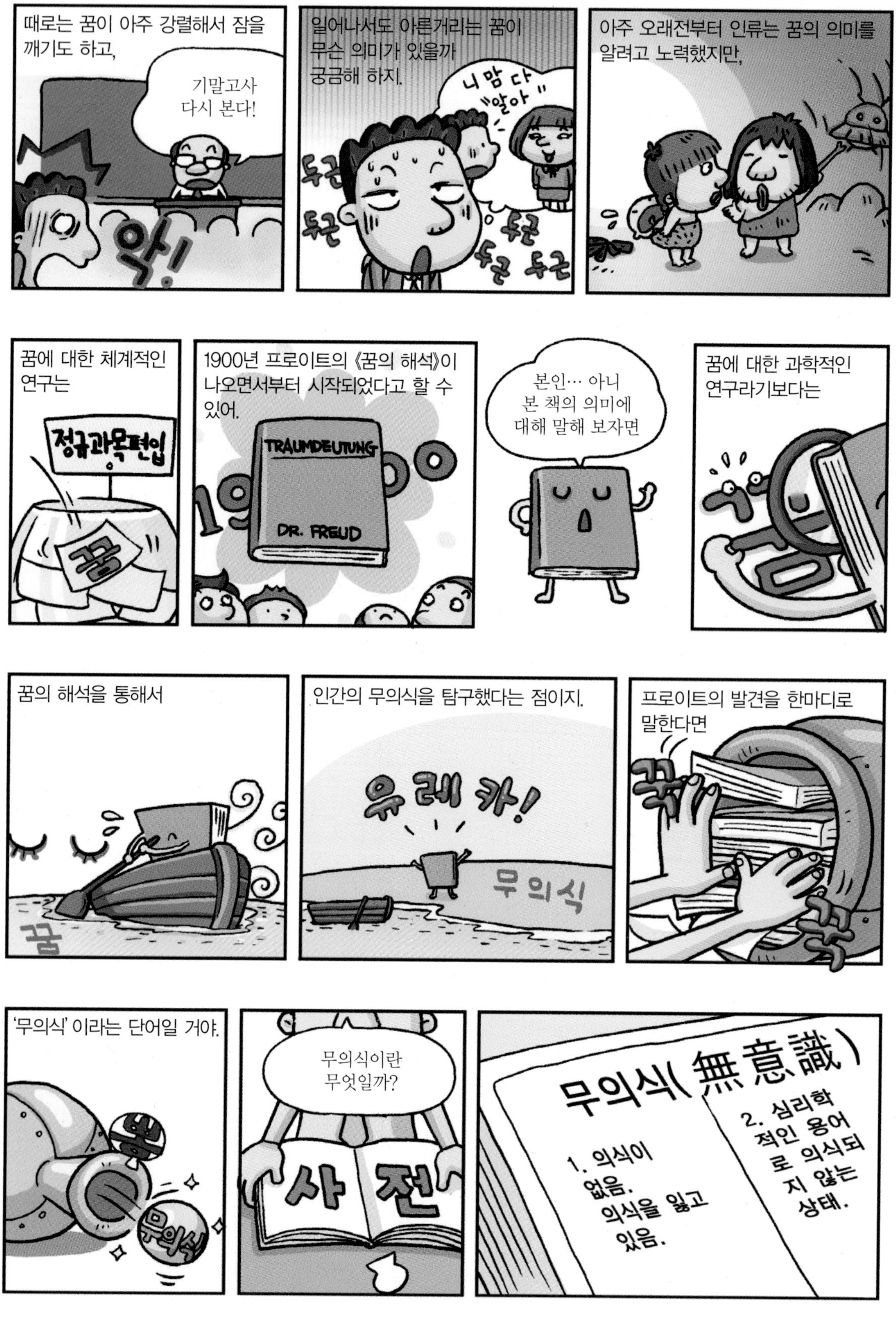

때로는 꿈이 아주 강렬해서 잠을 깨기도 하고,
기말고사 다시 본다!
악!
일어나서도 아른거리는 꿈이 무슨 의미가 있을까 궁금해 하지.
니 맘 다 "알아"
두근 두근
두근 두근 두근
아주 오래전부터 인류는 꿈의 의미를 알려고 노력했지만,
꿈에 대한 체계적인 연구는
정규과목편입
꿈
1900년 프로이트의 《꿈의 해석》이 나오면서부터 시작되었다고 할 수 있어.
TRAUMDEUTUNG
DR. FREUD
19 00
본인… 아니 본 책의 의미에 대해 말해 보자면
꿈에 대한 과학적인 연구라기보다는
꿈
꿈의 해석을 통해서
꿈
인간의 무의식을 탐구했다는 점이지.
유레카!
무의식
프로이트의 발견을 한마디로 말한다면
꾹
꾹
'무의식' 이라는 단어일 거야.
무의식
무의식이란 무엇일까?
사전
무의식(無意識)
1. 의식이 없음. 의식을 잃고 있음.
2. 심리학적인 용어로 의식되지 않는 상태.

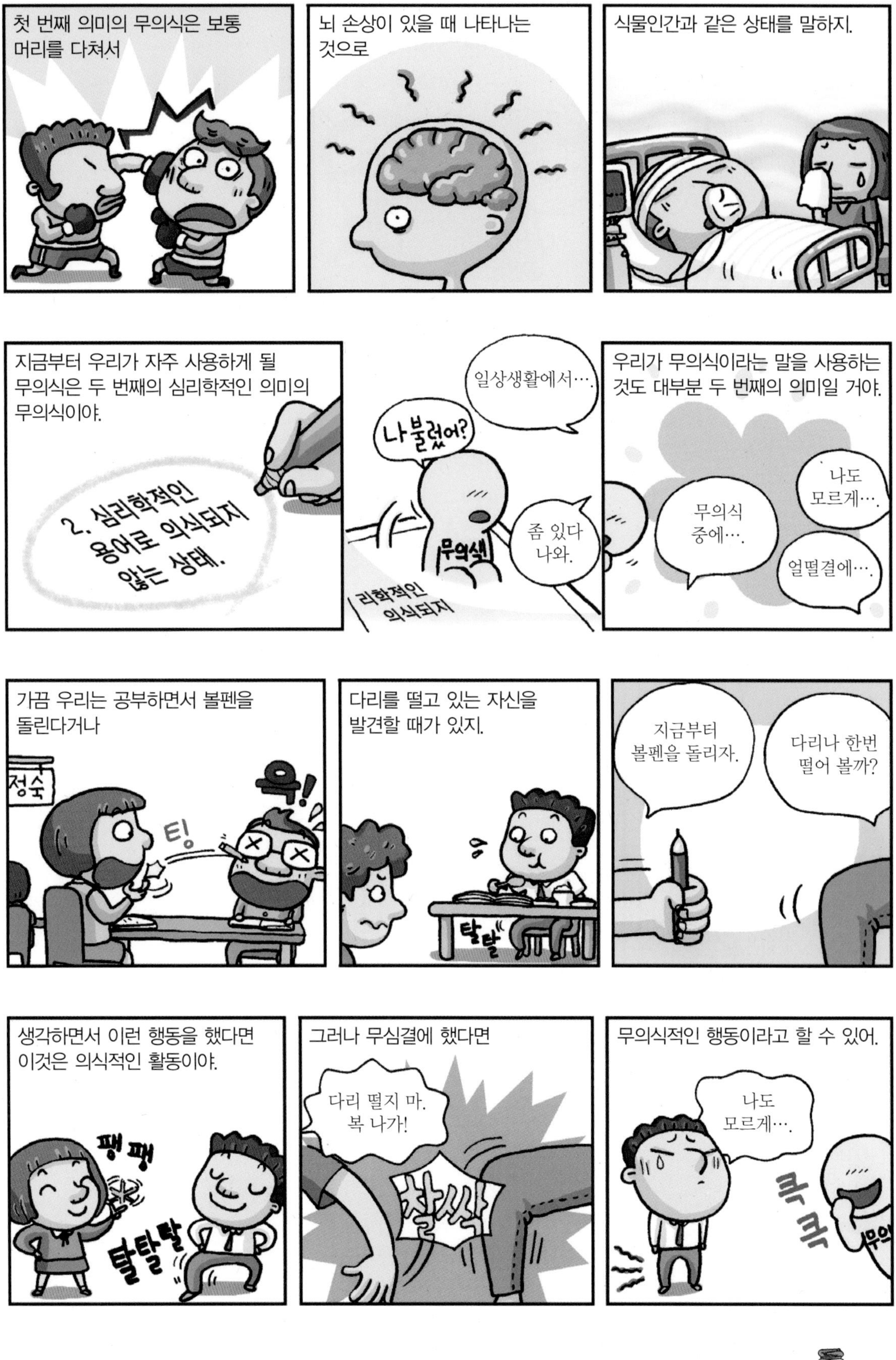
첫 번째 의미의 무의식은 보통 머리를 다쳐서
뇌 손상이 있을 때 나타나는 것으로
식물인간과 같은 상태를 말하지.
지금부터 우리가 자주 사용하게 될 무의식은 두 번째의 심리학적인 의미의 무의식이야.
2. 심리학적인 용어로 의식되지 않는 상태.
일상생활에서….
나 불렀어?
무의식
좀 있다 나와.
리학적인 의식되지
우리가 무의식이라는 말을 사용하는 것도 대부분 두 번째의 의미일 거야.
나도 모르게….
무의식 중에….
얼떨결에….
가끔 우리는 공부하면서 볼펜을 돌린다거나
정숙
티!
윽!
다리를 떨고 있는 자신을 발견할 때가 있지.
탈탈
지금부터 볼펜을 돌리자.
다리나 한번 떨어 볼까?
생각하면서 이런 행동을 했다면 이것은 의식적인 활동이야.
팽팽
탈탈탈
그러나 무심결에 했다면
다리 떨지 마. 복 나가!
찰싹
무의식적인 행동이라고 할 수 있어.
나도 모르게….
큭큭
무의

"무심결에 그런 행동을 했어요."
하 품
저눔 시키가…
"나도 모르게 그런 말이 나왔어요." 하는 것들은 모두
안녕, 뚱땡?
자기가 한 행동이나 말이 스스로도 모르게 이뤄진다는 걸 말하는 거야.
……
우리가 실제 생활을 하면서 하는 행동은 대부분이 무의식적인 행동이라고 할 수 있어.
뭐라고 고백하지…?
뭐라고 고백하지…?
뭐라고 고백하지…?
BUS
뭐라고 고백하지…?
뭐라고 고백하지…?
우리가 친구랑 대화할 때나 운동할 때 '그렇게 해야지.' 하고
1시 15분에 이 말을 꼭 해야 하거든.
생각하면서 하는 경우가 얼마나 돼?
이런 사이코가~!
사람은 누구나 깨어 있을 때는 무엇인가를 생각하거나 느끼고 있어.
자신이 생각하고 보고 듣고 느끼는 것을 알고 있을 때 의식이 있다고 하고,
공감각 촉각 시각 심각 사각 후각 미각 청각
난 '의식' 있는 시민! 하나도 놓치지 않겠다!
자신이 무엇인가를 하면서도 그것을 의식하지 못한다면
이번 달 공과금이….
그건 무의식 상태라고 할 수 있어.
악~!
자기 마음이면서도 자신이 알지 못하는 부분인 거지.
누구냐, 넌?!
무의식

프로이트 이전까지 인류는 이런 정신 세계의 존재에 대한 체계적인 지식이 없었어.
도대체 사람들은 왜 이런 꿈들을 꾸는 걸까?
그러나 프로이트는 꿈을 통해 무의식의 신비로운 현상을 발견하였고,
이 무의식의 세계를 탐구하는 정신분석을 체계화했지.
어쩌면 바로 꿈이 인간행동의 메커니즘을 이해할 중요한 단서가 아닐까?
20세기가 저물어가는 1999년 3월,
21c
20c
미국 시사주간지 《타임(The Times)》지는 20세기의 가장 위대한 지성으로 아인슈타인과 프로이트를 표지 인물로 선정했어.
TIME
100
The fourth in our series on the 100 most influential people of the century looks at Scientists & Thinkers
가문의 영광일세, 허허헛!
프로이트의 정신분석이 인간 행동을 이해하는 데 커다란 기여를 했고,
여보, 철구가 요즘 이상해요.
《정신분석》 책 한번 봐 봐.
사회문화 전반에 상당한 영향을 주었기 때문이야.
정신분석
요즘은 이게 유행이라고.
무엇보다도 인류에게 무의식 세계의 문을 열어
끼익
우리가 모르는 세계의 실상을 보여준 것은 굉장한 업적이지.
자신이 모르는 마음의 세계가 있다는 것을 체계적으로 가르쳐준 최초의 사람이
콜럼버스
우린 둘 다 신대륙의 개척자군요.
바로 저 프로이트올시다!
짝
짝
짝
짝

프로이트는 오스트리아의 수도 빈에서 활동한 신경정신과 의사였어.
Wien
지금은 마음의 병을 치료하는 정신과와
레드 썬!
중풍 같은 신경계 질환을 치료하는 신경과로 나뉘어 있지만
왼팔 한번 들어 보세요.
그가 의사로 활동하던 19세기 말 유럽에서는
정신 병원
각각의 분야가 아직 나뉘지 않은 상태였어.
업무과중으로 선생님께서 정신 병원에 입원하셨음.
그래서 프로이트는 신경과 의사로 부르기도 하고, 정신과 의사로 부르기도 해.
제 명함 입니다.
진료 분야가 다양하시군요!
당시 19세기 유럽의 학문적 분위기는
과학과 생물학의 발전으로 모든 생명현상에는 원인이 있으며
BIOLOGY
이를 밝힐 수 있다는 믿음이 강했지.
30일 된 빵에서 곰팡이가 피었군!
반드시 이유가 있을 거야. 먹어 봐야지!
냠
냠
프로이트도 이런 믿음을 기반으로
신경증에도 같은 원리가 작용하지 않을까?
으악
불안증 같은 마음의 병을 가진 환자들을 치료하면서
비정상적인 신경증이나 인간을 불행하게 만드는 성격 장애도
신경증
성격 장애

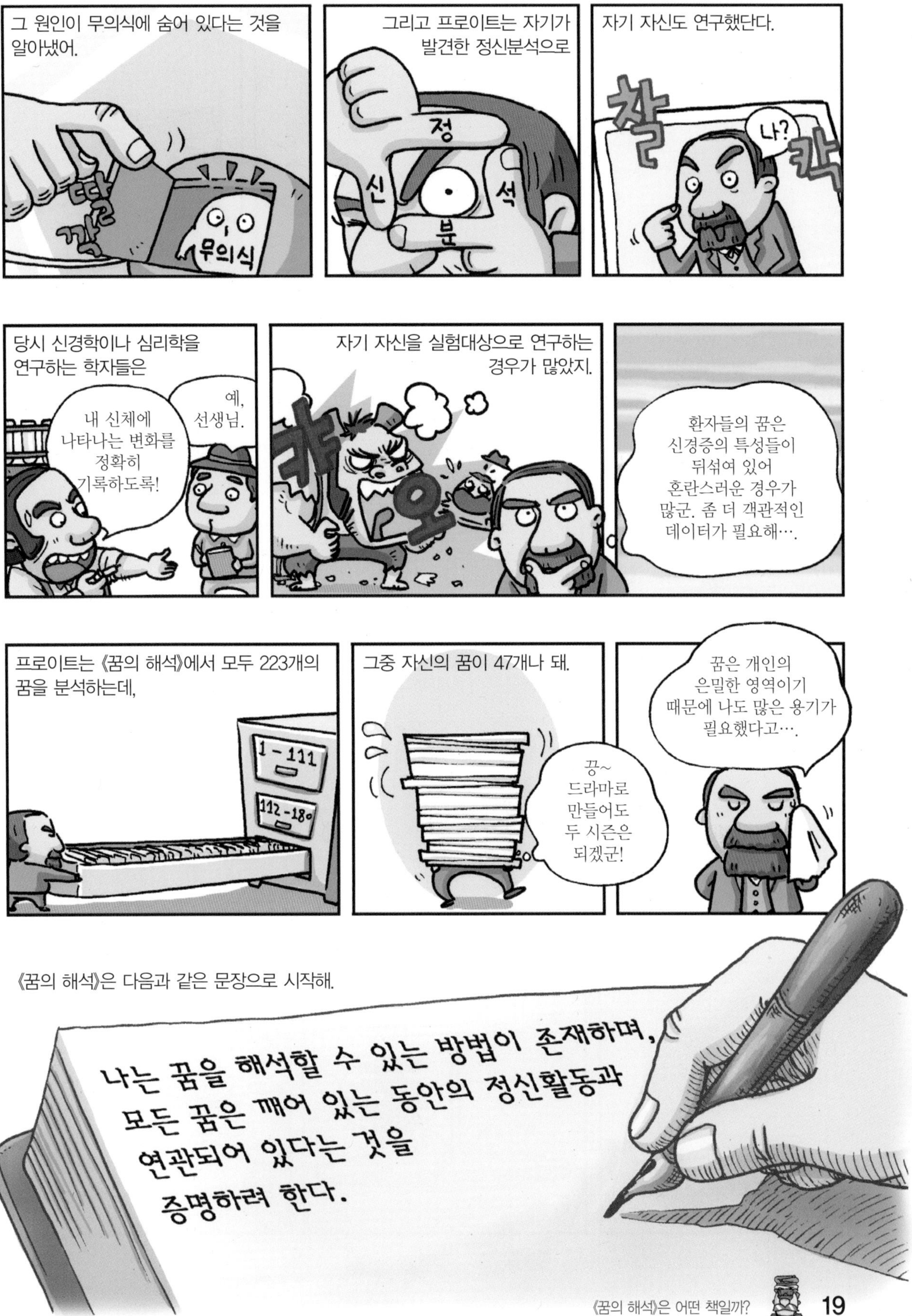
그 원인이 무의식에 숨어 있다는 것을 알아냈어.
딸깍
무의식
그리고 프로이트는 자기가 발견한 정신분석으로
정
신
석
분
자기 자신도 연구했단다.
착
나?
칵
당시 신경학이나 심리학을 연구하는 학자들은
내 신체에 나타나는 변화를 정확히 기록하도록!
예, 선생님.
자기 자신을 실험대상으로 연구하는 경우가 많았지.
캬
오
환자들의 꿈은 신경증의 특성들이 뒤섞여 있어 혼란스러운 경우가 많군. 좀 더 객관적인 데이터가 필요해….
프로이트는 《꿈의 해석》에서 모두 223개의 꿈을 분석하는데,
1 - 111
112 - 180
그중 자신의 꿈이 47개나 돼.
끙~ 드라마로 만들어도 두 시즌은 되겠군!
꿈은 개인의 은밀한 영역이기 때문에 나도 많은 용기가 필요했다고….
《꿈의 해석》은 다음과 같은 문장으로 시작해.
나는 꿈을 해석할 수 있는 방법이 존재하며, 모든 꿈은 깨어 있는 동안의 정신활동과 연관되어 있다는 것을 증명하려 한다.

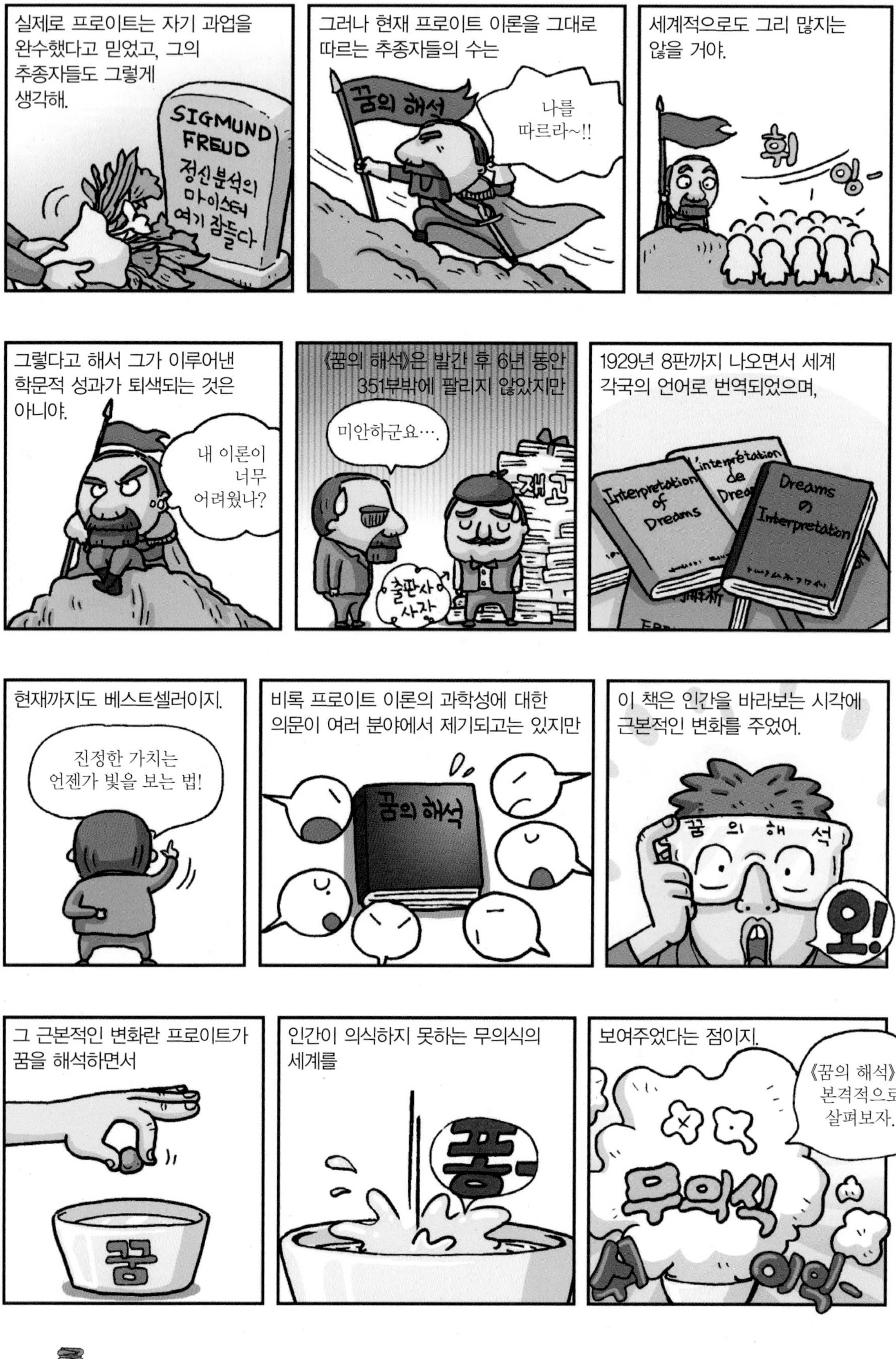
실제로 프로이트는 자기 과업을 완수했다고 믿었고, 그의 추종자들도 그렇게 생각해.
SIGMUND FREUD 정신분석의 마이스터 여기 잠들다
그러나 현재 프로이트 이론을 그대로 따르는 추종자들의 수는
꿈의 해석
나를 따르라~!!
세계적으로도 그리 많지는 않을 거야.
휘 잉-
그렇다고 해서 그가 이루어낸 학문적 성과가 퇴색되는 것은 아니야.
내 이론이 너무 어려웠나?
《꿈의 해석》은 발간 후 6년 동안 351부밖에 팔리지 않았지만
미안하군요….
재고
출판사 사장
1929년 8판까지 나오면서 세계 각국의 언어로 번역되었으며,
Interpretation of Dreams
L'interprétation de Dreams
Dreams の Interpretation
현재까지도 베스트셀러이지.
진정한 가치는 언젠가 빛을 보는 법!
비록 프로이트 이론의 과학성에 대한 의문이 여러 분야에서 제기되고는 있지만
꿈의 해석
이 책은 인간을 바라보는 시각에 근본적인 변화를 주었어.
꿈 의 해 석
오!
그 근본적인 변화란 프로이트가 꿈을 해석하면서
꿈
인간이 의식하지 못하는 무의식의 세계를
퐁-
보여주었다는 점이지.
《꿈의 해석》을 본격적으로 살펴보자.
무의식
스 아아-

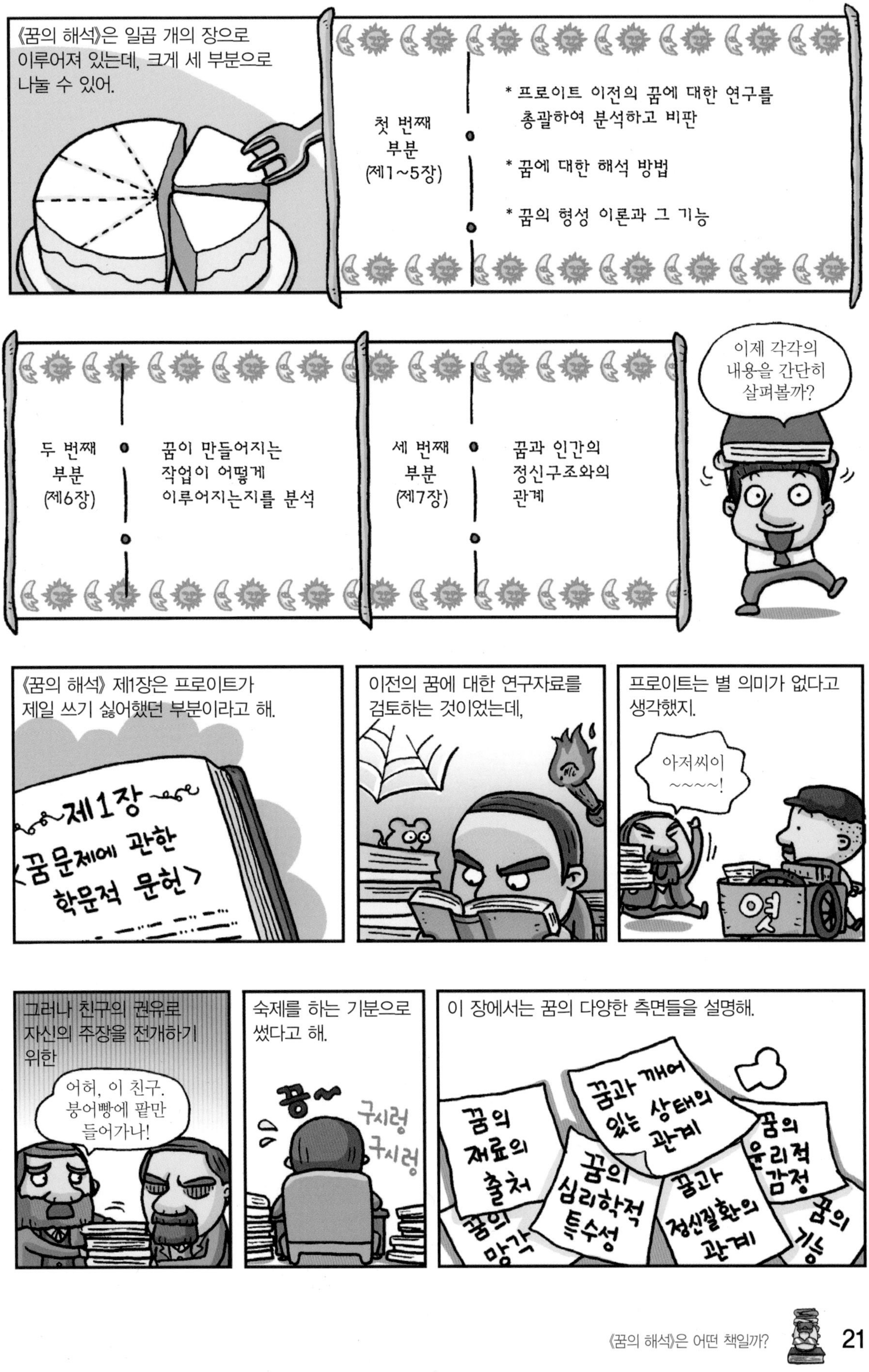
《꿈의 해석》은 일곱 개의 장으로 이루어져 있는데, 크게 세 부분으로 나눌 수 있어.
첫 번째 부분 (제1~5장)
* 프로이트 이전의 꿈에 대한 연구를 총괄하여 분석하고 비판
* 꿈에 대한 해석 방법
* 꿈의 형성 이론과 그 기능
두 번째 부분 (제6장)
꿈이 만들어지는 작업이 어떻게 이루어지는지를 분석
세 번째 부분 (제7장)
꿈과 인간의 정신구조와의 관계
이제 각각의 내용을 간단히 살펴볼까?
《꿈의 해석》 제1장은 프로이트가 제일 쓰기 싫어했던 부분이라고 해.
제 1 장
〈꿈 문제에 관한 학문적 문헌〉
이전의 꿈에 대한 연구자료를 검토하는 것이었는데,
프로이트는 별 의미가 없다고 생각했지.
아저씨이 ~~~~!
엿
그러나 친구의 권유로 자신의 주장을 전개하기 위한
어허, 이 친구. 붕어빵에 팥만 들어가나!
숙제를 하는 기분으로 썼다고 해.
끙~
구시렁 구시렁
이 장에서는 꿈의 다양한 측면들을 설명해.
꿈의 재료의 출처
꿈과 깨어 있는 상태의 관계
꿈의 심리학적 특수성
꿈과 정신질환의 관계
꿈의 윤리적 감정
꿈의 망각
꿈의 기능

〈제2장 : 꿈 해석의 방법 : 꿈 사례 분석〉에서 프로이트는
자신의 꿈을 분석하면서 꿈이 가지는 의미를 분석할 수 있다고 주장하고 있어.
기존의 꿈에 대한 해석으로는, '상징적 해석' 과
peace!
'암호 해독' 이라는 두 가지 방법이 있는데,
모두 신뢰성이 없고
자신의 독창적인 이론으로 일반인들이 바라는 꿈의 의미를 해석할 수 있다고 말하지.
In my way!
땅
땅
〈제3장 : 꿈은 소원성취다〉에서는 자신의 기본 명제인 꿈은
마음속의 소원을 성취하기 위한 것이라는 주장을 하고,
〈제4장 : 꿈 왜곡〉에서는
꿈이 왜 이해하기 어렵게 나오는지를 분석해.
Q)이꿈은 무슨 뜻일까요?
그리고 〈제5장 : 꿈 재료와 꿈 출처〉에서는
꿈을 만들어내는 재료로
위 잉~
꿈

최근의 기억, 어린 시절의 기억, 신체적 기원 등을 설명하고 있어.
재료들이 상태가 영 안 좋네. 어쩌지? 무를 수도 없고….
프로이트 이론의 중요한 부분인
밑줄쫙
오이디푸스 콤플렉스에 대한 설명도 제5장에 나와.
〈제6장 : 꿈 작업〉에서는 우리의 정신구조가 꿈을 요리해서 만들어내는 과정을 설명해.
꿀맛 같은 꿈을 부탁해요!
프로이트에 따르면 이것은 네 개의 법칙으로 이루어져 있는데
바로 요것들이지!
압축
이동(전위)
형상화의 고려
2차 가공
그런데 압축, 이동, 형상화에서 중요한 개념은 '상징적 표현'과 연관되어 있어.
Die Symbolik!
프로이트는 《꿈의 해석》을 1900년에 출간한 이후 원본에 계속 첨가를 하는데,
개정판을 위한 새 원고입니다!
또?!
출판사
그중 가장 중요한 것이 1914년 제6장에 추가한 꿈의 상징적 표현에 관한 것이야.
〈제7장 : 꿈-과정의 심리학〉에서는 꿈을 분석하면서, 자신이 정립한 정신구조에 대한 설명을 담고 있어.
여기에서 처음으로 자신의 무의식 개념을 설명하고,
무의식
이것이 어떻게 작동하는지를 보여주고 있어.
꿈
무의식

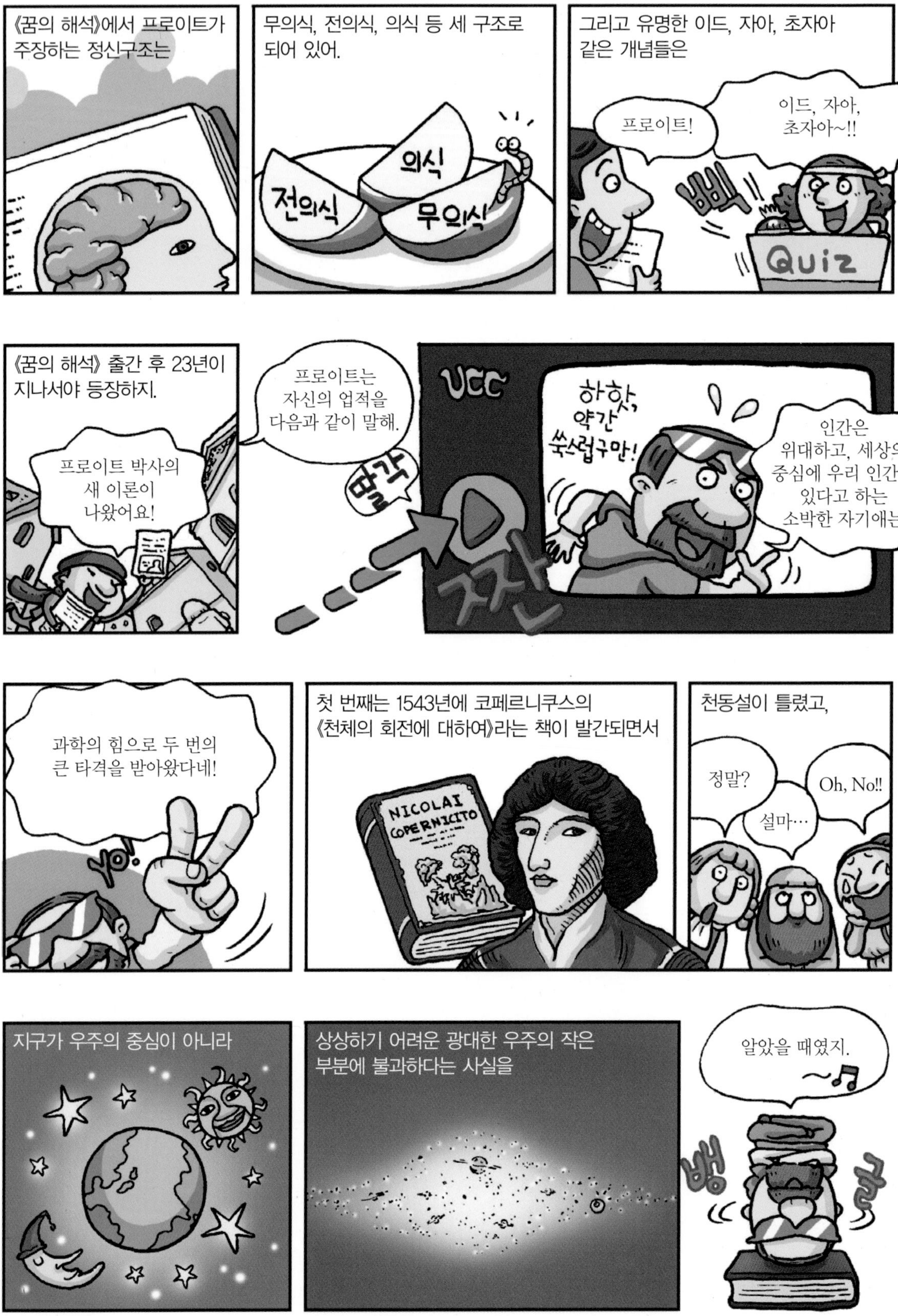
《꿈의 해석》에서 프로이트가 주장하는 정신구조는
무의식, 전의식, 의식 등 세 구조로 되어 있어.
의식
전의식
무의식
그리고 유명한 이드, 자아, 초자아 같은 개념들은
프로이트!
이드, 자아, 초자아~!!
삑
Quiz
《꿈의 해석》 출간 후 23년이 지나서야 등장하지.
프로이트 박사의 새 이론이 나왔어요!
프로이트는 자신의 업적을 다음과 같이 말해.
딸각
UCC
하핫, 약간 쑥스럽구만!
인간은 위대하고, 세상의 중심에 우리 인간이 있다고 하는 소박한 자기애는
과학의 힘으로 두 번의 큰 타격을 받아왔다네!
첫 번째는 1543년에 코페르니쿠스의 《천체의 회전에 대하여》라는 책이 발간되면서
NICOLAI COPERNICITO
천동설이 틀렸고,
정말?
설마…
Oh, No!!
지구가 우주의 중심이 아니라
상상하기 어려운 광대한 우주의 작은 부분에 불과하다는 사실을
알았을 때였지.
빙
글

두 번째는 1859년 다윈이
《종의 기원》을 출판했을 때야~
♬ Hi, Darwin?
??
THE ORIG OF SPECIES
이로써 인간이 만물의 중심이 아니라 동물계의 한 종에 불과하며
다른 동물들과 다를 바 없다는 사실이 증명되었지!
나아가, 자아가 자기 몸의 주인도 아닐 뿐만 아니라
정신 속에서 무의식적으로 일어나는 일들을 잘 알지도 못한 채 만족해야 한다는 사실을 증명하는
현대 심리학 연구는
FREUD
JUNG
WUNDT
인간의 과대망상에 가장 치명적인 세 번째 타격을 입힐 거라는 말씀!
헉!
이 세 번째 타격은 프로이트 자신의 무의식에 대한 이론을 말하는 거야.
댕
무의식 이론
인간은 위대한 존재이다!
결국 인간이란 우주의 중심이 아니며,
우주옥좌
지구상에 나타난 생물의 진화 과정에 있는 하나의 종에 불과하고,
얼른 안 풀어? 어류가 인류의 조상인 거 몰라?!
또 자신도 알 수 없는 무의식에 의해서 지배받는 존재에 불과하다는 거지.
무의식
척
척
프로이트의 자화자찬은 나름대로 근거가 있다고 인정할 수밖에 없어.
자화자찬이라니! 남들도 다 인정한다고!
간만에 몸풀었더니 허리가…

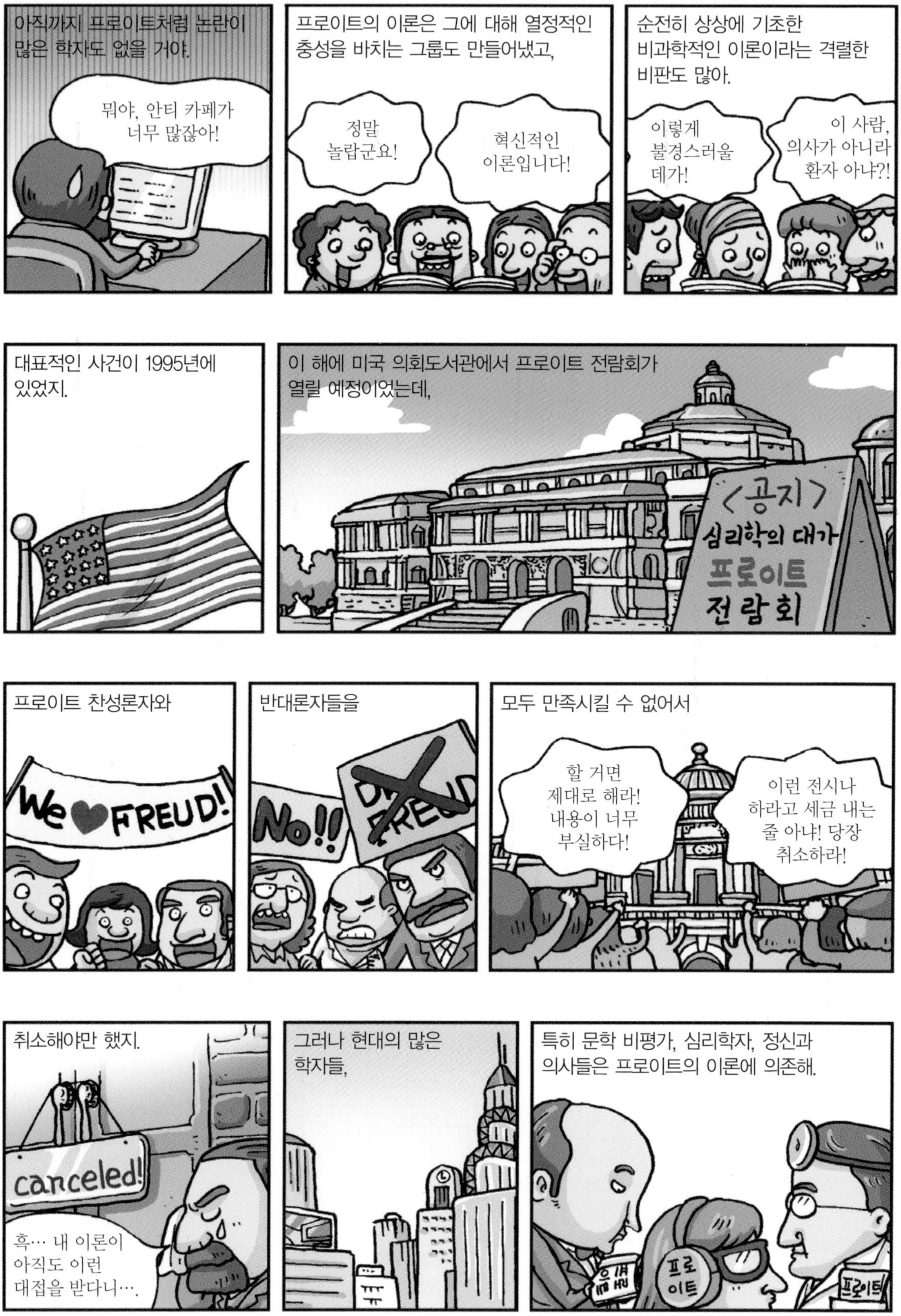

아직까지 프로이트처럼 논란이 많은 학자도 없을 거야.
뭐야, 안티 카페가 너무 많잖아!
프로이트의 이론은 그에 대해 열정적인 충성을 바치는 그룹도 만들어냈고,
정말 놀랍군요!
혁신적인 이론입니다!
순전히 상상에 기초한 비과학적인 이론이라는 격렬한 비판도 많아.
이렇게 불경스러울 데가!
이 사람, 의사가 아니라 환자 아냐?!
대표적인 사건이 1995년에 있었지.
이 해에 미국 의회도서관에서 프로이트 전람회가 열릴 예정이었는데,
<공지>
심리학의 대가
프로이트
전람회
프로이트 찬성론자와
We ♥ FREUD!
반대론자들을
No!!
FREUD
모두 만족시킬 수 없어서
할 거면 제대로 해라! 내용이 너무 부실하다!
이런 전시나 하라고 세금 내는 줄 아냐! 당장 취소하라!
취소해야만 했지.
canceled!
흑… 내 이론이 아직도 이런 대접을 받다니….
그러나 현대의 많은 학자들,
특히 문학 비평가, 심리학자, 정신과 의사들은 프로이트의 이론에 의존해.
프로이트
프로이트

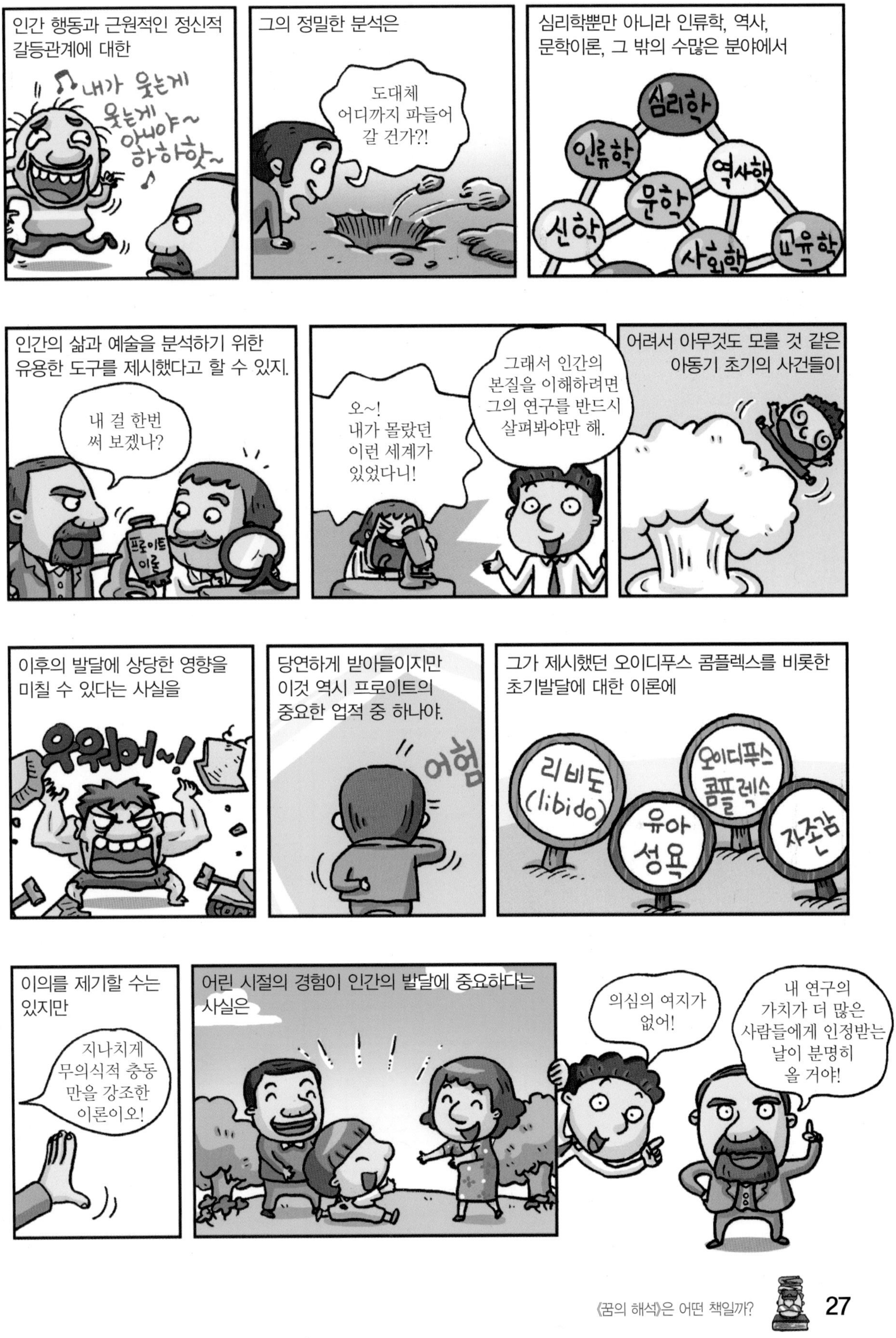

인간 행동과 근원적인 정신적 갈등관계에 대한
내가 웃는게 웃는게 아니야~ 하하핫~
그의 정밀한 분석은
도대체 어디까지 파들어 갈 건가?!
심리학뿐만 아니라 인류학, 역사, 문학이론, 그 밖의 수많은 분야에서
심리학
인류학
역사학
문학
신학
사회학
교육학
인간의 삶과 예술을 분석하기 위한 유용한 도구를 제시했다고 할 수 있지.
내 걸 한번 써 보겠나?
프로이트 이론
오~! 내가 몰랐던 이런 세계가 있었다니!
그래서 인간의 본질을 이해하려면 그의 연구를 반드시 살펴봐야만 해.
어려서 아무것도 모를 것 같은 아동기 초기의 사건들이
이후의 발달에 상당한 영향을 미칠 수 있다는 사실을
유워어~!
당연하게 받아들이지만 이것 역시 프로이트의 중요한 업적 중 하나야.
어험
그가 제시했던 오이디푸스 콤플렉스를 비롯한 초기발달에 대한 이론에
리비도 (libido)
오이디푸스 콤플렉스
유아 성욕
자존감
이의를 제기할 수는 있지만
지나치게 무의식적 충동만을 강조한 이론이오!
어린 시절의 경험이 인간의 발달에 중요하다는 사실은
의심의 여지가 없어!
내 연구의 가치가 더 많은 사람들에게 인정받는 날이 분명히 올 거야!

제2장
프로이트의
일생

지그문트 프로이트는 1856년 5월 6일 체코의 모라비아에서 태어났어.
폴란드
독일
체코
MORAVIA
슬로바키아
오스트리아

모라비아는 지금은 체코에 속해 있지만
으앵~
MORA

당시에는 오스트리아-헝가리 제국의 영토였지.
러시아
독일
오스트리아-헝가리 제국
루마니아
이탈리아
세르비아

정말 귀여운 아기예요!
울룰루 까꿍

이 해는 프로이트에게 큰 영향을 끼친 다윈의 《종의 기원》이 출간되기 3년 전이야.
THE ORIGIN OF SPECIES

프로이트는 야코프(Jacob)와
아말리아(Amalia)가 결혼해서 낳은
하핫, 네가 일곱 번째 중에 첫 번째란다!
일곱 명의 아이들 중 첫째였어.
그가 태어날 때 아버지 야코프는 모직물 장사로
대장간 2층 단칸방에 세 들어 살 만한 돈을 간신히 벌고 있었다고 해.
이번 달도 방세 못 내면 방 빼!
쾅
쾅
쾅
사실 나는 이미 결혼을 두 번 했습니다.
아말리아는 야코프의 세 번째 아내였는데,
괘… 괜찮아요.
결혼 당시 20세였고,
야코프는 20세 연상인 40세였어.
첫 번째 결혼에서 얻은 두 아들 엠마누엘과 필립은 새어머니 아말리아보다 각각 두 살과 한 살이 더 많았어.
아버지, 새엄마가 우리보다 나이가 더 어리잖아요! 이건 너무해요!
그래서 프로이트는
자신의 젊은 엄마에게 강력한 정서적 애착을 형성한 반면
세상에서 엄마가 제일 좋아~
아버지는 먼 존재, 아버지 같다기보다는 할아버지 같은 존재였다고 해.
누구야, 너희 할아버지야?
어린 프로이트는 자신의 아버지보다

이복형 필립이 어머니의 남편감으로 훨씬 더 잘 어울린다고 생각하기도 했고,
이복형 필립이 아버지 자리를 빼앗아
어머니에게 아이를 낳게 하지나 않을까 걱정하기도 했어.
아주 어릴 때 프로이트는 나이 많은 체코인 유모의 보살핌을 받았는데
프로이트는 어머니보다 그 유모가 아버지에게 훨씬 잘 어울리는 배우자라고 생각했다고 해.
유모
엄마
그런데 프로이트가 두 살이 조금 넘었을 때
이복형 필립이 유모를 절도죄로 고발하는 바람에
여보세요, 경찰서죠?
유모는 체포되어 유죄 판결을 받고 감옥에 갔지.
유모와 많은 시간을 보냈던 프로이트는 크게 상심했다고 해.
킹~
프로이트가 17개월이었을 때 동생 율리우스가 태어났어.
까르르
보통 아이들과 마찬가지로 프로이트도 동생에 대한 질투가 있었는데,

남동생은 7개월 만에 죽고 말았어.
프로이트는 나중에 '정신분석'이라는 자기 이론을 정립하면서
이 시기를 이렇게 분석했어.
"나는 동생의 죽음을 내 탓으로 알고 평생 동안 무의식 속에 죄의식을 갖고 살아왔다는 것을 나중에 알게 되었다. 어머니의 사랑을 빼앗아 간 동생을 미워했고, 그 동생이 죽기를 바랐다. 그러다가 막상 동생이 죽고 나니까 내가 동생을 죽인 것이라고 생각한 것이다."
이러한 프로이트의 자기 분석이 옳았을까?
지금 우리는 거기에 대해 판단할 수는 없지만 프로이트 자신은 그렇게 생각했어.
일종의 트라우마*라고 할까나?
프로이트가 네 살이 되던 1860년에 가족들은 오스트리아의 수도 빈으로 이주해.
취학 전까지는 아버지가 집에서 그를 가르쳤는데,
유대인이었지만 종교의 실천이 가족의 중심에 있지는 않았어.

*트라우마 trauma – 외상(정신적인 큰 충격)

아버지는 유대교와 관련한 모든 것에 대해 완전히 무지한 상태로 성장하도록 내버려두었지.
??
토라
아홉 살(1865년)까지는 유대인 사립학교에 다니다가 중등학교 과정인 김나지움에 입학했어.
김나지움은 17세(1873년)에 빈 대학 의학부에 입학하기 전까지 8년을 다녔지.
김나지움에 다니는 8년 중 6년 동안 그는 줄곧 반에서 1등이었어.
쟤가 프로이트야.
정말? 그 1등만 한다는 애?
집안은 그리 부유하지 않았지만 프로이트는 혼자만의 공부 방을 가졌다고 해.
차별 대우 반대!
프로이트방
또 여동생의 피아노 레슨이 시끄러워 공부에 방해가 된다고 하자,
띵 또로~ 또동~
띵또똥
부모는 레슨을 중지하고 피아노는 그 집에서 실려 나갈 정도로
따각 따각
프로이트에게 정성을 다한 것 같아.
1등만 한대!
좋겠네, 저집은~
프로이트는 고대 그리스와 로마의 고전 문학서적을 많이 읽었으며
아이네이스
플루타르크 영웅전
일리아드 오디세이
라틴어, 그리스어, 프랑스어, 영어도 배웠어.
LATIN
Greek
Frenc
English

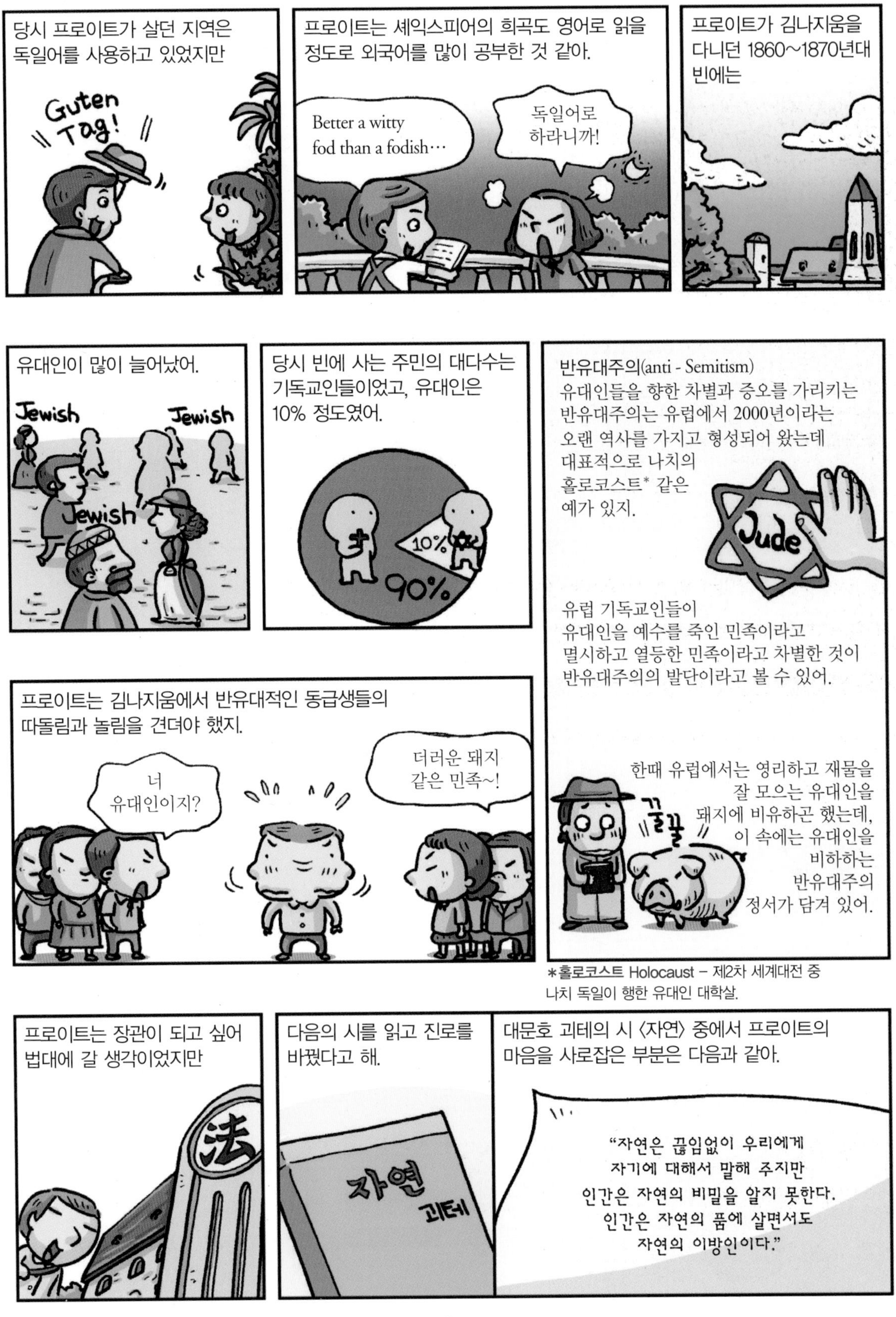

당시 프로이트가 살던 지역은 독일어를 사용하고 있었지만
Guten Tag!
프로이트는 셰익스피어의 희곡도 영어로 읽을 정도로 외국어를 많이 공부한 것 같아.
Better a witty fod than a fodish…
독일어로 하라니까!
프로이트가 김나지움을 다니던 1860~1870년대 빈에는
유대인이 많이 늘어났어.
Jewish
Jewish
Jewish
당시 빈에 사는 주민의 대다수는 기독교인들이었고, 유대인은 10% 정도였어.
10%
90%
반유대주의(anti - Semitism)
유대인들을 향한 차별과 증오를 가리키는 반유대주의는 유럽에서 2000년이라는 오랜 역사를 가지고 형성되어 왔는데 대표적으로 나치의 홀로코스트* 같은 예가 있지.
Jude
유럽 기독교인들이 유대인을 예수를 죽인 민족이라고 멸시하고 열등한 민족이라고 차별한 것이 반유대주의의 발단이라고 볼 수 있어.
프로이트는 김나지움에서 반유대적인 동급생들의 따돌림과 놀림을 견뎌야 했지.
너 유대인이지?
더러운 돼지 같은 민족~!
한때 유럽에서는 영리하고 재물을 잘 모으는 유대인을 돼지에 비유하곤 했는데, 이 속에는 유대인을 비하하는 반유대주의 정서가 담겨 있어.
꿀꿀
프로이트는 장관이 되고 싶어 법대에 갈 생각이었지만
法
다음의 시를 읽고 진로를 바꿨다고 해.
자연
괴테
대문호 괴테의 시 〈자연〉 중에서 프로이트의 마음을 사로잡은 부분은 다음과 같아.
“자연은 끊임없이 우리에게 자기에 대해서 말해 주지만 인간은 자연의 비밀을 알지 못한다. 인간은 자연의 품에 살면서도 자연의 이방인이다.”

*홀로코스트 Holocaust – 제2차 세계대전 중 나치 독일이 행한 유대인 대학살.

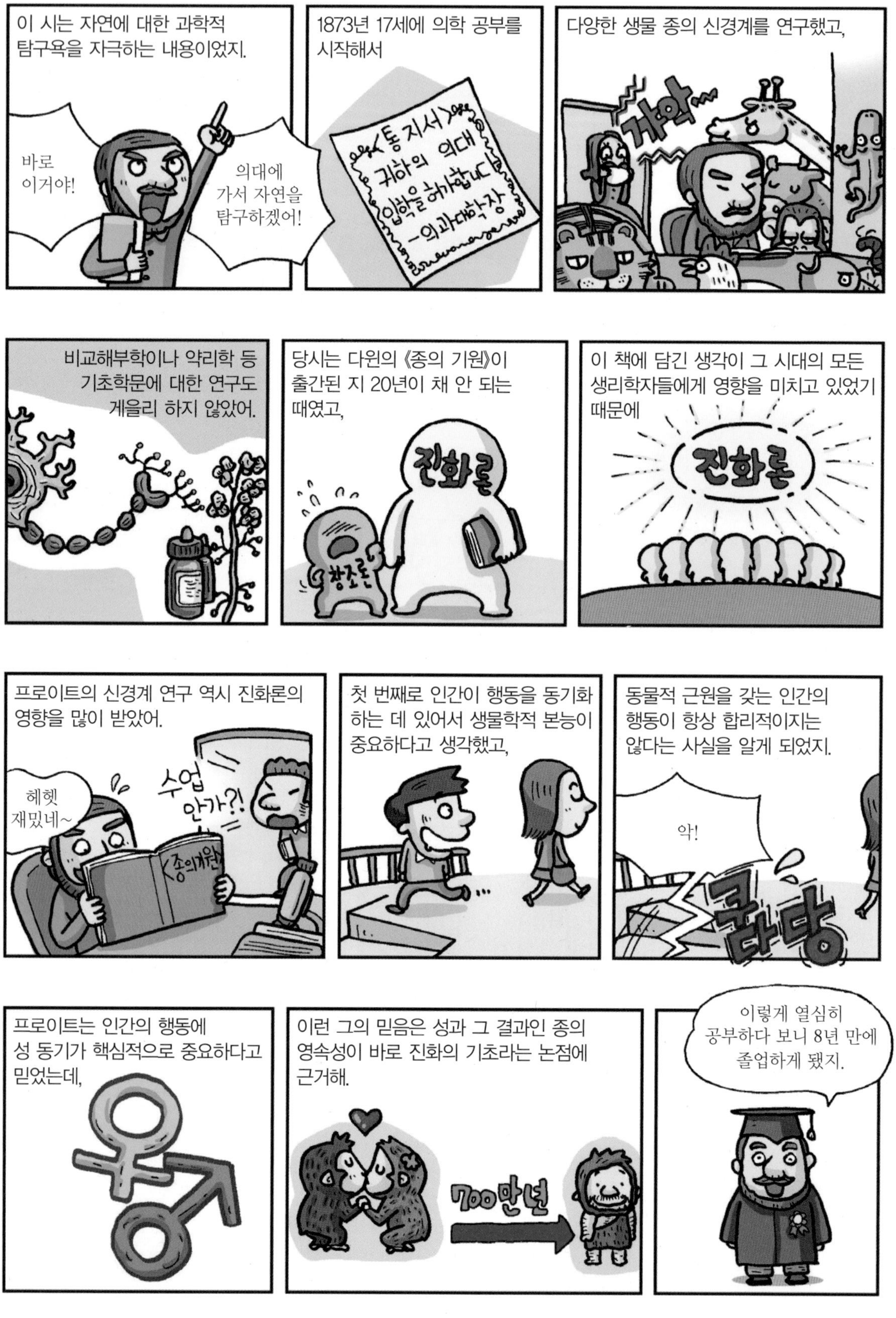
이 시는 자연에 대한 과학적 탐구욕을 자극하는 내용이었지.
바로 이거야!
의대에 가서 자연을 탐구하겠어!
1873년 17세에 의학 공부를 시작해서
<통지서> 귀하의 의대 입학을 허가합니다 -의과대학장
다양한 생물 종의 신경계를 연구했고,
꺄악~
비교해부학이나 약리학 등 기초학문에 대한 연구도 게을리 하지 않았어.
당시는 다윈의 《종의 기원》이 출간된 지 20년이 채 안 되는 때였고,
진화론
창조론
이 책에 담긴 생각이 그 시대의 모든 생리학자들에게 영향을 미치고 있었기 때문에
진화론
프로이트의 신경계 연구 역시 진화론의 영향을 많이 받았어.
헤헷 재밌네~
수업 안가?!
<종의기원>
첫 번째로 인간이 행동을 동기화하는 데 있어서 생물학적 본능이 중요하다고 생각했고,
동물적 근원을 갖는 인간의 행동이 항상 합리적이지는 않다는 사실을 알게 되었지.
악!
콰당
프로이트는 인간의 행동에 성 동기가 핵심적으로 중요하다고 믿었는데,
이런 그의 믿음은 성과 그 결과인 종의 영속성이 바로 진화의 기초라는 논점에 근거해.
700만년
이렇게 열심히 공부하다 보니 8년 만에 졸업하게 됐지.

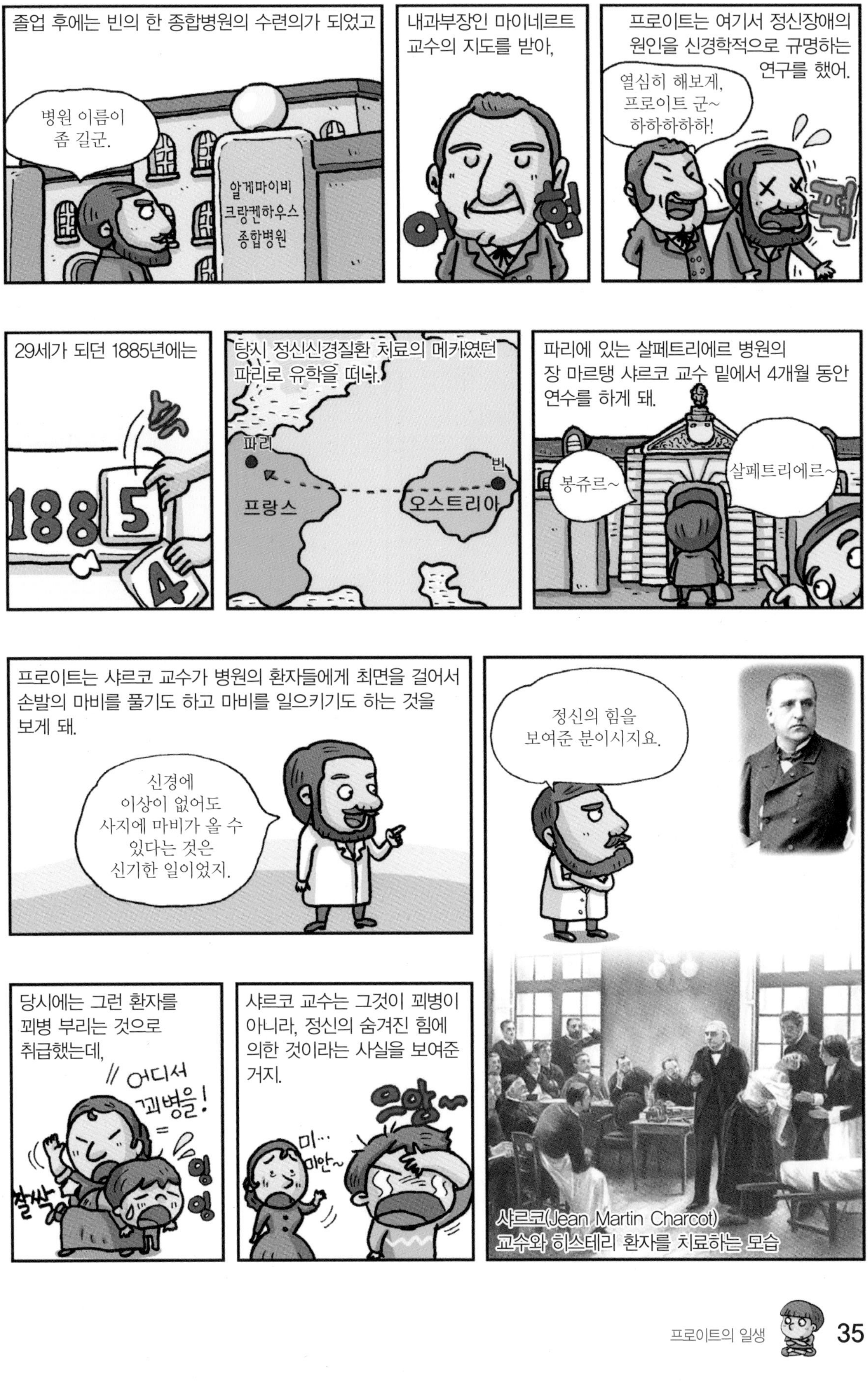
졸업 후에는 빈의 한 종합병원의 수련의가 되었고
병원 이름이
좀 길군.
알게마이비
크랑켄하우스
종합병원
내과부장인 마이네르트
교수의 지도를 받아,
어험
프로이트는 여기서 정신장애의
원인을 신경학적으로 규명하는
연구를 했어.
열심히 해보게,
프로이트 군~
하하하하하!
퍽
29세가 되던 1885년에는
1885
4
당시 정신신경질환 치료의 메카였던
파리로 유학을 떠나.
파리
빈
프랑스
오스트리아
파리에 있는 살페트리에르 병원의
장 마르탱 샤르코 교수 밑에서 4개월 동안
연수를 하게 돼.
봉쥬르~
살페트리에르~
프로이트는 샤르코 교수가 병원의 환자들에게 최면을 걸어서
손발의 마비를 풀기도 하고 마비를 일으키기도 하는 것을
보게 돼.
신경에
이상이 없어도
사지에 마비가 올 수
있다는 것은
신기한 일이었지.
정신의 힘을
보여준 분이시지요.
당시에는 그런 환자를
꾀병 부리는 것으로
취급했는데,
어디서
꾀병을!
철썩
엉엉
샤르코 교수는 그것이 꾀병이
아니라, 정신의 숨겨진 힘에
의한 것이라는 사실을 보여준
거지.
으앙~
미…
미안~
샤르코(Jean Martin Charcot)
교수와 히스테리 환자를 치료하는 모습

프로이트는 여기에서 정신이
육체를 지배하는 것을 확인했어.
위이이잉
정신
척척
파리 유학은 내 생애 전환점이었어.
신경학자에서 정신병리학자로 전환하면서 '정신분석' 을 창시하는 계기를 마련했지.
프로이트는 빈으로 돌아온 뒤 1886년 마르타 베르나이스와
결혼해 세 딸과 두 아들을 두었는데
첫 아들의 이름을 샤르코 교수의 이름을 따
'장 마르탱' 이라고 지을 정도로 샤르코 교수를
무척 존경했어.
장 마르탱 이라고 부릅시다.
이름이 좀 촌스러워요.
빈에서 프로이트가 개인 사무실을 열고 주로
치료했던 환자들은 히스테리를 앓고 있었어.
Dr. 프로이트
히스테리란 심리적인 갈등 때문에 나타나는 팔다리 마비,
경련, 불안증, 공포증 등을 말해. 일종의 마음의 병이지.
당시에는 히스테리 환자를 치료하기
위해 마사지,
아프다고요….
꾹꾹
전기 충격,
냉수 치료 등을 사용했어.
촤악
촤악

치료 방법들이 썩
신통치 않은데….
그러던 중 1889년 파리에서 개최된
첫 국제 최면학회를 방문해서
국제 최면학회
최면술을 본격적으로 배웠어.
스승님!
고수
그러나 프로이트는 최면술도 히스테리
환자를 치료하는 데 한계가 있다는 것을
느껴.
이 방법이
아닌가벼~
배우다
말고
어디 가?!
최면에 걸리지 않는
환자들도 많았고,
말똥 말똥
최면으로 치료해도
그 효과가 일시적이거나
만족스럽지가 않았지.
으아악~ 끙~
그러던 중 프로이트는 히스테리
환자들을 면담하면서
환자들이 기억 때문에
고통스러워하는데,
기억
혼란스러운 기억을 되살리는 것 자체로
증상이 좋아진다는 것을 발견했어.
그래서요….
그래서
제가
소리를….
마음의 상처나 응어리를 말로 표현하는 것 자체로 히스테리가
치료되는 거야.
어렸을 때…
일곱살 때…
그때부터…
너무 놀라서…
하긴 그런 모습은…
히스테리 정도
이것이 '카타르시스'라는 방법이야.
catharsis
그리스어 : 정화(淨化)

원래 카타르시스란 몸 안의 불순물을 배설한다는 의미인데,
이거?
숨겨진 과거의 기억을 되살리는 것 자체가 감정의 찌꺼기를 찾아 배출하는 의미가 있어.
이제 좀 살 것 같아요!
턱
감정의 찌꺼기
환자들에게 편안한 침대에 누워 이완 자세를 취하면서 머릿속에 떠오르는 모든 것을 이야기 하도록 했더니
자면 안 됩니다.
드렁~
평소에는 기억하지 못하고 있던 일들을 말했어.
꿈…
그날 아침 헛간에 들어가 보니 아, 글쎄 들쥐가 새끼를 낳았더라고…. 얼마나 살이 쪘던지 내 팔뚝만 했지…. 찍찍찍~ 근데…. 점심시간에 뒷집 호프만 씨가….
이것이 '자유연상' 이라는 방법이야. 자유연상을 하는 동안 꿈에 대한 이야기도 포함돼.
프로이트는 마침내 치료 과정에서 '꿈'에 주목하기 시작한 거야.
꿈!
주욱
자유연상과 꿈 보고라는 수단을 통해 자신의 과거 속으로 들어가 보면
환자들은 흔히 어린 나이에 성적인 상처를 겪은 경험이 있었어.
어린아이는 자신에게 일어난 일을 전혀 이해하지 못하므로
그 경험은 망각되어 무의식적으로 마음 깊은 곳에 일단 매장돼.
그러다가 사춘기가 오면서 성인이 되고 성(sex)을 이해하고 또 경험하고 나면

오랫동안 매장되어 있던
무의식의 상처가
꿈
상처
틀
히스테리 증상의 형태로 다시
나타나는 거지.
그래서 프로이트는 히스테리란 어린
시절 부모나 다른 성인에 의한 성적
학대의 결과로 나타난다고 생각했지.
그런데 이러한 환자들의 부모 중에는
프로이트가 잘 아는 사람들도 있었어.
도저히 그런 일이 일어날 수 없는 가정에서 그런 경험을 당했다고
환자들이 주장하니 프로이트는 당황스러웠지.
믿거나 말거나!
절대 그럴리 없을 텐데.
Believe it or not
프로이트가 정신분석이라는 용어를
사용한 지 1년이 되는 1897년
정신분석 전문의 프로이트 올시다.
정신분석??
42세의 여자 환자를
보게 되었어.
Dr. FREUD
똑
똑
증세는 이랬어.
불면증이 심하고, 자려고 누우면 몸은 물 먹은 솜처럼 피곤한데 어릴 때의 여러 가지 기억들이 떠올라 잠을 잘 수가 없어요.
이 환자의 신경증도
다른 여자 환자들처럼 아버지의 성적
유혹과 관계가 있었는데,
이 부인의 경우는 좀 달랐어.
말을 할 때마다 아버지에게서 유혹을
받은 기억이 달라지는 거야.

프로이트는 이때 자신이 지금까지 터무니없는 오해를 해왔다는 것을 깨달았어.
사실에 대한 기억이라면 이럴 수가 없어!
환자들은 성희롱을 당한 것이 아니었어!
성희롱은 사실이 아닌 공상이었던 거야!
즉 아이는 부모가 자기를 유혹해 주기를 바라는 기대를 갖고 그러한 공상을 하는데,
이것을 마치 실제 사건처럼 기억하는 거야.
환자들이 말하는 성희롱이나 손상 경험들이 사실이 아닐 수도 있다는 거지.
사례2
쿵-
사례3
Not True!
Not True!
아직 현실과 공상을 구별하는 능력이 발달하지 못했거나
???
귀신~ 귀신~
기대가 너무 강력했기 때문이지.
이 사실을 알고 나서 프로이트는 크게 실망하고 충격을 받았어.
내가 발표한 유혹설이 모두 환자의 공상과 허구를 근거로 세운 것이었다니!
이 발견은 무의식 세계에서 작동하는 정신 기능의 핵심에 도달하는 계기가 되었지.
핵심
환자는 실제 사건으로 기억하고 있지만
정말?
정말이라니까….
사실은 어린 시절에 바라고 꿈꾸었던 소원이었던 거야.

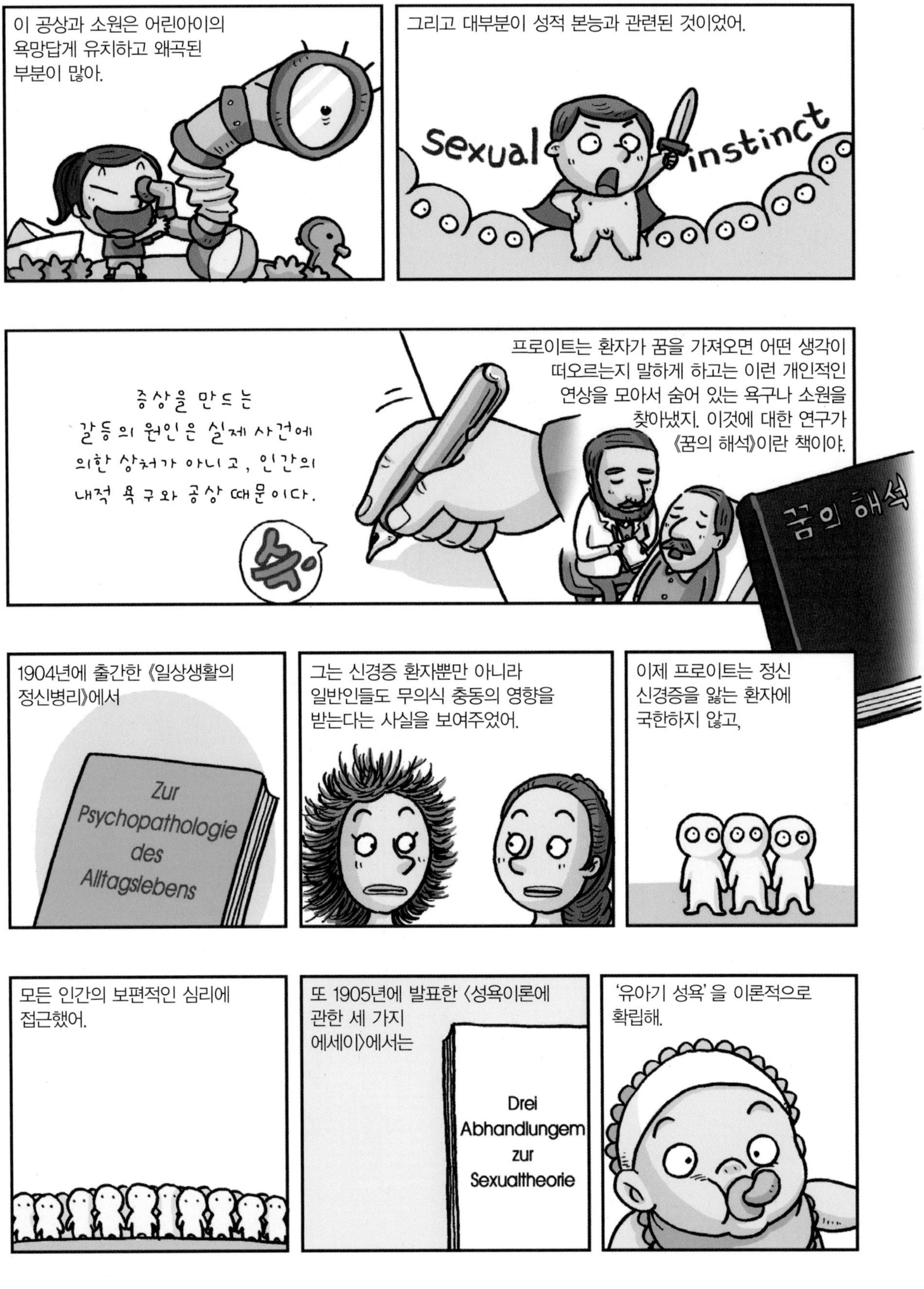
이 공상과 소원은 어린아이의 욕망답게 유치하고 왜곡된 부분이 많아.
그리고 대부분이 성적 본능과 관련된 것이었어.
sexual instinct
증상을 만드는 갈등의 원인은 실제 사건에 의한 상처가 아니고, 인간의 내적 욕구와 공상 때문이다.
쓱
프로이트는 환자가 꿈을 가져오면 어떤 생각이 떠오르는지 말하게 하고는 이런 개인적인 연상을 모아서 숨어 있는 욕구나 소원을 찾아냈지. 이것에 대한 연구가 《꿈의 해석》이란 책이야.
꿈의 해석
1904년에 출간한 《일상생활의 정신병리》에서
Zur Psychopathologie des Alltagslebens
그는 신경증 환자뿐만 아니라 일반인들도 무의식 충동의 영향을 받는다는 사실을 보여주었어.
이제 프로이트는 정신 신경증을 앓는 환자에 국한하지 않고,
모든 인간의 보편적인 심리에 접근했어.
또 1905년에 발표한 〈성욕이론에 관한 세 가지 에세이〉에서는
Drei Abhandlungem zur Sexualtheorie
'유아기 성욕'을 이론적으로 확립해.

유아기 성욕이란 아기들도 성욕을 가지고 있다는 이론이야.
우리도 성욕이 있다!
리비도*가 모여 있는 성감대가 입, 항문, 성기로 옮겨가는데, 성감대의 만족이 너무 크거나 부족할 때 그 부위와 관련된 성격장애가 나타나는 거지.
쪽- 쪽-
*리비도 – 성욕 에너지.
20세기 첫 25년간 프로이트의 이론은 영국, 헝가리, 독일, 미국 등 여러 나라에 뿌리를 내려.
중요한 사건으로 1907년 3월 스위스의 신경학자 융이 빈에 와서 프로이트를 만나.
존경합니다. 스승으로 모시겠습니다!
하핫- 근데 우리 벌써 13시간째 얘기 중이군…
융
프로이트
융은 프로이트가 지도한 제자들 중 처음으로 유대인이 아니었어.
평생 반유대주의를 두려워했던 프로이트는
정신분석이 유대인만의 학문으로 전락하는 것을 두려워했어.
당신은 유대인이잖소!
유대인의 학문을 우리는 인정할 수 없소!
그래서 비유대인인 융을 자신의 정신분석 이론을 세계적으로 전파할 수 있는 적임자라고 생각하고, 그를 지원해.
배고프지? 이거 먹고 하게!
그리고 1909년 미국의 클라크 대학의 스텐리 홀에서 융과 함께 5회에 걸쳐 강의를 함으로써 프로이트와 정신분석은 국제적으로 알려지게 돼.
프로이트와 융의 정신분석 강의

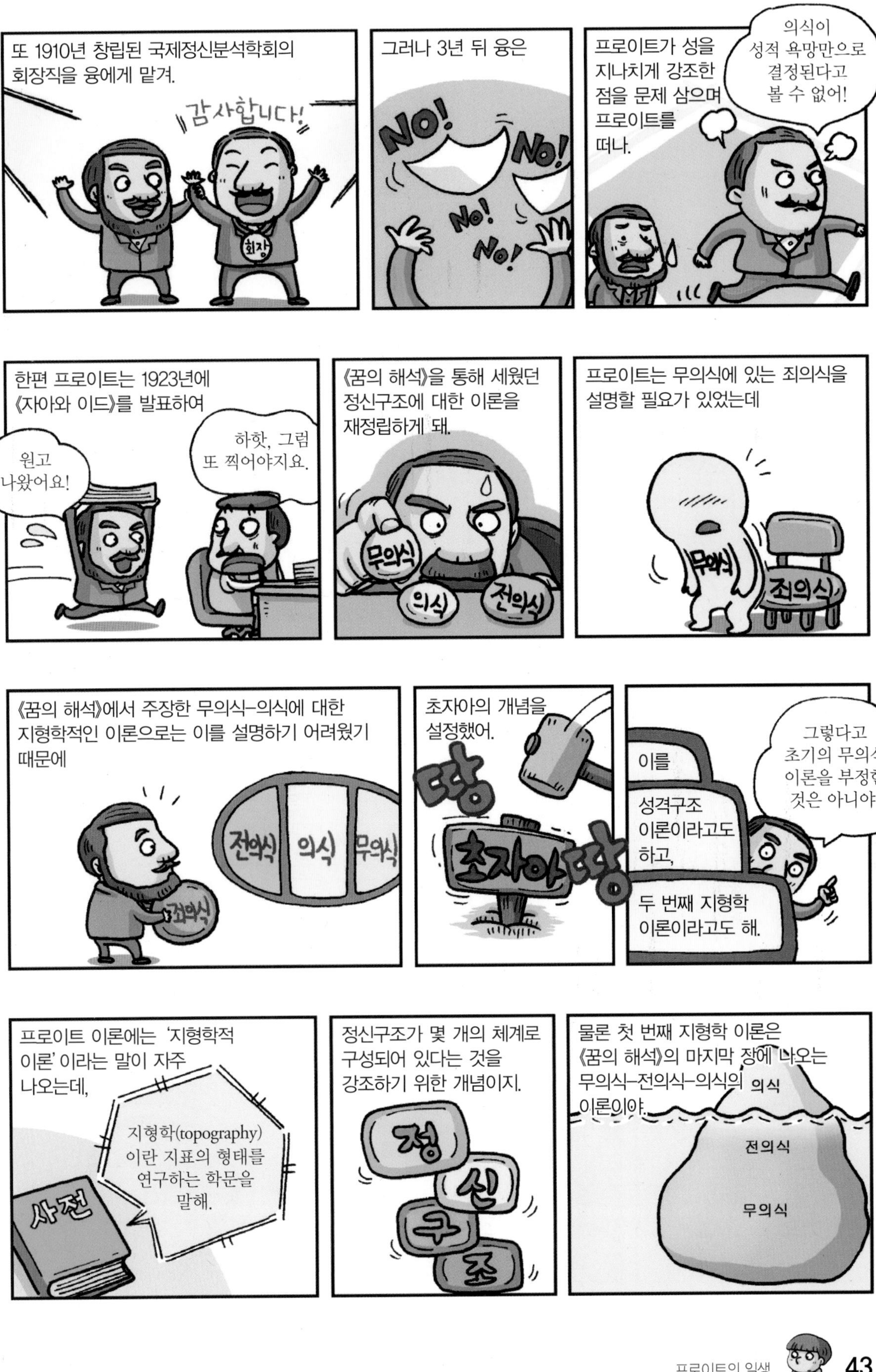
또 1910년 창립된 국제정신분석학회의 회장직을 융에게 맡겨.
감사합니다!
회장
그러나 3년 뒤 융은
NO! No! No! No!
프로이트가 성을 지나치게 강조한 점을 문제 삼으며 프로이트를 떠나.
의식이 성적 욕망만으로 결정된다고 볼 수 없어!
한편 프로이트는 1923년에 《자아와 이드》를 발표하여
원고 나왔어요!
하핫, 그럼 또 찍어야지요.
《꿈의 해석》을 통해 세웠던 정신구조에 대한 이론을 재정립하게 돼.
무의식
의식
전의식
프로이트는 무의식에 있는 죄의식을 설명할 필요가 있었는데
무의식
죄의식
《꿈의 해석》에서 주장한 무의식-의식에 대한 지형학적인 이론으로는 이를 설명하기 어려웠기 때문에
전의식
의식
무의식
죄의식
초자아의 개념을 설정했어.
땅
초자아
땅
이를
성격구조 이론이라고도 하고,
두 번째 지형학 이론이라고도 해.
그렇다고 초기의 무의식 이론을 부정한 것은 아니야.
프로이트 이론에는 '지형학적 이론'이라는 말이 자주 나오는데,
지형학(topography)이란 지표의 형태를 연구하는 학문을 말해.
사전
정신구조가 몇 개의 체계로 구성되어 있다는 것을 강조하기 위한 개념이지.
정
신
구
조
물론 첫 번째 지형학 이론은 《꿈의 해석》의 마지막 장에 나오는 무의식-전의식-의식의 이론이야.
의식
전의식
무의식

프로이트의 성격구조 이론에 따르면 인간의
정신세계는 세 개의 구조로 이루어져 있어.
또각
또각
그 세 가지는 이드(id), 자아(ego), 초자아(superego)의 구조야.
id
ego
super-ego
<성격구조 이론 속의 인간의 정신세계>
난 이드!
난 자아!
난 초자아!
이드는 무의식의 개념을 대부분 포함하고 있어.
무의식
원시적이고 본능적인 욕구들이 여기에 속해.
식욕
성욕
선천적으로 타고난 것으로 생존하는 데 필수적인 욕구들이지.
이드는 무의식처럼 쾌락원칙을 따라 활동해.
쾌락
자아는 이드에서 태어나는데, 성장 과정에서 이드의 일부가 변형되어 자아가 되는 거야.
아이가 외부 세계를 경험하면서
이드의 일부가 자아로 발전하는 거지.
ego
id

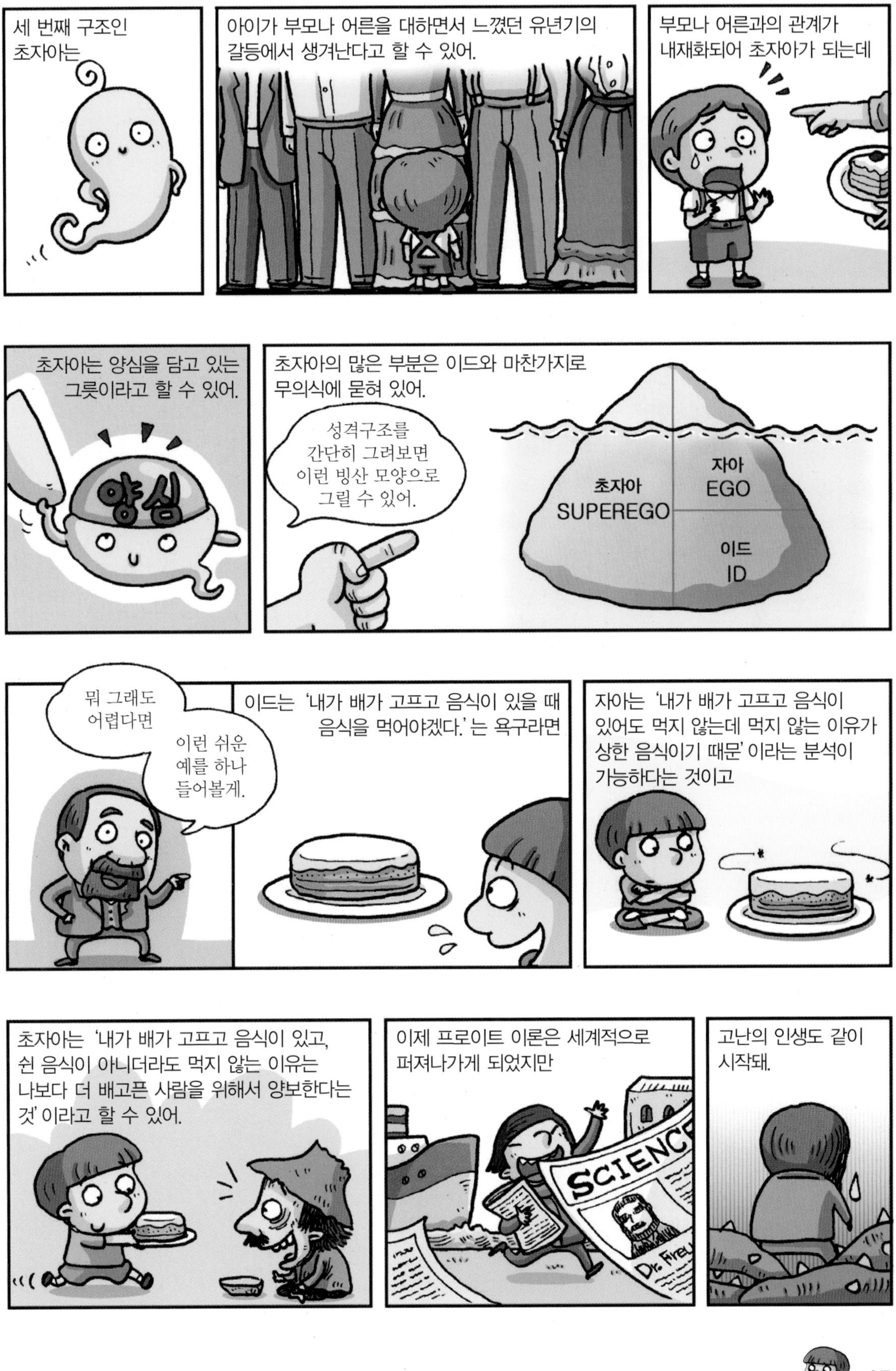
세 번째 구조인
초자아는
아이가 부모나 어른을 대하면서 느꼈던 유년기의
갈등에서 생겨난다고 할 수 있어.
부모나 어른과의 관계가
내재화되어 초자아가 되는데
초자아는 양심을 담고 있는
그릇이라고 할 수 있어.
양심
초자아의 많은 부분은 이드와 마찬가지로
무의식에 묻혀 있어.
성격구조를
간단히 그려보면
이런 빙산 모양으로
그릴 수 있어.
초자아
SUPEREGO
자아
EGO
이드
ID
뭐 그래도
어렵다면
이런 쉬운
예를 하나
들어볼게.
이드는 '내가 배가 고프고 음식이 있을 때
음식을 먹어야겠다.'는 욕구라면
자아는 '내가 배가 고프고 음식이
있어도 먹지 않는데 먹지 않는 이유가
상한 음식이기 때문'이라는 분석이
가능하다는 것이고
초자아는 '내가 배가 고프고 음식이 있고,
쉰 음식이 아니더라도 먹지 않는 이유는
나보다 더 배고픈 사람을 위해서 양보한다는
것'이라고 할 수 있어.
이제 프로이트 이론은 세계적으로
퍼져나가게 되었지만
SCIENCE
고난의 인생도 같이
시작돼.

'정신분석'이라는 그의 획기적인 업적에도 불구하고
정신분석
평생을 따라다니며 그를 괴롭히던 반유대주의 때문에
학문적 성과를 인정받는 데 무척 어려움을 겪었어.
우리 대학에서는 당신에게 교수 자리를 줄 수 없소.
면접
한참 왕성한 학문활동을 하던 30, 40대에
선생님, 이러다 병 나시겠어요.
3일째 밤샘…
그는 의학계에서 성욕에 사로잡힌 창피한 이단자 취급을 받았어.
그리고 제자들조차 그가 성만을 강조한다며 그를 떠나갔어.
융이 떠날 때는 정신을 잃고 쓰러질 정도로 충격을 받았지.
융, 너마저….
1919년 둘째 딸이 폐렴으로 죽은 후
크흐흑~ 크흑~
죽음의 문제를 철학적으로 생각하면서 '죽음의 본능'이라는 개념에 몰입하게 돼.
인생은 지독한 고통이군….
이 고통은 죽음의 순간에야 비로소 끝날 테지….
《자아와 이드》를 발표하던 1923년에는
자아와 이드
후두암이 발병해 이후 죽을 때까지 무려 서른한 번이나 고통스러운 수술을 받아야 했어.
프로이트가 77세인 1933년에는 히틀러가 프로이트의 책들을 공개적으로 불태웠어.
버러지 같은 유대인들을 모조리 청소하겠다!

제2차 세계대전이 발발해 독일군이 오스트리아를 병합하자
프로이트는 미국 외교관들과 친구들의 도움으로 간신히 영국으로 피신하게 돼.
하지만 미처 피신하지 못했던 그의 여동생들은 가스실에서 처형당했어.
결국 런던에 정착한 다음 해인 1939년 9월 23일 프로이트는 숨을 거둬.
프로이트 여기 잠들다 (1856~1939)
프로이트처럼 고통스럽게 산 사람도 드물 거야. 하지만 인간의 정신을 과학적으로 탐구해 나간 그의 위대한 업적은 시간이 지날수록 더욱 빛을 발하고 있어.
크흑~ 내 인생을 돌아보니 정말 기구한 삶을 살았군.
자, 이제 본격적으로 《꿈의 해석》으로 들어가 볼까?

프로이트
부인
프로이트와 가족들의 모습

프로이트 이론에 대한 비판

▲
브로이어

프로이트 이론에 대한 극단적인 비판은 정신분석은 20세기의 가장 엄청난 지적 신용 사기이며, 터무니없이 빈약하게 설계된 거대한 구조물이라고 한 것입니다. 또 프로이트가 출판한 사례 보고서를 상세히 분석한 학자들 가운데 일부는 정신분석이 치료로서 효과가 있다는 증거를 별로 찾지 못했다고도 했습니다. 또한 현재 발달한 신경학적인 연구와 꿈에 대한 과학적인 연구를 토대로 프로이트 이론의 구체적인 사항은 틀렸다는 것이 밝혀지고 있습니다. 지금까지 일반적으로 많이 지적되고 있는 그에 대한 비판은 다음과 같이 요약할 수 있습니다.

먼저 그가 성 충동을 강조한 점입니다. 프로이트와 같이 활동했던 브로이어, 융, 아들러 등 모두가 이 문제로 그를 떠났습니다. 실제로 인간의 행동은 너무 복잡하고 다양해서 프로이트가 말한 것처럼 성 충동이라는 하나의 동기로 설명할 수 없습니다. 그래서 프로이트 이론을 기반으로 정신분석을 하는 의사나 심리학자들은 성격형성에서 대인관계와 사회환경의 역할을 점점 더 중요시합니다.

두 번째 비판은 성격형성 시기에 관한 프로이트의 주장입니다. 프로이트는 사람의 성격구조는 태어나서 첫 5~6년 동안 본질적으로 고정된다고 주장했습니다. 어린 시절이 나중의 성격을 결정하는 중요한 요인인 것은 분명하지만 어린 시절에 성격의 모든 것이 결정된다는 그의 주장은 과장된 표현입니다.

세 번째 비판은 그의 연구방법이 과학적이지 못하다는 점입니다. 프로이트는 한정된 표본의 사례 연구에 의존했고, 자신의 편견으로 환자들에게서 얻은 자료를 자기 마음에 드는 모양으로 바꾸었으며, 그가 사용하는 용어들을 엄격하게 정의하지 않음으로써 자신의 이론을 검증하기 어렵게 했다는 것입니다. 또한 프로이트가 자신의 관점을 교조적으로 고집하고 추종자들에게서 충성을 요구했다는 점입니다. 이것은 자기 이론이 옳다는 것을 증명해야 인정을 받을 수 있는 실증주의적 과학 태도와는 배치됩니다. 그리고 프로이트 이론의 신봉자들은 비판을 받으면 비판자들의 무의식적인 저항 때문이라고 하며, 오히려 자신들 이론의 핵심 개념 중 하나인 저항을 지지하는 기반으로 삼곤 하였습니다. 이것은 자기모순에 빠진 합리화에 불과한 것으로 과학을 하는 태도가 아닙니다.

▲ 아들러

▲ 융

네 번째 비판은 프로이트의 여성 심리학에 대한 태도입니다. 그의 이론에 따르면 여성은 결코 초자아가 완전하게 발달할 수 없고, 여성은 남성의 지위를 부러워하며, 가능하다면 남성이 되고자 하며, 여성이 자신을 실현할 수 있는 최상의 희망은 남자 아이를 낳는 것이라고 생각했습니다. 이것은 해부학적 구조에 따르는 어쩔 수 없는 숙명 때문이라고 했습니다. 프로이트는 '여성의 지위는 이류' 라는 빅토리아 시대의 태도를 지닌 전형적인 빅토리아 시대의 남성이라는 어쩔 수 없는 시대적 한계 때문일 것입니다.

그러나 그의 이론에 대한 비판은 지엽적인 내용이 많습니다. 그의 이론은 전체적으로는 세월의 평가를 이겨냈고, 지금도 신경학 연구를 통해 그의 이론이 옳다는 사실이 밝혀지고 있습니다.

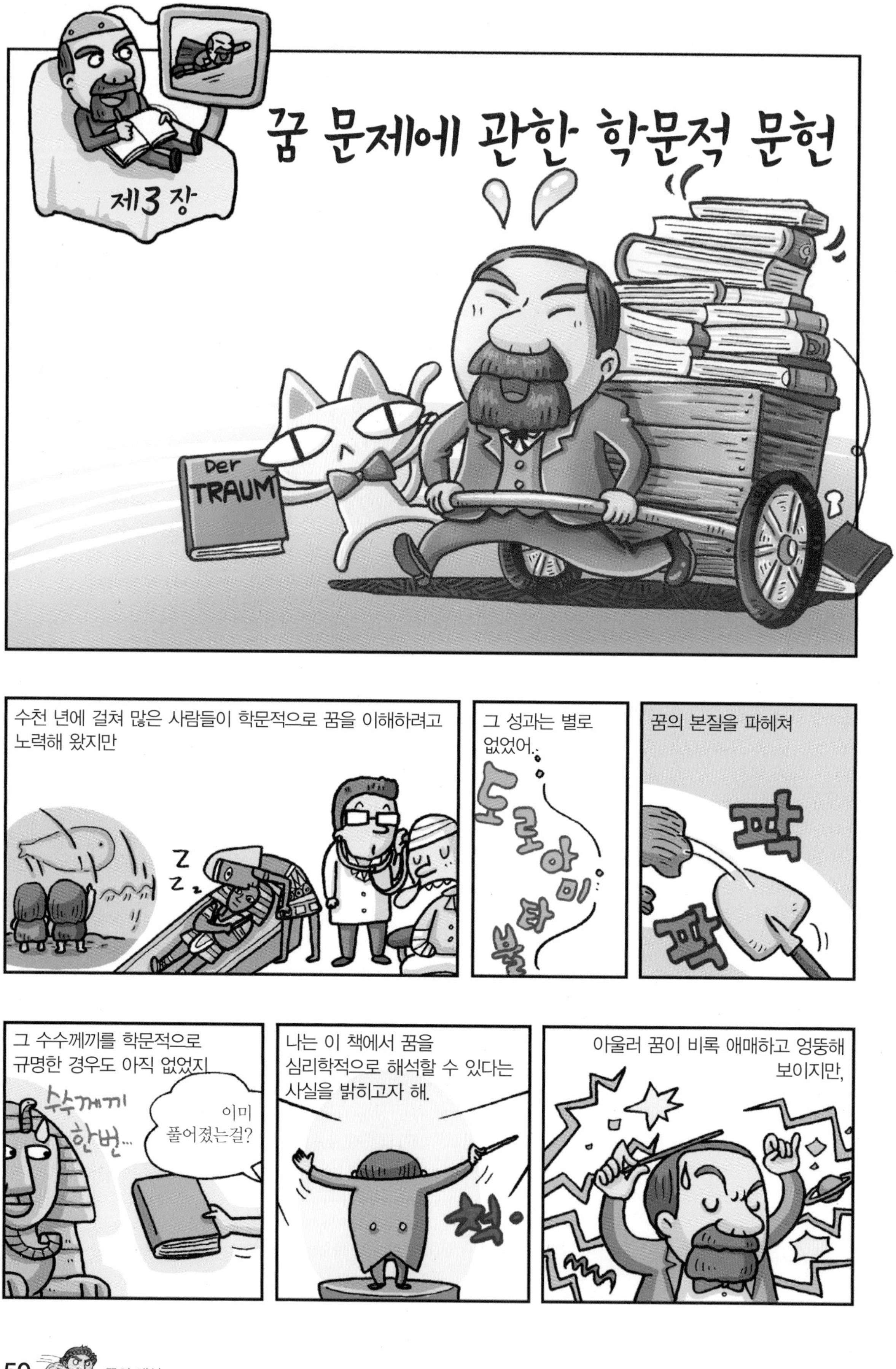

제3장
꿈 문제에 관한 학문적 문헌
Der TRAUM
수천 년에 걸쳐 많은 사람들이 학문적으로 꿈을 이해하려고 노력해 왔지만
Z Z z
그 성과는 별로 없었어..
도로아미타불
꿈의 본질을 파헤쳐
팍
팍
그 수수께끼를 학문적으로 규명한 경우도 아직 없었지.
수수께끼 한번...
이미 풀어졌는걸?
나는 이 책에서 꿈을 심리학적으로 해석할 수 있다는 사실을 밝히고자 해.
척
아울러 꿈이 비록 애매하고 엉뚱해 보이지만,

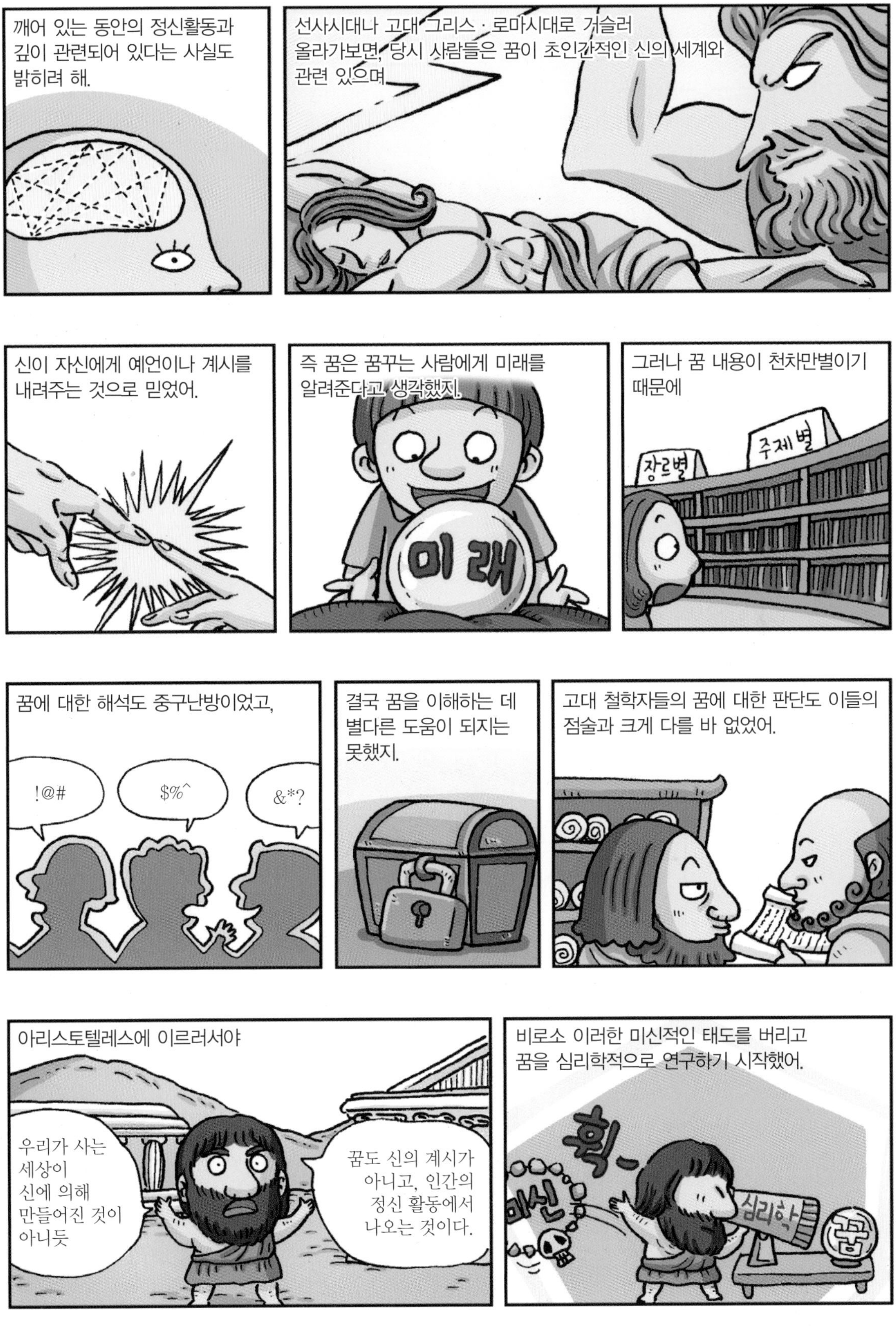
깨어 있는 동안의 정신활동과 깊이 관련되어 있다는 사실도 밝히려 해.
선사시대나 고대 그리스 · 로마시대로 거슬러 올라가보면, 당시 사람들은 꿈이 초인간적인 신의 세계와 관련 있으며
신이 자신에게 예언이나 계시를 내려주는 것으로 믿었어.
즉 꿈은 꿈꾸는 사람에게 미래를 알려준다고 생각했지.
미래
그러나 꿈 내용이 천차만별이기 때문에
장르별
주제별
꿈에 대한 해석도 중구난방이었고,
!@#
$%^
&*?
결국 꿈을 이해하는 데 별다른 도움이 되지는 못했지.
고대 철학자들의 꿈에 대한 판단도 이들의 점술과 크게 다를 바 없었어.
아리스토텔레스에 이르러서야
우리가 사는 세상이 신에 의해 만들어진 것이 아니듯
꿈도 신의 계시가 아니고, 인간의 정신 활동에서 나오는 것이다.
비로소 이러한 미신적인 태도를 버리고 꿈을 심리학적으로 연구하기 시작했어.
휙~
미신
심리학
꿈

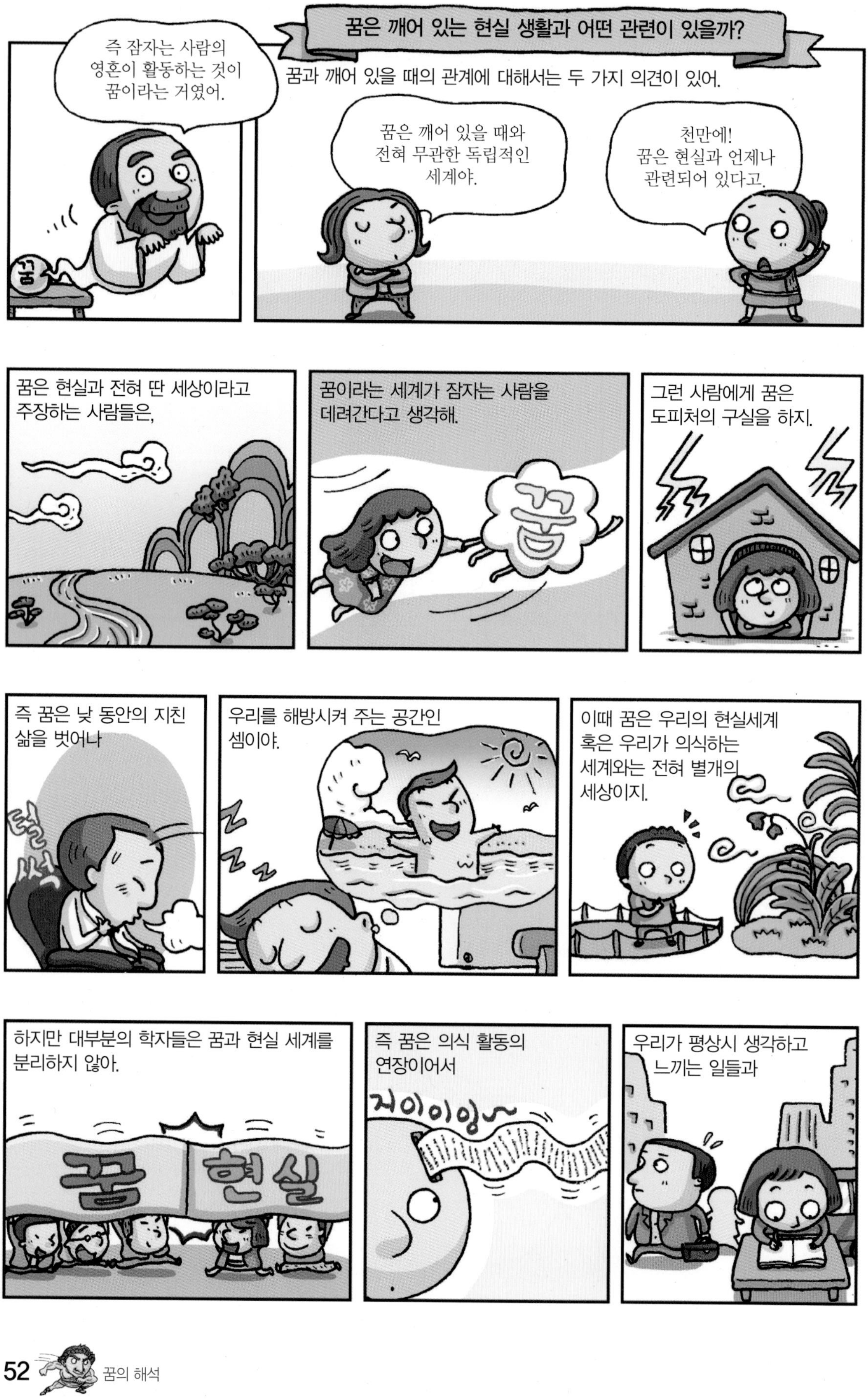
꿈은 깨어 있는 현실 생활과 어떤 관련이 있을까?
즉 잠자는 사람의 영혼이 활동하는 것이 꿈이라는 거였어.
꿈
꿈과 깨어 있을 때의 관계에 대해서는 두 가지 의견이 있어.
꿈은 깨어 있을 때와 전혀 무관한 독립적인 세계야.
천만에! 꿈은 현실과 언제나 관련되어 있다고.
꿈은 현실과 전혀 딴 세상이라고 주장하는 사람들은,
꿈이라는 세계가 잠자는 사람을 데려간다고 생각해.
꿈
그런 사람에게 꿈은 도피처의 구실을 하지.
즉 꿈은 낮 동안의 지친 삶을 벗어나
털썩
우리를 해방시켜 주는 공간인 셈이야.
이때 꿈은 우리의 현실세계 혹은 우리가 의식하는 세계와는 전혀 별개의 세상이지.
하지만 대부분의 학자들은 꿈과 현실 세계를 분리하지 않아.
꿈
현실
즉 꿈은 의식 활동의 연장이어서
지이이잉~
우리가 평상시 생각하고 느끼는 일들과

긴밀한 관계를 유지하고 있다고 생각하는 거지.
꿈은 우리의 일상생활에서 완전히 벗어나는 것이 아니라,
꿈
잠자기 전에 무엇을 생각했는지에 따라 영향을 받거든.
제발.. 제발.. 제발.. 시험이 연기되게 해주옵소서~!
실제로 꿈을 정확히 관찰해 보면
현실
우리의 실제 삶과 밀접히 관련되어 있다는 것을 알 수 있어.
꿈
평상시 우리가 가장 열심히 했던 일이 꿈에 자주 나타나잖아.
꿈
야망에 넘치는 사람은 승리의 월계관을 쟁취하는 꿈을 꾸고
사랑에 빠진 사람은 사랑을 꿈꾸지.
꿈의 세계와 깨어 있는 현실 세계에 대한 두 견해는
무관성
관련성
어느 하나가 맞으면 다른 하나는 틀린 것처럼 보이지?
댕
그러나 나는 두 견해가 모두 옳다고 생각해.
꿈은 현실과 동떨어져 보이지만 꿈을 만드는 재료는 현실 세계에서 유래해.
현실
재료
꿈

꿈이 제아무리 불가사의하게 보일지라도
꿈은 원래 실제 현실에서 벗어날 수는 없어.
현실
왜냐하면 우리가 깨어 있는 동안의 정신 활동에서 근본 재료를 얻거든.
재료
꿈의 재료 : 꿈속의 기억
꿈의 내용을 이루는 모든 재료는
어떤 식으로든 우리가 이미 경험했던 것에서 나온다는 사실은 분명해.
경험
위이잉~
여기서 재료란 꿈에서 나타나는 대화, 이미지, 감정, 풍경 등 모든 것들을 일컫는 말이야.
그러나 깨어 있을 때의 경험과 꿈의 관계를 쉽게 알아볼 수 있는 것은 아니야.
이게 꿈이여~ 생시여~
오히려 알 수 없는 경우가 대부분이지.
이에 대해서는 아직 누구도 명확히 설명한 사람이 없었어.
엉터리
해몽
우리는 전에 한 번도 경험한 적이 없어 보이는 일들이 꿈에 나타나는 경험을 종종 해.
잠에서 깨어나 아무리 자신의 과거를 곰곰이 생각해 봐도
실제 체험과 어떤 관련도 찾을 수 없는 경우가 많아.
내가 괴롭힌 아이들

설혹 기억의 실마리가 잡힐 것 같다가도 언제 체험한 것인지 가물가물할 때도 있지.
그러면 우리는 꿈이 현실과는 따로 떨어져서
에이….
꿈인걸!
절레 절레
독자적으로 만들어지는 것이 아닌가 하고 의심하게 돼.
척 척
그러다 시간이 흐른 다음 어떤 일을 경험하면서
추억의 영화
과거의 기억이 되살아나는 경우가 있지.
그러면 그때서야 그 꿈이 과거에 있었지만
한여름의 살인마
그때는 기억하지 못했던 일과 관련이 있었구나 하고 깨닫게 되는 경우도 많아.
우앙
즉 자신이 경험을 하긴 했지만 깨어 있을 때는 기억하지 못한 것들을
필요 없는 건 다 버려야지~
쓰레기통
꿈에서는 기억하고 있다고 할 수 있는 거지.
짜~ㄴ
꿈
이 책을 집필하기 전 몇 년 동안
아주 단순한 형태의 교회 탑 형상이 계속 내 꿈에 나타났어.
그런데 그 탑을 어디서 보았는지 전혀 기억나지 않았어.
끙~
끙~
툭

그러다 잘츠부르크와 라이헨할 사이의 어느 간이역에 갈 일이 있었는데,
꿈에서 본 탑이 거기에 있었어.
너무나 분명했어.
꿈에서 본 탑을 실제로 다시 본 것이 1890년대 후반이었는데, 처음 기차를 타고 그곳을 지나간 것은 1886년이었어.
꿈에 나타난 탑은 이때 본 것이었지만, 나는 그것을 기억하지 못했던 거지.
나는 이 꿈을 통해서 내가 경험했지만 깨어 있을 때는 기억하지 못했던 일들이
꿈에서는 기억한다는 사실을 알 수 있었어.
난 기억해요!
꿈
때때로 꿈은 오래전에 일어난 일이어서 아예 잊어버린 먼 과거의 사건들을 그대로 되살려내.
꿈
특히 어린 시절의 기억은
우리의 뇌리에 깊이 숨어 있다가
훗날 성인이 되었을 때 꿈속에서 살아나.

그러면 내가 왜 이런 꿈을 꾸었을까 하고 의아하게 생각하게 되지.
우리가 깨어 있을 때의 현재 시점에서 중요시하는 일들과 상관없이 그냥 꿈에 나타나는 것처럼 보이지.
텅
《수면과 꿈》이라는 책을 쓴 모리*의 꿈을 보자.

*모리 Alfred Maury 1817~1892 - 프랑스인 내과의사.

그는 어렸을 때, 고향 근처에 있는 트리포르라는 곳에 자주 갔었다. 아버지가 그곳에서 다리 건설공사를 감독하고 있었기 때문이다.
어른이 된 그는 어린 시절로 돌아가 트리포르의 거리에서 노는 꿈을 꾸게 되었다.
그때 제복을 입은 한 남자가 그에게 다가왔다.
아저씨는 누구세요?
난 C라고 한단다. 경비원이지.
잠에서 깨어난 후, 그는 그 이름이 너무 낯설어 어릴 때부터 집에서 일해 온 가정부에게 남자의 이름을 기억하냐고 물었다.
기억하고말고요. 그 사람은 아버님께서 건설하신 다리의 경비원이었답니다.
모리는 같은 책에서 이와 비슷한 실례로
Le sommeil et les rêves
A.Maury
몽브리종에서 어린 시절을 보냈던 F씨의 이야기도 들려줬어.

F씨는 고향을 떠난 지 25년 만에 옛 친구들을 만나기 위해 고향을 찾을 결심을 한다.
여행을 떠나기 전날 밤 F씨는 꿈을 꾼다. 그는 고향 근처에서 한 남자를 만난다.
나는 T입니다. 당신 아버지의 친구지요.
F는 꿈속에서 자신이 이 남자를 알고 있다고 생각했지만 막상 꿈에서 깨어나니 그의 모습이 전혀 기억나지 않았다.
며칠 후 F씨는 계획대로 고향인 몽브리종에 도착했고, 꿈에서 보았던 장소를 발견한다.
그리고 거기에서 한 남자를 만났는데, 그가 바로 T였다.
실제로 T를 보자마자 F는 그가 꿈속에서 보았던 그 남자라는 것을 한눈에 알아봤다.
다만 그 남자의 모습은 꿈속에서 보다 좀 더 많이 늙어 보였을 뿐이다.

꿈의 또 다른 독특한 특징은 재료의 선택과정에 있어.
꿈의 중요한 재료로 활용되는 것은 어린 시절의 경험이야.
꿈은 어린 시절의 경험을 정확히 기억해낼 수 있어.
물론 2~3일 전에 일어난 일들도 꿈의 재료가 되지.
음, 신선한데?
짤
짤
재료
꿈
꿈속에서는 이상하게도 그렇게 관심을 두지 않았던 일이나
사소한 것들이 더 잘 나타나.
깨어 있을 때라면 충격적일 가족의 죽음은
잠시 기억에서 사라진 것처럼 보여.
그와 반대로 우연히 지나치며 봤던 낯선 사람의 이마에 난 사마귀와 같이
전혀 중요하지 않은 일들이
우리의 꿈에서는 중요한 역할을 해.
왜 우리는 최근의 경험 대신 오래전의 희미한 과거가 꿈에 나타나는 걸까?
왜 꿈은 잠자기 직전의 민감한 체험은 외면하고 중요하게 생각하지 않았던 사소한 것들이 부각되는 것일까?
곰…
곰…

꿈의 이러한 특성 때문에 실제 경험과 꿈의 관계를 밝히기가 쉽지 않아.
그러나 여기서 우리가 꼭 기억해야 할 것은
댕
꿈에서의 기억이 우리가 정신적으로 일단 경험한 것은 결코 사라지지 않는다는 것을 말해 준다는 사실이야.
평소에 기억하지 못하는 아무리 사소한 경험조차도
언젠가는 되살아날 수 있는 흔적이 꿈이라는 우리 정신세계에 남아 있어.
꿈을 만드는 자극
꿈을 신의 계시로 이해했던 고대인들에게
꿈은 연구의 대상이 아니었어. 신이나 악령의 힘이 미치는 것이라고 보았으므로
굳이 꿈의 원인을 규명하려 하지 않았던 거지.
그러나 꿈이 심리학이나 생리학의 연구 대상이 되면서 학자들은
꿈을 만드는 자극과 출처에 대해서 심도 있는 연구를 하게 되었어.
그러면 꿈은 어떻게 해서 생겨나는 것일까?
'꿈은 위에서 비롯된다.'는 독일 속담이 있어.
꿈

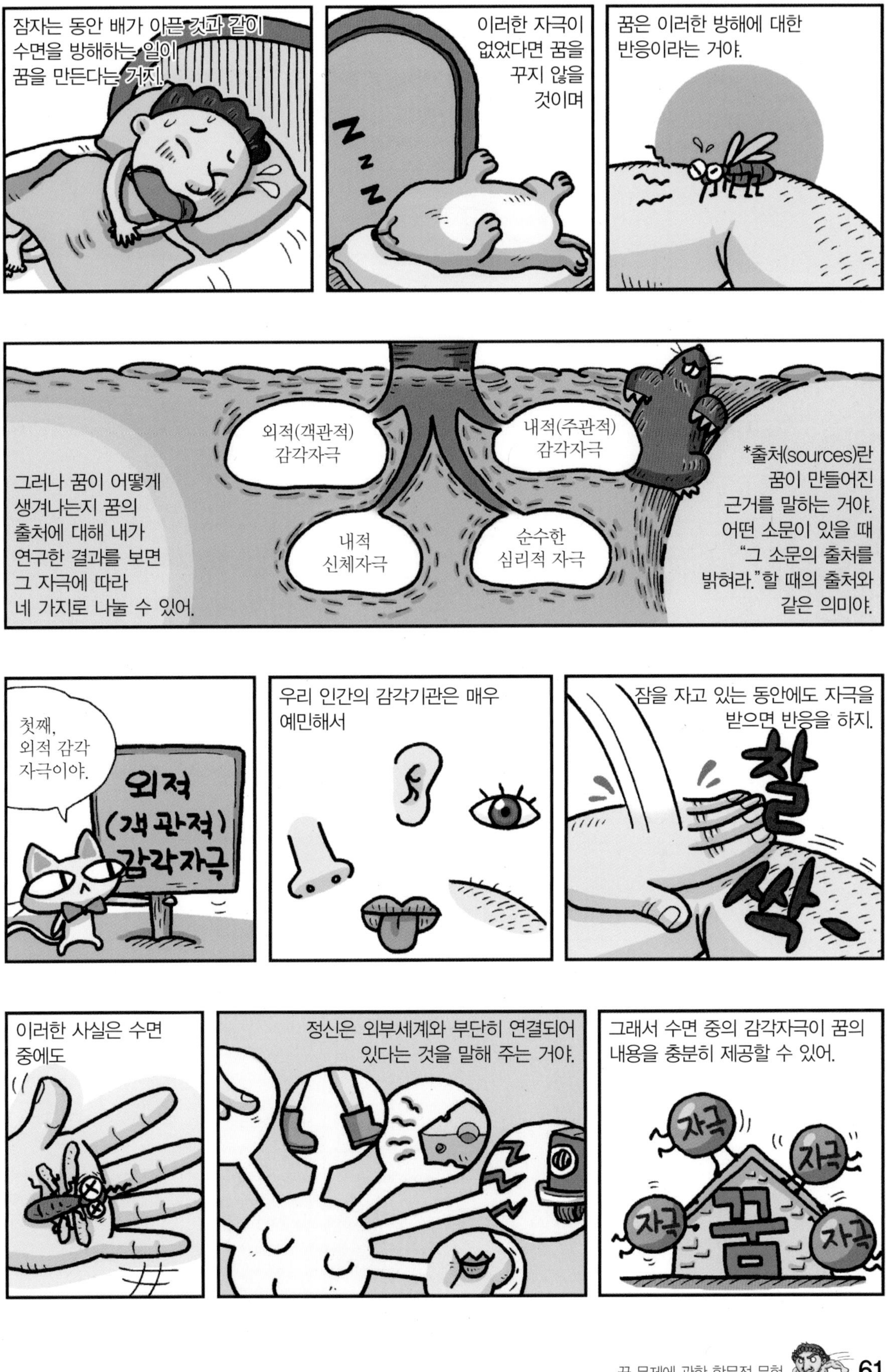

잠자는 동안 배가 아픈 것과 같이 수면을 방해하는 일이 꿈을 만든다는 거지.
이러한 자극이 없었다면 꿈을 꾸지 않을 것이며
꿈은 이러한 방해에 대한 반응이라는 거야.
그러나 꿈이 어떻게 생겨나는지 꿈의 출처에 대해 내가 연구한 결과를 보면 그 자극에 따라 네 가지로 나눌 수 있어.
외적(객관적) 감각자극
내적(주관적) 감각자극
내적 신체자극
순수한 심리적 자극
*출처(sources)란 꿈이 만들어진 근거를 말하는 거야. 어떤 소문이 있을 때 "그 소문의 출처를 밝혀라."할 때의 출처와 같은 의미야.
첫째, 외적 감각 자극이야.
외적 (객관적) 감각자극
우리 인간의 감각기관은 매우 예민해서
잠을 자고 있는 동안에도 자극을 받으면 반응을 하지.
찰싹
이러한 사실은 수면 중에도
정신은 외부세계와 부단히 연결되어 있다는 것을 말해 주는 거야.
그래서 수면 중의 감각자극이 꿈의 내용을 충분히 제공할 수 있어.
자극
자극
자극
자극
꿈

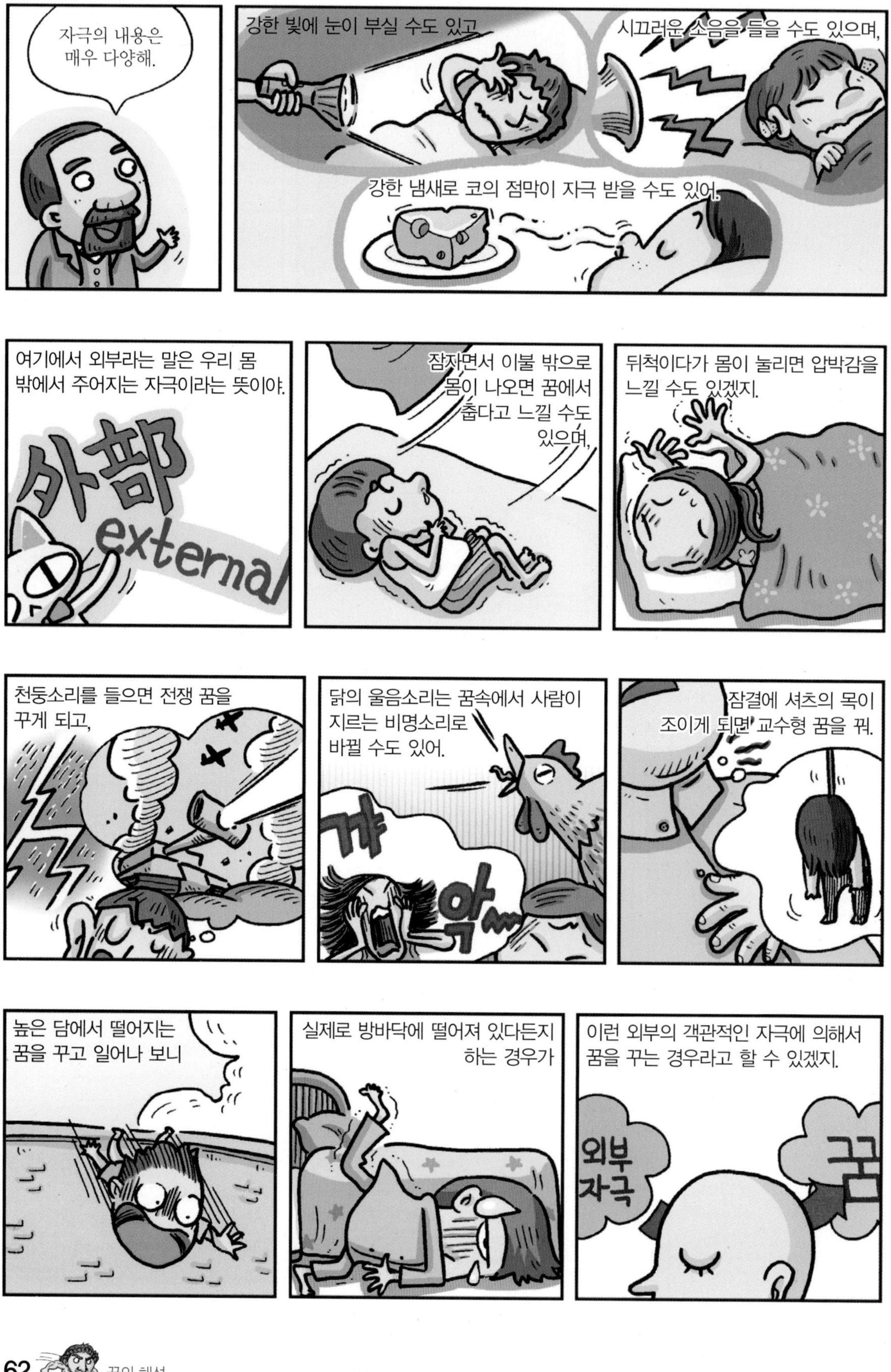
자극의 내용은 매우 다양해.
강한 빛에 눈이 부실 수도 있고
시끄러운 소음을 들을 수도 있으며,
강한 냄새로 코의 점막이 자극 받을 수도 있어.
여기에서 외부라는 말은 우리 몸 밖에서 주어지는 자극이라는 뜻이야.
外部
external
잠자면서 이불 밖으로 몸이 나오면 꿈에서 춥다고 느낄 수도 있으며,
뒤척이다가 몸이 눌리면 압박감을 느낄 수도 있겠지.
천둥소리를 들으면 전쟁 꿈을 꾸게 되고,
닭의 울음소리는 꿈속에서 사람이 지르는 비명소리로 바뀔 수도 있어.
꺄
악~
잠결에 셔츠의 목이 조이게 되면 교수형 꿈을 꿔.
높은 담에서 떨어지는 꿈을 꾸고 일어나 보니
실제로 방바닥에 떨어져 있다든지 하는 경우가
이런 외부의 객관적인 자극에 의해서 꿈을 꾸는 경우라고 할 수 있겠지.
외부 자극
꿈

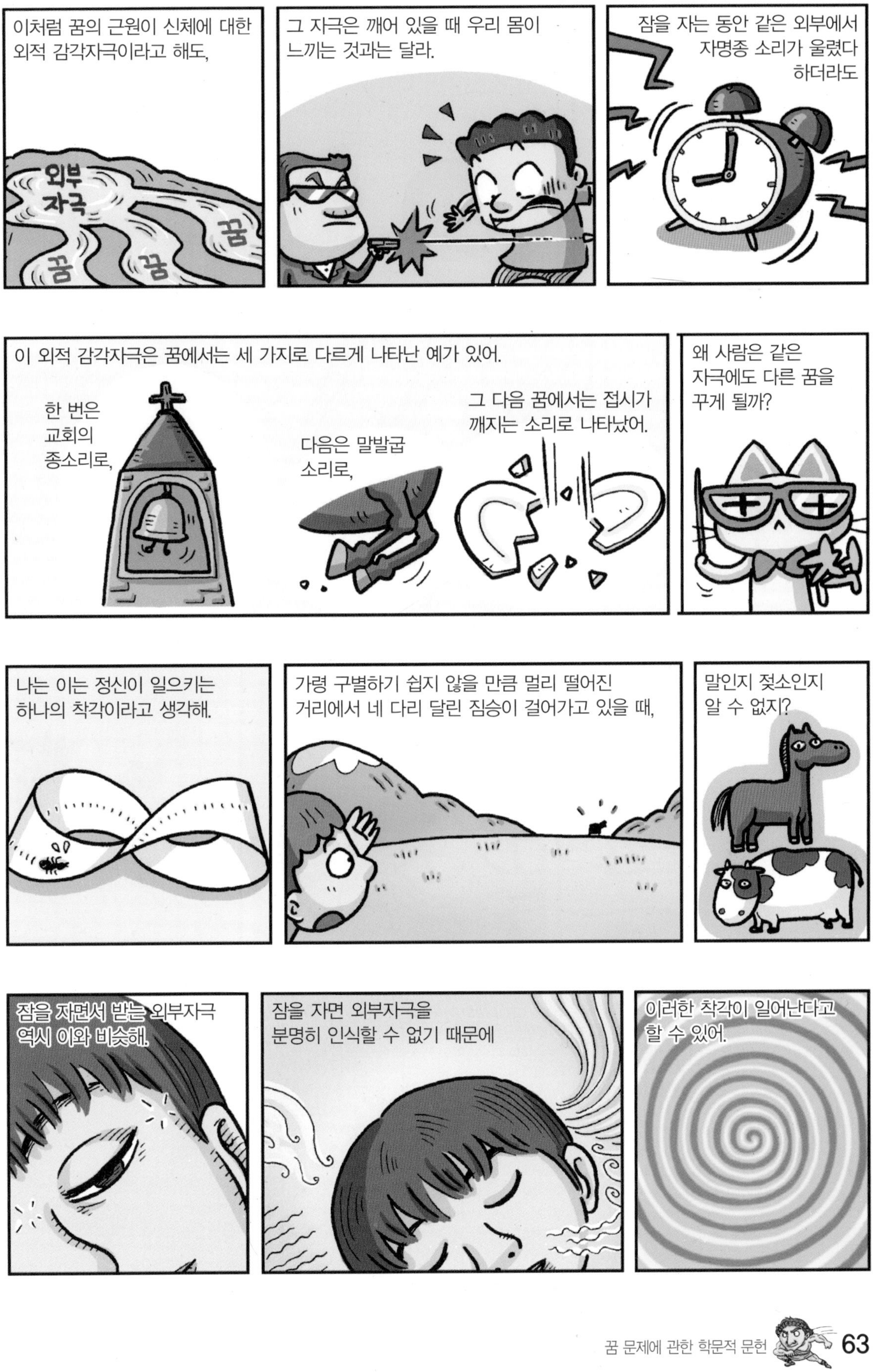
이처럼 꿈의 근원이 신체에 대한 외적 감각자극이라고 해도,
외부 자극
꿈
꿈
꿈
그 자극은 깨어 있을 때 우리 몸이 느끼는 것과는 달라.
잠을 자는 동안 같은 외부에서 자명종 소리가 울렸다 하더라도
이 외적 감각자극은 꿈에서는 세 가지로 다르게 나타난 예가 있어.
한 번은 교회의 종소리로,
다음은 말발굽 소리로,
그 다음 꿈에서는 접시가 깨지는 소리로 나타났어.
왜 사람은 같은 자극에도 다른 꿈을 꾸게 될까?
나는 이는 정신이 일으키는 하나의 착각이라고 생각해.
가령 구별하기 쉽지 않을 만큼 멀리 떨어진 거리에서 네 다리 달린 짐승이 걸어가고 있을 때,
말인지 젖소인지 알 수 없지?
잠을 자면서 받는 외부자극 역시 이와 비슷해.
잠을 자면 외부자극을 분명히 인식할 수 없기 때문에
이러한 착각이 일어난다고 할 수 있어.

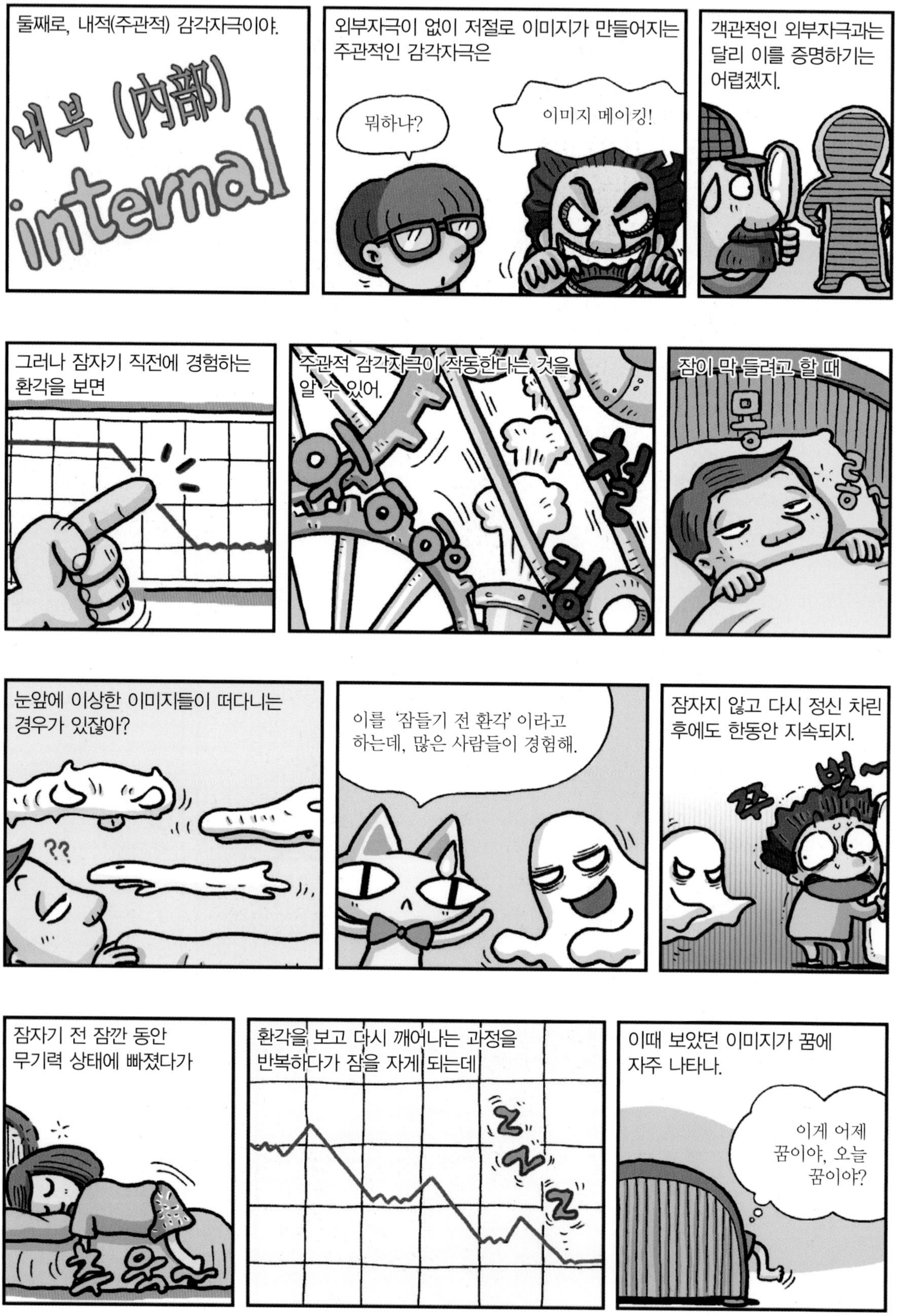
둘째로, 내적(주관적) 감각자극이야.
내부 (内部)
internal
외부자극이 없이 저절로 이미지가 만들어지는 주관적인 감각자극은
뭐하냐?
이미지 메이킹!
객관적인 외부자극과는 달리 이를 증명하기는 어렵겠지.
그러나 잠자기 직전에 경험하는 환각을 보면
주관적 감각자극이 작동한다는 것을 알 수 있어.
위잉잉
철컹
잠이 막 들려고 할 때
몽롱
눈앞에 이상한 이미지들이 떠다니는 경우가 있잖아?
??
이를 '잠들기 전 환각'이라고 하는데, 많은 사람들이 경험해.
잠자지 않고 다시 정신 차린 후에도 한동안 지속되지.
쭈뼛~
잠자기 전 잠깐 동안 무기력 상태에 빠졌다가
추욱~
환각을 보고 다시 깨어나는 과정을 반복하다가 잠을 자게 되는데
z z z
이때 보았던 이미지가 꿈에 자주 나타나.
이게 어제 꿈이야, 오늘 꿈이야?

언젠가 내가 아는 사람이 다이어트 중 공복감에 시달렸는데,
꼬르르륵
에이, 얼른 잠이나 자자!
접시들과 접시의 음식물을 뜨고 있는 포크를 쥔 손이 눈앞에 아른거렸던 날이 있었어.
둥
둥
그런데 그날 꿈속에서
달그락
달그락
그는 풍성하게 차린 식탁에 앉아 있었고, 음식 먹는 사람들이 포크를 움직이는 소리가 들려왔다고 해.
음, 이 스테이크는 정말 맛있군…
내부에서 일어나는 감각자극은 그 실체를 증명하기가 매우 어렵거나 불가능하지만
찰칵
깜짝이야!
내적 감각자극의 영향을 과소평가할 수 없어.
외적 감각자극
내적 감각자극
셋째로, 내적 신체자극이야.
내적 신체자극이란 이런 것들이지.
꾸르르
화…화장실…
《꿈의 본성과 기능》의 저자인 슈트륌펠은 과거의 경험을 토대로 이렇게 말했어.

"정신은 깨어 있는 상태보다 잠들어 있는 상태에서 훨씬 더 많이 몸의 상태를 느낀다. 그래서 평상시에는 알지 못했던 신체의 변화들을 꿈에서 더 잘 알 수 있다."
아리스토텔레스 역시 깨어 있을 때보다는
꿈에서 신체의 질병을 더 잘 깨닫는다고 말한 바 있어.
치질엔 좌욕이 최고니라!
움찔
몸이 불편하거나 질병이 있으면
이것은 꿈을 자극하는 요인으로 작용해.
요즘 매일 악몽을 꿔요….
악몽을 자주 꾸는 사람은 심장이나 허파질환을 앓고 있을 가능성이 있고,
심장병을 앓고 있는 사람들은 소스라치게 놀라는 꿈이나 끔찍하게 죽는 꿈을 많이 꿔.
폐질환 환자들은 질식하거나 궁지에 몰려 도망치는 꿈에 시달리지.
얼굴에 물건을 올려놓거나 호흡기를 막는 인위적인 실험을 통해
그런 꿈을 꾸게 할 수도 있어.
버둥
버둥
잠자는 동안의 신체 자극에 따라 꿈의 양상 또한 달라져.

보통 사람들이 많이 꾸는, 높은 곳에서 떨어지는 꿈이라든가 이가 빠지는 꿈, 하늘을 높이 나는 꿈 등이 특히 그래.
팔다리의 외부 압박이 원인일 수 있음.
치아 자극이 원인일 수 있음.
그런데도 이런 식으로 꿈의 내용을 설명하는 것이 생각만큼 의미 있는 것은 아니야.
꿈은 건강과 관계없이 나타나는 일반적인 현상이지.
꿈
잠
질병이 있는 사람에게만 나타나는 특수한 현상이 아니기 때문이야.
철학자 쇼펜하우어는 1851년에 다음과 같이 주장했는데,
나는 이에 동의해.
"우리의 지성은 외부의 자극을 받아서 이것을 시간, 공간 그리고 인과관계의 형식으로 개조하여 우리의 세계상을 형성한다.
쇼펜하우어
몸의 내부에서 나오는 자극은 낮에는 기껏해야 무의식적 영향을 우리 마음에 미칠 뿐이지만,
외부 자극이 없는 밤이 되면 내부에서 올라오는 자극이 큰 영향을 미친다.
졸 졸 졸
낮에는 소음 때문에 듣지 못했던 졸졸거리는 샘물소리가 밤에는 잘 들리는 것처럼 말이다."
마지막으로 순수한 심리적 자극이야.
심리적 자극
우리가 깨어 있을 때, 정신적 충격을 받았던 일이나
왕따
간절히 원하고 관심을 가졌던 것이 꿈에 자주 나타나.
두근 두근 두근

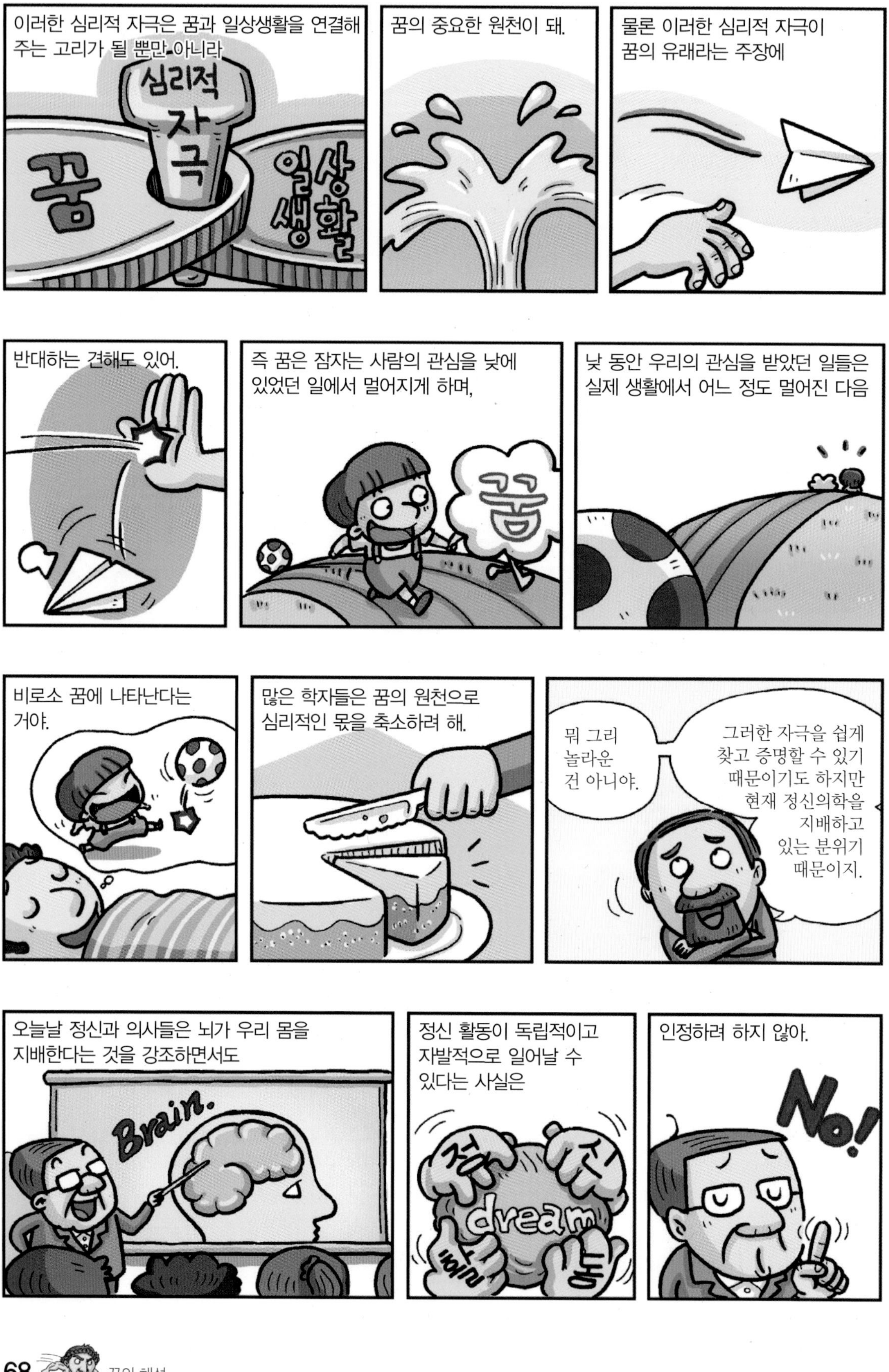
이러한 심리적 자극은 꿈과 일상생활을 연결해 주는 고리가 될 뿐만 아니라
심리적 자극
꿈
일상생활
꿈의 중요한 원천이 돼.
물론 이러한 심리적 자극이 꿈의 유래라는 주장에
반대하는 견해도 있어.
즉 꿈은 잠자는 사람의 관심을 낮에 있었던 일에서 멀어지게 하며,
꿈
낮 동안 우리의 관심을 받았던 일들은 실제 생활에서 어느 정도 멀어진 다음
비로소 꿈에 나타난다는 거야.
많은 학자들은 꿈의 원천으로 심리적인 몫을 축소하려 해.
뭐 그리 놀라운 건 아니야.
그러한 자극을 쉽게 찾고 증명할 수 있기 때문이기도 하지만 현재 정신의학을 지배하고 있는 분위기 때문이지.
오늘날 정신과 의사들은 뇌가 우리 몸을 지배한다는 것을 강조하면서도
Brain.
정신 활동이 독립적이고 자발적으로 일어날 수 있다는 사실은
정신
dream
활동
인정하려 하지 않아.
No!

실제로 꿈이 심리적이고 정신적인 활동에 의해서 나타난다는 것을
치마 입은 고양이 50마리가 춤을 추고, 다리가 여섯 개인 개가 피아노를 치지 뭐예요.
밝히기가 어려운 것은 사실이야.
그러나 나는 심리적 자극이 꿈을 만든다는 사실을 증명함으로써
잠에서 깨면 왜 꿈을 망각하는가?
꿈 형성의 수수께끼를 해결할 수 있다는 것을 보여주려 해.
아침에 잠에서 깨어나면 꿈은 금방 기억에서 사라져버리지.
왜 그럴까?
그야 나도 모르지!
비록 깨어난 직후에는 생생하게 기억한다고 해도
바동
바동
시간이 지나면 곧 사라져버리고,
꿈의 일부만 기억나거나 아니면 아무것도 기억하지 못하게 되지.
꿈을 꾸긴 꾼 것 같은데….
무슨 꿈을 꾸었는지 모를 때가 많아….
우리는 꿈을 잘 잊고,
툭
또 그런 일에 익숙해.
크억
꽥
반면 오랜 시간이 지나도록 기억에 뚜렷한 꿈도 있지.
앗, 당신은 내가 50년 전에 꾼 꿈에 나왔던 여인이군요!

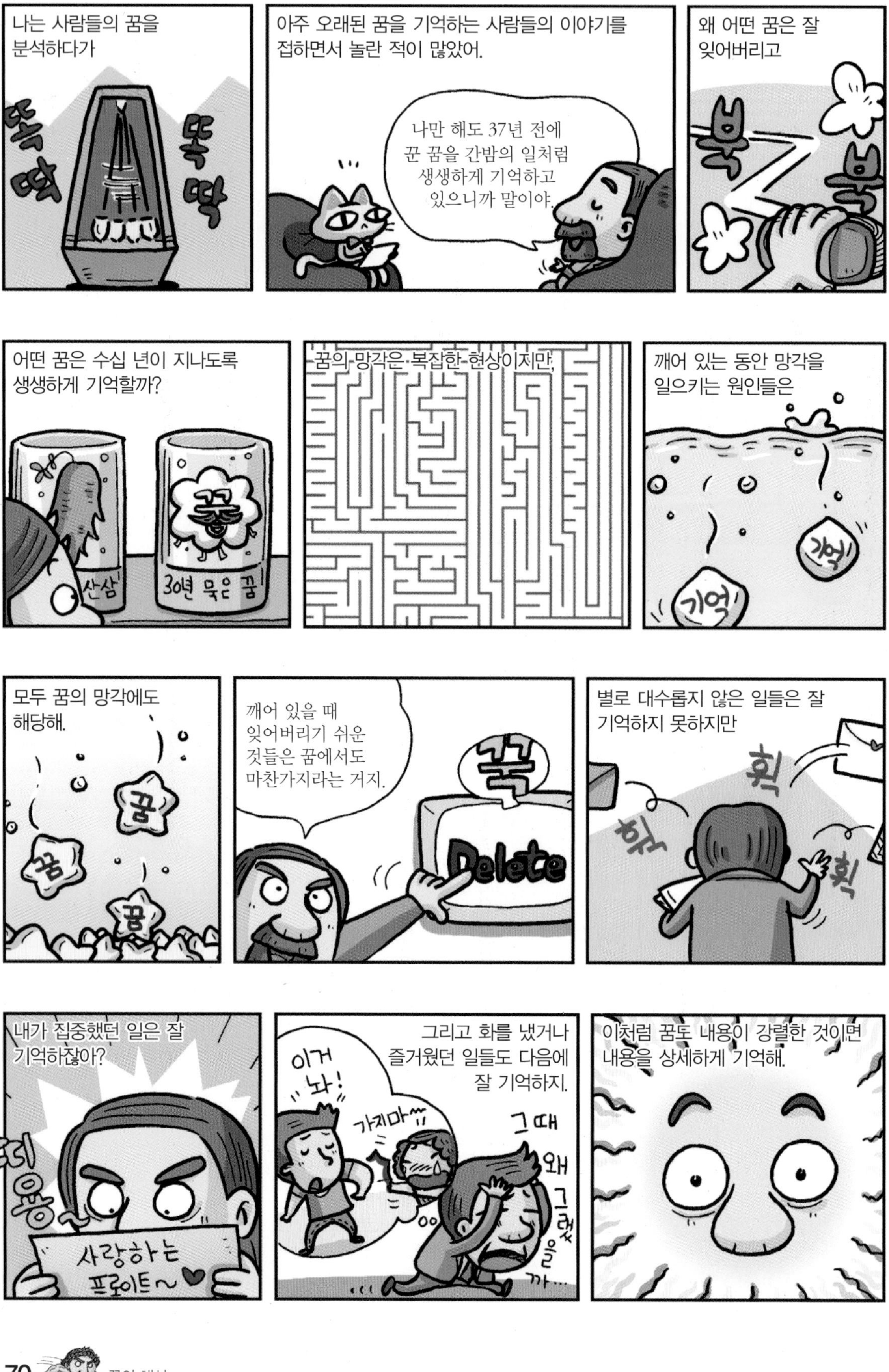

나는 사람들의 꿈을 분석하다가
똑딱 똑딱
아주 오래된 꿈을 기억하는 사람들의 이야기를 접하면서 놀란 적이 많았어.
나만 해도 37년 전에 꾼 꿈을 간밤의 일처럼 생생하게 기억하고 있으니까 말이야.
왜 어떤 꿈은 잘 잊어버리고
북 북
어떤 꿈은 수십 년이 지나도록 생생하게 기억할까?
산삼
30년 묵은 꿈
꿈
꿈의 망각은 복잡한 현상이지만,
깨어 있는 동안 망각을 일으키는 원인들은
기억 기억
모두 꿈의 망각에도 해당해.
꿈 꿈 꿈
깨어 있을 때 잊어버리기 쉬운 것들은 꿈에서도 마찬가지라는 거지.
꿈
Delete
별로 대수롭지 않은 일들은 잘 기억하지 못하지만
휙 휙 휙
내가 집중했던 일은 잘 기억하잖아?
띠용~
사랑하는 프로이트~
그리고 화를 냈거나 즐거웠던 일들도 다음에 잘 기억하지.
이거 놔!
가지마
그때 왜 그랬을까…
이처럼 꿈도 내용이 강렬한 것이면 내용을 상세하게 기억해.

하지만 꿈이 아주 선명하고 감정에 강한 영향을 미쳤다고 해서
모두 기억에 남는 것은 아니야.
어떤 경우에는 선명했던 꿈이 빨리 잊혀지기도 하고,
꿈 정거장
시시한 꿈이 오래 기억에 남는 경우도 있어.
특히 여러 번 꿈에 나왔던 것은
재방송
내용이 강렬하지 않아도 오랫동안 기억에 남아.
오래가는 건전지
잘 잊혀지는 꿈은
첫째는 정신 자극이 약하기 때문이고,
둘째는 반복되지 않고 일회성인 꿈이야.
딱~ 오늘만 약효가 있다네~!
꿈을 기억하지 못하는 세 번째 원인은
훨씬 더 중요해.
중요
기억에 오래 남아 있는 꿈은
꿈에서 벌어지는 사건들이
서로 연관성 있게 연결된 경우가 많아.

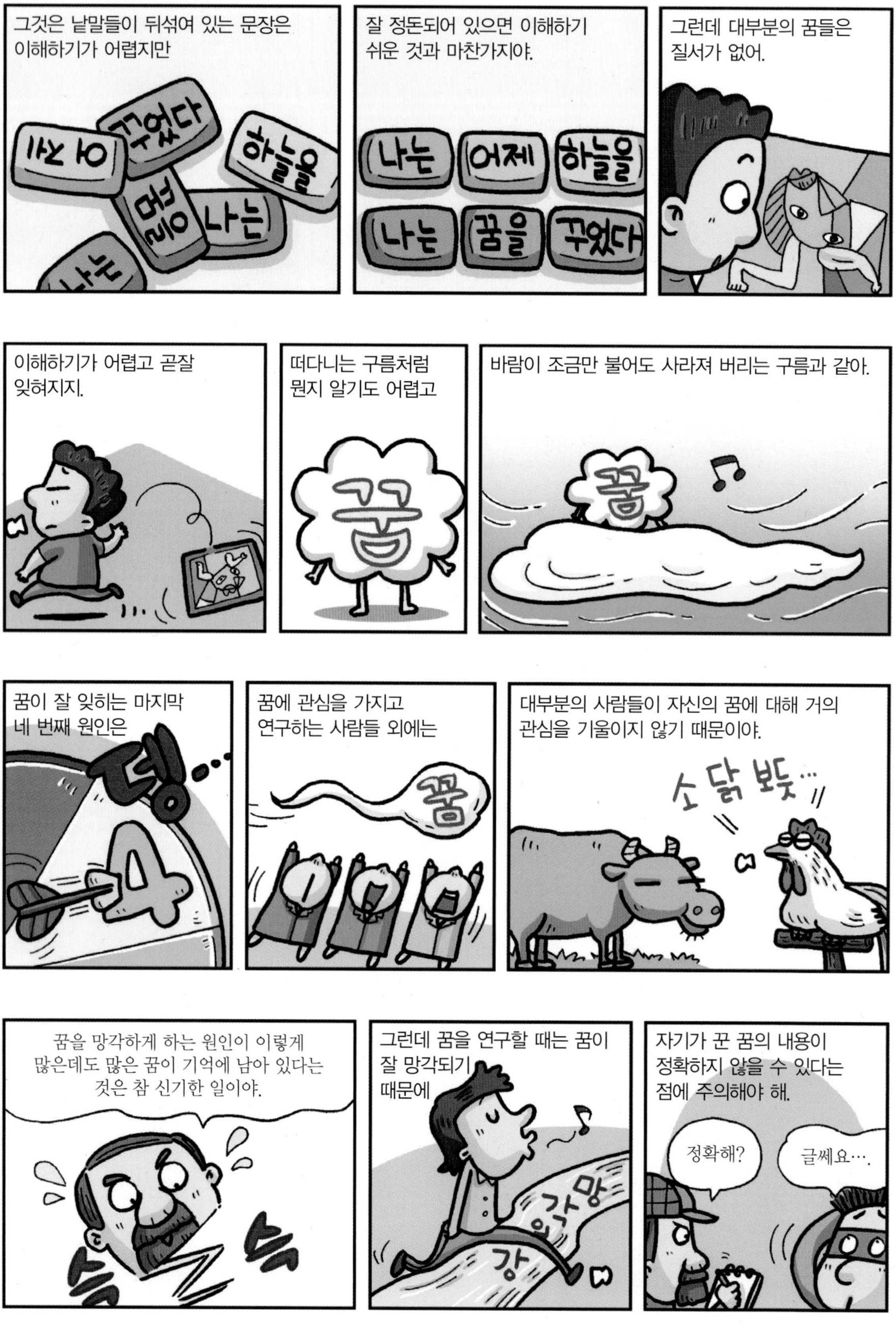
그것은 낱말들이 뒤섞여 있는 문장은
이해하기가 어렵지만
꾸었다
하늘을
나는
잘 정돈되어 있으면 이해하기
쉬운 것과 마찬가지야.
나는 어제 하늘을
나는 꿈을 꾸었다
그런데 대부분의 꿈들은
질서가 없어.
이해하기가 어렵고 곧잘
잊혀지지.
떠다니는 구름처럼
뭔지 알기도 어렵고
꿈
바람이 조금만 불어도 사라져 버리는 구름과 같아.
꿈
꿈이 잘 잊히는 마지막
네 번째 원인은
뎅…
4
꿈에 관심을 가지고
연구하는 사람들 외에는
꿈
대부분의 사람들이 자신의 꿈에 대해 거의
관심을 기울이지 않기 때문이야.
소 닭 보듯…
꿈을 망각하게 하는 원인이 이렇게
많은데도 많은 꿈이 기억에 남아 있다는
것은 참 신기한 일이야.
슥 슥
그런데 꿈을 연구할 때는 꿈이
잘 망각되기
때문에
망각의 강
자기가 꾼 꿈의 내용이
정확하지 않을 수 있다는
점에 주의해야 해.
정확해?
글쎄요….

지난밤 꾸었던 꿈을 아침나절에는 잊고 지내다가
31 2 17 5 44 12 36
그 꿈과 관련된 일을 우연히 접하고 나서
로또 복권
그 꿈이 기억나기도 해.
31 2 17
그 과정에서 꿈 내용의 정확성이 떨어지게 되지.
2… 31… 17… 18?.. …5???
실제로 꿈을 기억하기란 어렵기 때문에
오류를 피할 수 있는 유일한 방법은
오류
꿈에서 깨어난 즉시 종이에 기록하는 방법뿐이야.
Z z
꿈의 심리학적 특수성
우리가 꾸는 꿈은 우리의 고유한 정신 활동의 결과이지만
꿈
꿈
꿈
꿈
내 자신이 꿈꾼 장본인이라고 말하기 어려울 정도로 생소한 꿈이 많아.
누구…?
꿈
그래서 우리는 “꿈을 꾸었다.” 고 말할 뿐만 아니라
“꿈을 보았다.” 고도 말하지.

즉 아주 새로운 세상을 경험한다는 의미야.
Wonder Land
그러면 꿈에서 느끼는 '정신의 이질감'은 어디에서 기인하는 것일까?
혹시 TV가 들어 있는지도….
똑
똑
이러한 이질감을 이해하려면 꿈 특유의 심리학적 특성을 알아야 해.
꿈
꿈은 이미지의 집합체이며
마치 한 편의 영화를 보듯 이미지들이 연속적으로 펼쳐지지.
착
이들 장면을 연결시키는 방식은
깨어 있을 때와는 전혀 다르지만
에이, 말도 안 돼…
이를 소재로 어떤 상황을 나름대로 그럴듯하게 만들어내!
말 돼! 말 돼!
물론 이미지뿐만 아니라 소리와 같은 청각이나 다른 감각들도 이용하지.
오, 베이비~
그러면 우리는 꿈을 꾸면서
이리 와, 생선들아~
생각하고 있는 것이 아니고
아냐, 이건 꿈이야! 진짜가 아니야!
흐~
실제로 경험하는 것처럼 보이지.
거기섯, 하하핫~
휘적
일종의 심리적 체험이랄까….

잠자는 동안 우리는 외부 환경과 격리되어 있기 때문에
Z
꿈의 세계만이 현실이라고 믿게 돼.
그러나 잠자는 동안 외부 세계와의 연결이
스윽...
아주 끊어지는 것은 아니야.
잠든 사람이 깨어난 후에만 비로소 보고 느낄 수 있다면
아함~
시각
후각
청각
우리는 결코 잠든 사람을 깨울 수 없겠지.
일어나!!!
정신은 수면 중에도 감각기관을 작동하고 있어.
위잉~
콩콩
그래서 큰 소리에도 잠을 깨지 않던 사람이
와장창
쿵창
자기 이름을 부르면 깨어나지.
자극에 선택적으로 반응
철구야!
벌떡
또 외부 자극이 정신의 안정을 돕는다면 그것은 오히려 수면에 도움이 돼.
삐걱
삐걱
방앗간 주인
어둠이 무서운사람
잠에서 깬 후, 꿈에서 본 대로 행동하는 사람이 있다면
어디 가?
옥상!

그 사람은 미친 사람이라는 소리를 듣겠지.
난 천사야~!
미쳤어?!
실제 꿈의 내용에는 논리적인 연관성이 없는 것들이 대부분이야.
살랑 살랑
앞뒤도 잘 맞지 않으며,
특별한 동기도 없이 싸우거나 불가능을 가능하게 하고,
둥 둥
윤리와 도덕도 완전히 무시하지.
이런 점들을 보면 꿈에서는 지적 능력이 훼손되거나 중단되는 것처럼 보여.
그래서 많은 학자들은 꿈속에서의 심리활동을 낮게 평가하지.
그러나 꿈속에서 능력이 낮아지지 않는 심리적 기능도 있어.
드르렁
조금도 줄지 않는 코 고는 소리….
바로 기억력이야.
save
어떤 면에서는 꿈에서 더 우월하기도 하지.
Z
꿈의 심리적 기능을 믿지 못하는 학자들도
여기에는 대체적으로 동의하는 것 같아.
샥 샥

꿈에 대해서 아직 잘 모르는 어려운 문제들이 많지만,
꿈에는 우리가 인정할 수밖에 없는 몇 가지 정신적인 능력이 있어.
그래서 꿈은 낮에 다하지 못한 지적 작업을 수행할 수 있으며,
다 풀었다!
기말고사
낮에 해결하지 못한 문제에 대해 실마리를 제공하기도 하고,
예술가들에게 새로운 영감을 주기도 하지.
그리고 논란이 많긴 하지만
간밤 꿈에 비행기가 폭발하는….
꿈의 예언적 능력을 무시해 버릴 수만은 없어.
꽝
꿈의 윤리적 감정
인간의 도덕성이 꿈속에서도 유지되는지에 대해서
그렇다는 주장과
YES
그렇지 않다는 주장이 있어.
NO
한편에서는 인간은 꿈속에서는 윤리의식을 팽개치고 양심의 가책 없이 범죄를 저지를 수 있으며,
깨어 있을 때는 수치스럽게 생각하는 일도 꿈속에서는 과감하게 할 수 있다고 주장해.

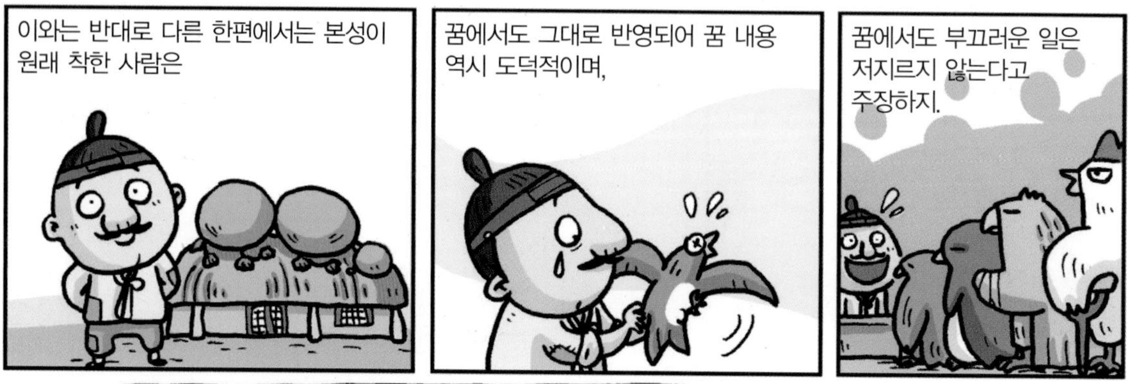
이와는 반대로 다른 한편에서는 본성이 원래 착한 사람은
꿈에서도 그대로 반영되어 꿈 내용 역시 도덕적이며,
꿈에서도 부끄러운 일은 저지르지 않는다고 주장하지.

꿈의 윤리적 감정에 대한 여러 견해들

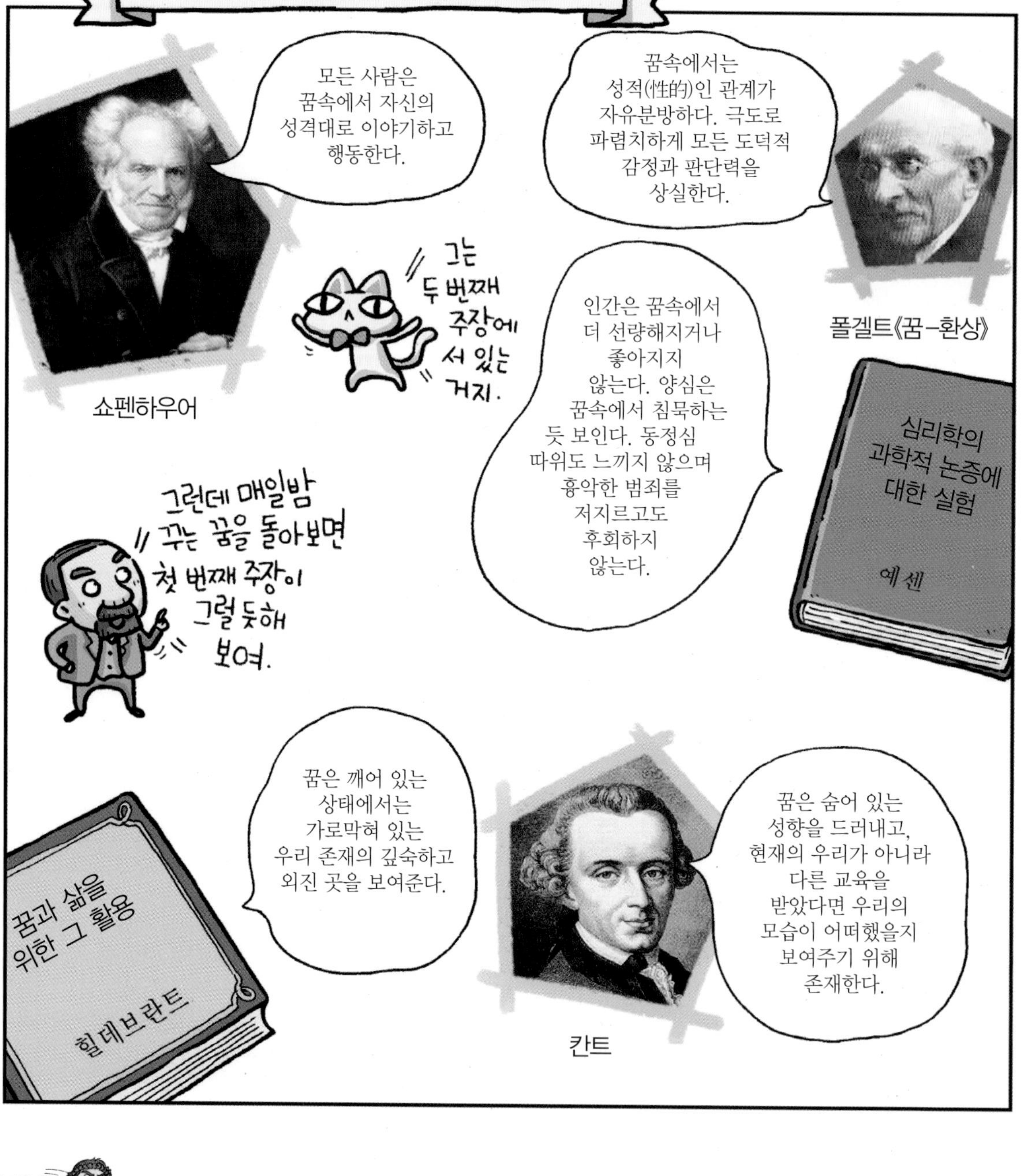
모든 사람은 꿈속에서 자신의 성격대로 이야기하고 행동한다.
쇼펜하우어
꿈속에서는 성적(性的)인 관계가 자유분방하다. 극도로 파렴치하게 모든 도덕적 감정과 판단력을 상실한다.
폴겔트《꿈-환상》
그는 두 번째 주장에 서 있는 거지.
인간은 꿈속에서 더 선량해지거나 좋아지지 않는다. 양심은 꿈속에서 침묵하는 듯 보인다. 동정심 따위도 느끼지 않으며 흉악한 범죄를 저지르고도 후회하지 않는다.
심리학의 과학적 논증에 대한 실험
예센
그런데 매일밤 꾸는 꿈을 돌아보면 첫 번째 주장이 그럴듯해 보여.
꿈은 깨어 있는 상태에서는 가로막혀 있는 우리 존재의 깊숙하고 외진 곳을 보여준다.
꿈과 삶을 위한 그 활용
힐데브란트
꿈은 숨어 있는 성향을 드러내고, 현재의 우리가 아니라 다른 교육을 받았다면 우리의 모습이 어떠했을지 보여주기 위해 존재한다.
칸트

나는 아마도 비윤리적인 충동이 평소 깨어 있을 때도 나타나지만,
부들
데스 노트
깨어 있을 때는 억압되어 있다가
꾹 꾹
잠자는 동안 그 억압이 약해지면서
쑤욱 쑤우욱
그 충동이 꿈에 나타난다고 생각해.
아하핫- 전부 다 죽었어!
꿈은 평소에 자기 자신도 의식하지 못했던 억압되거나 숨겨진 비윤리적인 충동을
폭력성
성적 욕망
알려주는 거지.
꿈
꿈에서 일어나는 심리 활동의 정도와 종류에 따라 현재의 꿈 이론은 대략 두 가지로 나눌 수 있을 거야.
[꿈 이론 1] 깨어 있는 동안의 심리 활동이 꿈에서도 온전히 계속된다.
이 이론에 따르면 정신은 잠들지 않고 깨어 있을 때와 같이 그대로 작동한다는 것인데, 그러면 이 이론으로는 깨어 있을 때와는 아주 다른 꿈의 기능을 밝힐 수가 없겠지.
부르르르릉~
[꿈 이론 2] 수면이 정신에까지 영향을 미쳐 외부세계와 격리시킬 뿐 아니라 정신박약아처럼 정신 활동이 둔해진다.
두 번째는 이와는 반대야.
두 번째 이론에 따르면, 꿈에서는 심리적 활동이 저하되고 꿈의 재료가 부족해진다고 해. 수면을 통해 무력해진 정신 활동의 일부만이 꿈으로 나타난다는 주장이지.
까딱
까딱

[꿈 이론 3] 깨어 있는 동안에는 불가능한 심리적 활동을 꿈에서는 할 수 있고 또 하려고 한다.
나는 첫 번째와 두 번째 이론은 모두 꿈을 설명하기에는 부족하다고 생각해.
그래서 최근 등장한 세 번째 이론이 있어.
꿈의 유익한 기능은 대체적으로 이러한 능력 때문에 나타나지. 심리학자들의 꿈에 대한 생각들은 대부분 이 계열에 속한다고 할 수 있어. 부르다흐(Burdach)는 "꿈은 정신의 자연스러운 활동이다. 이 활동은 개인의 능력에 제한받지 않고 자유로운 유희를 즐기는 생동감이다."라고 했는데 나도 여기에 동감해. 결국 잠자는 동안 마음이 특별한 활동을 하여 꿈이 만들어진다고 할 수 있지.
꿈을 수면상태에서 비로소 자유롭게 전개될 수 있는 특별한 정신활동으로 해명한 시도는
SPECIAL SHOW
1861년 셰르너(Scherner)의 《꿈의 생활》이야.
꿈의 생활
그는 꿈이란 잠자는 동안 자유롭게 이루어지는 특별한 심리 활동의 결과물이라고 했지.
그러나 셰르너의 이론은 너무 모호해.
그래서 내가 그가 밝히지 못했던 꿈에 숨어 있는 심리 활동의 진실을 밝히려 해.
팍
팍
꿈과 정신 질환의 관계에 대해서는 다음과 같이 세 가지 의견으로 나누어 생각할 수 있어.

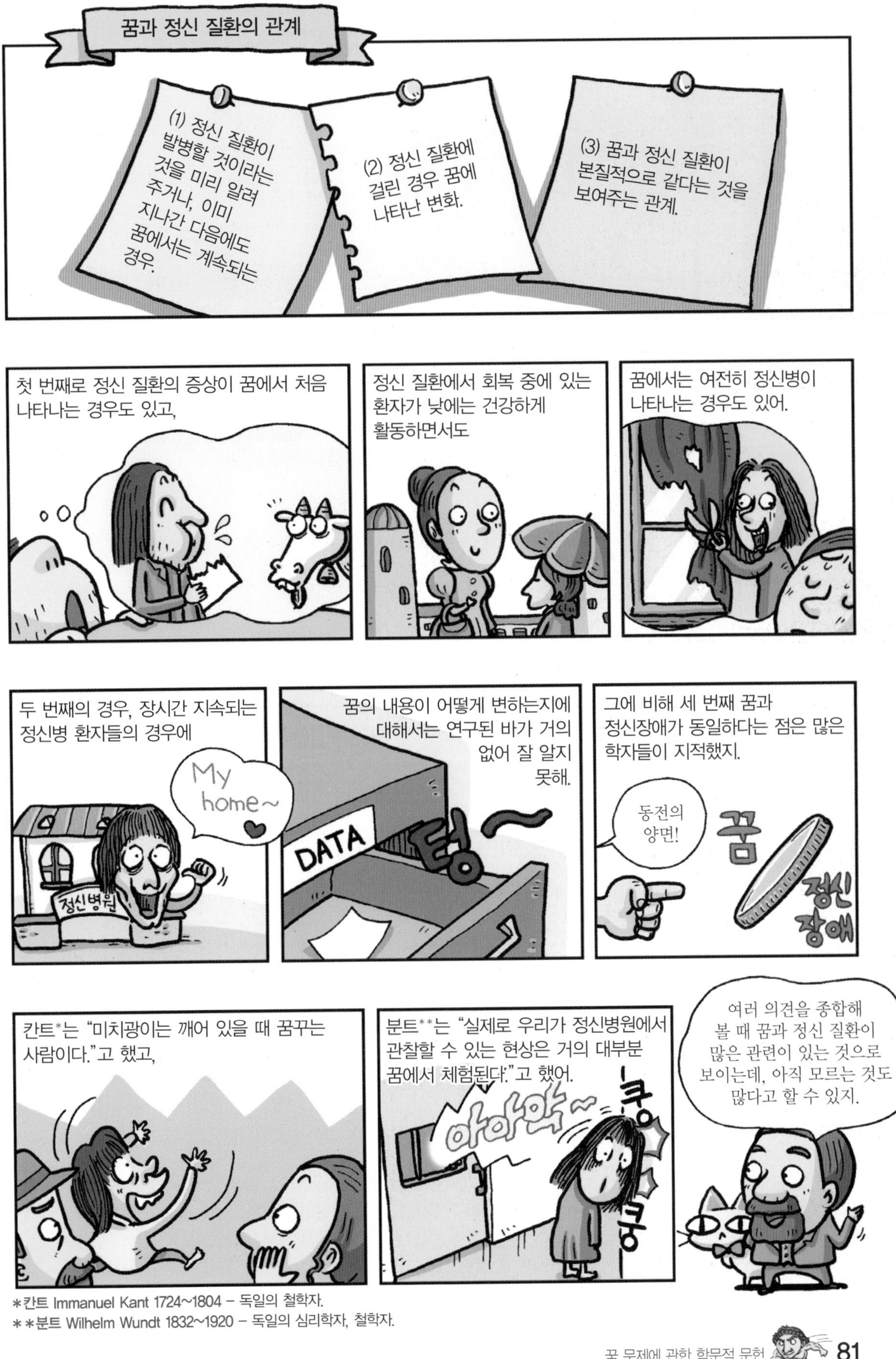
꿈과 정신 질환의 관계
(1) 정신 질환이 발병할 것이라는 것을 미리 알려 주거나, 이미 지나간 다음에도 꿈에서는 계속되는 경우.
(2) 정신 질환에 걸린 경우 꿈에 나타난 변화.
(3) 꿈과 정신 질환이 본질적으로 같다는 것을 보여주는 관계.
첫 번째로 정신 질환의 증상이 꿈에서 처음 나타나는 경우도 있고,
정신 질환에서 회복 중에 있는 환자가 낮에는 건강하게 활동하면서도
꿈에서는 여전히 정신병이 나타나는 경우도 있어.
두 번째의 경우, 장시간 지속되는 정신병 환자들의 경우에
My home~
정신병원
꿈의 내용이 어떻게 변하는지에 대해서는 연구된 바가 거의 없어 잘 알지 못해.
DATA
텅~
그에 비해 세 번째 꿈과 정신장애가 동일하다는 점은 많은 학자들이 지적했지.
동전의 양면!
꿈
정신 장애
칸트*는 "미치광이는 깨어 있을 때 꿈꾸는 사람이다."고 했고,
분트**는 "실제로 우리가 정신병원에서 관찰할 수 있는 현상은 거의 대부분 꿈에서 체험된다."고 했어.
아아악~
쿵
쿵
여러 의견을 종합해 볼 때 꿈과 정신 질환이 많은 관련이 있는 것으로 보이는데, 아직 모르는 것도 많다고 할 수 있지.

*칸트 Immanuel Kant 1724~1804 – 독일의 철학자.

**분트 Wilhelm Wundt 1832~1920 – 독일의 심리학자, 철학자.

꿈에 대한 연구

▲
프로이트

프로이트는 이번 장에서 기존에 나와 있는 꿈에 대한 이론을 연구하고 요약합니다. 그중에는 우리에게 친숙한 칸트와 같은 철학자들도 등장하고 생소한 사람들도 많이 등장합니다. 결론적으로 프로이트는 이들의 이론을 세 가지로 요약했습니다. 대부분 자신의 경험을 바탕으로 머릿속에서 생각한 이론들입니다. 그러나 어떤 측정장치를 가지고 꿈을 객관적으로 연구하기 시작한 것은 프로이트 이후입니다.

실제 꿈에 대한 객관적인 연구가 시작된 것은 1924년 뇌파의 발견과 1953년 렘(REM)의 발견 이후라고 할 수 있습니다. 그러니까 프로이트가 죽은 다음이지요. 뇌파란 뇌의 신경세포가 활동하면서 내보내는 전기적인 변화를 머리 피부에서 기록한 것입니다. 뇌파를 측정하면 이 사람이 정말 자고 있는지를 알 수 있습니다. 한편 사람이 잠을 자면서 꿈을 주로 꾸는 시기가 있는데, 이 시기를 렘(REM, Rapid Eye Movement)이라고 합니다. 눈알이 빠르게 움직이고 있다는 의미입니다. 렘 수면은 전체 수면의 20~25%를 차지합니다. 잠자는 시간이 여덟 시간이라고 하면 두 시간 정도가 동공이 빠르게 움직이는 렘 수면입니다. 주로 이 시기에 꿈을 꿉니다. 렘이 1950년대에 발견되었을 때 과학자들은 그것이 꿈꾸기와 관련된 생리학적 현상이라고 생각했습니다. 뇌를 크게 두 부분으로 나누면 대뇌와 소뇌를 포함한 뇌줄기로 나눌 수 있습니다. 우리가 생각하는 것은 대뇌가 담당하고, 숨 쉬거

나 심장이 뛰는 등의 기능은 뇌줄기가 담당합니다. 그런데 렘이 발생하는 곳은 뇌줄기입니다.

1960~1970년대에는 미국과 유럽을 중심으로 꿈에 대한 연구가 활발히 이루어졌습니다. 그중 대표적인 사람이 홉슨(A. Hobson)입니다. 그는 1976년 미국 정신의학회에서 프로이트 이론을 일격에 무너뜨리는 발표를 합니다. "뇌줄기에 의해 위로 던져진 불완전한 이미지들로부터 렘 수면 동안에 알아볼 만한 경험을 해보려고 함으로써 대뇌는 서툰 일에 전력을 다한다. 꿈은 거품에 불과한 것이다." 그러니까 그의 주장은 인간의 사고나 기억과는 관계가 없는 뇌줄기의 활동에 의해 생각을 담당하는 대뇌가 흥분하여 제멋대로 활동하는 것이 꿈이라는 것입니다. 결국 프로이트의 이론은 전혀 근거가 없는 허위라는 것이지요. 홉슨의 발표가 있고 난 뒤 미국정신의학회에 속한 의사들은 프로이트의 꿈 이론이 과학적이라고 할 수 있는지에 대한 투표를 했습니다. 투표 결과는 압도적으로 프로이트에 대한 반대였습니다. 프로이트의 이론에 대한 중대한 타격이었죠.

그러나 이후 솜즈(M. Solms)와 같은 학자들은 꿈꾸는 동안 뇌의 활동을 연구해서 프로이트의 이론이 모두 틀린 것은 아니라는 것을 밝혔습니다. 꿈꾸는 동안 뇌에서 논리적 사고를 담당하는 영역은 활동을 안 하지만 감정을 담당하는 부분, 오래된 경험을 기억하는 부분, 그리고 본능에 가까운 충동을 불러일으키는 영역 등이 활성화된다는 사실이 밝혀집니다. 이것은 이성적인 사고는 잠자고 무의식적인 사고가 활성화되며, 원초적인 소망이 꿈의 재료가 된다는 프로이트의 이론을 뒷받침하는 것입니다.

결국 프로이트의 꿈 이론이 과학적이냐 아니냐는 논란은 다시 원점으로 돌아왔습니다. 옳기도 하고, 틀리기도 하다고 할 수 있습니다.

그래서 현재 프로이트의 꿈 이론에 대한 과학적 평가는 아직도 진행 중이랍니다.

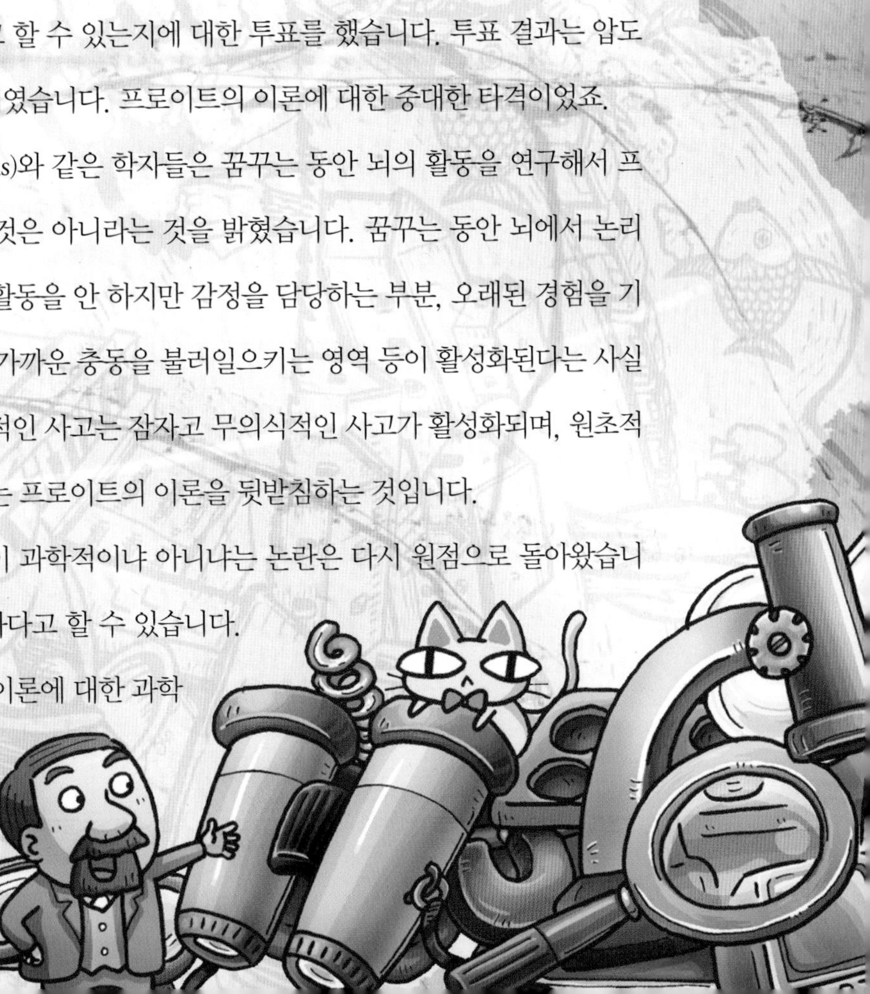

제4장
꿈을 해석하는 방법
- 꿈 사례 분석
현재까지 대부분의 학자들은
꿈
꿈은 특별한 의미가 없다고 생각하는 경향이 있지.
휘
익
하지만 일반인들은 꿈이 이해하기가 어렵기는 하지만,
꿈 = ?
어떤 의미가 있을 것이라고 생각하는 편이야.
그래서 막연하기는 하지만
꿈에 숨어 있는 의미를 찾으려고 해.
꿈

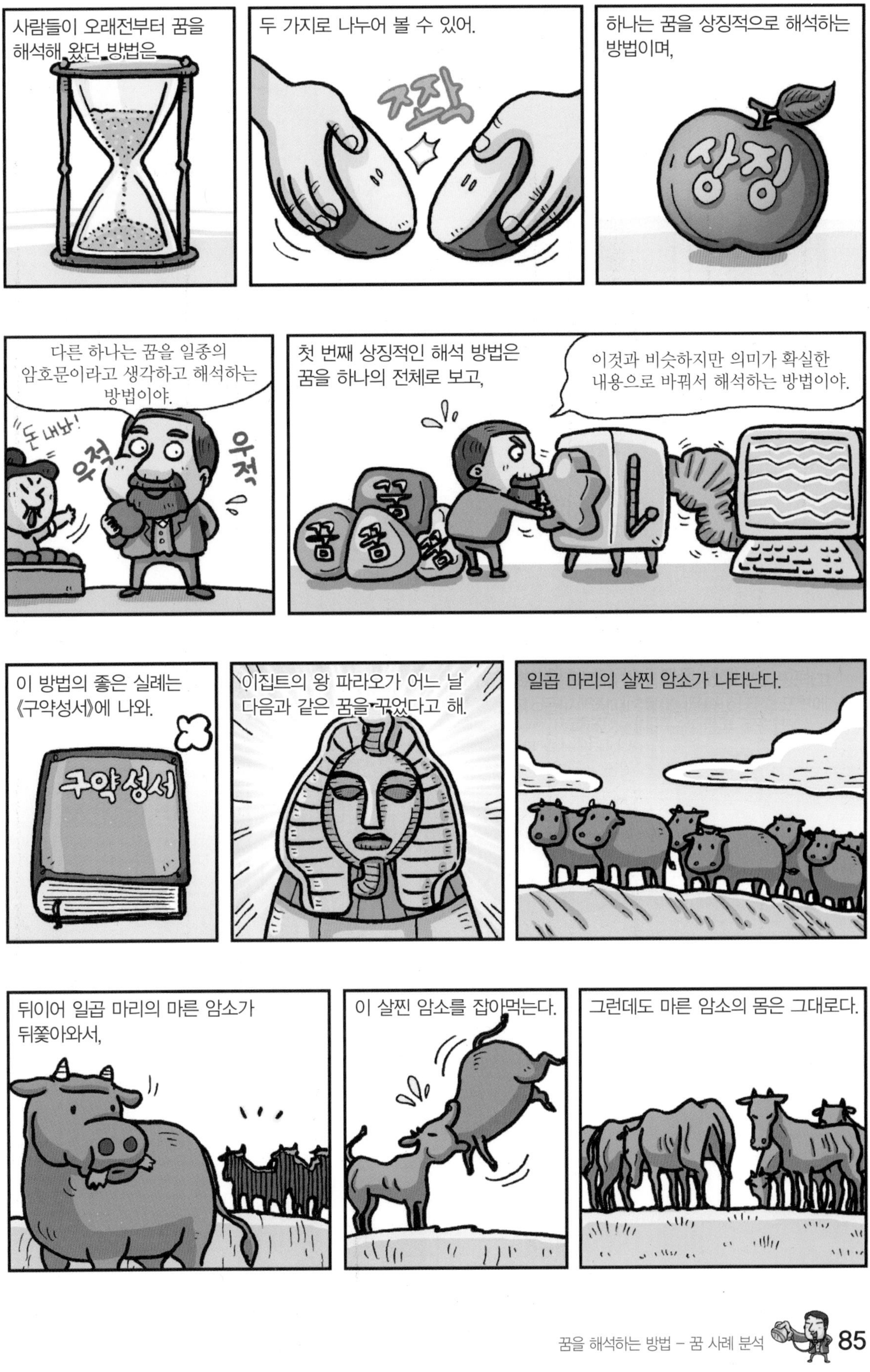
사람들이 오래전부터 꿈을 해석해 왔던 방법은
두 가지로 나누어 볼 수 있어.
조작
하나는 꿈을 상징적으로 해석하는 방법이며,
상징
다른 하나는 꿈을 일종의 암호문이라고 생각하고 해석하는 방법이야.
"돈 내놔!"
우적
우적
첫 번째 상징적인 해석 방법은 꿈을 하나의 전체로 보고,
이것과 비슷하지만 의미가 확실한 내용으로 바꿔서 해석하는 방법이야.
꿈
꿈
꿈
꿈
이 방법의 좋은 실례는 《구약성서》에 나와.
구약성서
이집트의 왕 파라오가 어느 날 다음과 같은 꿈을 꾸었다고 해.
일곱 마리의 살찐 암소가 나타난다.
뒤이어 일곱 마리의 마른 암소가 뒤쫓아와서,
이 살찐 암소를 잡아먹는다.
그런데도 마른 암소의 몸은 그대로다.

이 꿈을 요셉은
다음과 같이 해몽하지.
"일곱 마리는 7년을 뜻하고
살찐 암소는 풍년을 뜻한다.
같은 논리로 마른 암소는 흉년을 뜻한다.
그러므로 이 꿈은 7년간 풍년이 든 끝에 7년간 흉년이 들어
그동안 비축해 둔 물자를 모두 먹어 치운다는 예언을
상징한다."
그런데 꿈을 상징적으로 해석하는 데 정해진 지침은 없는 것 같아.
이를 위해서는 재치와 순간적인 직관 등의
특별한 재능이 필요한 것처럼 보여.
내가 좀 재치 있고… 센스 있고… 위트에다 잘생기기까지 하지….
끙~
스슥
꿈을 일종의 암호 문서처럼
해독하는 방법은
암호문서
꿈 전체가 아니라 꿈의
부분 부분을 중요시하게
생각해.
싹둑
암호문에서 부호는
정해져 있는 암호 해독
방침에 따라 번역되는
것으로
꿈에 보였던 이미지는 이미 정해진 해독 방법에 따라
자동적으로 해석이 돼.
고로… 양양 너는 실연당했음을 알 수 있지.
흑흑

예를 들어 편지와 장례식 등이 등장하는 꿈을 꾸었다고 치자.
해몽서를 찾아보면 편지는 불쾌감을,
편지 ➡ 불쾌감
장례식은 약혼을 의미해.
해몽
이렇게 해독된 낱말들을 토대로 꿈의 내용을 재구성해서 해독하는 거지.
촤——락
편지
장례식
우산
그래서 꿈은 특정한 의미를 지닌 부분들의 결합처럼 보이게 되지.
사랑 책 가위
케이크 물 구름
불 꽃 눈물
그런데 이러한 해석 방식 모두 학문적인 가치는 별로 없어.
우~
상징적인 방법은 그 적용 범위가 제한돼 있어 보편타당한 설명이 불가능하고,
자는 척
설명해 줘요, 얼른~
암호 해독 방법은 모든 것이 꿈 해몽서의 신뢰성 여부에 달려 있는데,
SCIENCE
신용도
수학의 정석
이것이 옳다는 근거는 전혀 없어.
해몽서
따라서 많은 철학자들과 정신과 의사들은
꿈을 해석하는 것은 과학적인 분야가 아니라고 무시해 버리는 것 같아.
우르르르~

그러나 나는 꿈을 해석할 수 있다는 일반 사람들의 믿음이 옳다고 생각해.
나는 실제로 환자를 치료하면서 꿈에는 의미가 있다고 생각하게 되었어.
그래서 이번 장에서는 꿈을 해석할 수 있다는 것을 보여주고자 해.
possible
몇 년 전부터 나는 공포증이나 강박증과 같은 정신병을 치료하기 위해 노력해 왔어.
공포증이란 보통 사람들은 무서워하지 않을 상황을
너무나 무서워하는 병이야.
개미
고양이 공포증이 있는 사람들은 고양이 근처에는 가지도 못해.
덜덜
야옹~
그리고 강박증이란
어떤 행동을 억제하지 못하고 반복하는 것을 말해.
예를 들면?
오염에 대한 강박증이 있는 사람은 손을 수십 번 반복해서 씻어.
박 박 박

그 과정에서 얻은 결론은, 환자의 정신 질환을 일으키는 원인을 찾아내는 것만으로도
증상이 없어지고 환자가 치료된다는 점이야.
환자들에게 특정 주제, 예를 들면
공포증과 관련해 떠오르는 생각들을 빠짐없이 이야기하라고 했더니,
꿈 차~
이야기
그들은 자신들이 간밤에 꾸었던 꿈 이야기도 들려주었어.
꿈 이야기를 듣고 나서 나는 기억을 더듬어 추적할 수 있는 심리적 연결고리 속에
심리
심리
심리
꿈을 끼워 넣을 수 있다는 것을 알게 되었어.
심리
꿈
심리
그래서 꿈 자체를 증상으로 다루어 정신분석을 해보자는 생각이 들었지.
이거야!!
정신분석을 하기 위해서는 환자의 협조가 필수적이야.
마음을 편안히 하고 생각에 집중해요!
자신을 관찰하기 위해서는 눈을 감는 것이 더 좋지.
난 원래 장님이오..
그리고 머리에 떠오르는 생각을 절대로 비판하지 않는 것도 중요해.
즉 정신분석의 승패는 머리에서 떠오르는 모든 것을 남김없이 이야기하는 것에 달려 있어.
요것도요...?

환자는 자신이 중요하지 않게 생각하거나 주제와 관련 없다고 생각해서,
휴지통
혹은 너무나 터무니없다고 생각하더라도 떠오르는 생각을 억누르지 말고 모든 생각들을 편견 없이 말해야 해.
잠들기 전이나 최면에 걸린 상태와 비슷한 심리적 상태를 만드는 거지.
나는 지금까지 이런 방식으로 신경증 환자들을 정신분석하면서
1천 개 이상의 꿈을 해석했어.
물론 이것만으로는 꿈 해석에 대한 일반 이론을 만들기에는 부족하겠지.
텅~
토핑
일반이론
환자가 아닌 건강한 사람들의 꿈을 해석하기에는 문제가 있었기 때문이야.
??
또 같은 꿈이라 하더라도 사람이나 상황에 따라 다양한 의미가 숨어 있을 수도 있겠지.
빠박
그래서 나는 우선 내 꿈부터 분석해 보기로 했어.
이렇게 하는 것이 정상적이고 평범한 삶에서 나타나는 꿈을 해석하기 위한 좋은 재료라고 생각해.
휘적
18일 꿈
20일 꿈
물론 주관적일 수 있다는 이유로 이와 같은 '자기분석'을 믿지 못하겠다는 사람이 틀림없이 있을 거야.
번쩍
번쩍
그렇지만 나는 타인들보다 자신을 관찰하는 편이

훨씬 유리하다고 생각해.
잘생겼군...
그리고 내 자신 스스로 극복해야 할 또 다른 어려움이 있는데,
끄응
내 정신생활의 내밀한 부분을 공개적으로 드러내는 데서 오는 쑥스러움이야.
빼꼼
이를 극복하는 데는 프랑스 학자 델뵈프가 말한 견해가 도움이 되었어.
모든 심리학자는 어둠 속의 문제에 빛을 밝힐 수 있다고 믿으면, 자신의 약점까지도 고백해야 한다.
이제 나는 내가 꾼 꿈 중 하나를 선택해 그것을 토대로 내 해석 방법을 설명해 보겠어.
5/17일
3일
9일
20일
그러기 위해서는 먼저 꿈을 꾸게 된 배경을 설명해야겠지.
유후~
이 배경이 아닌가…?
먼저 독자들에게 한 가지만 부탁할게.
헉
잠시 내 관심사를 당신 자신의 것이라 여기고
턱
관심사
나와 더불어 내 삶의 세세한 부분까지 주의를 집중하면 좋겠어.
Thanks!
머리카락
꿈의 숨어 있는 의미에 관심을 기울이기 위해서는
꿈
의미
마음을 하나로 만들어야 하기 때문이야.
1

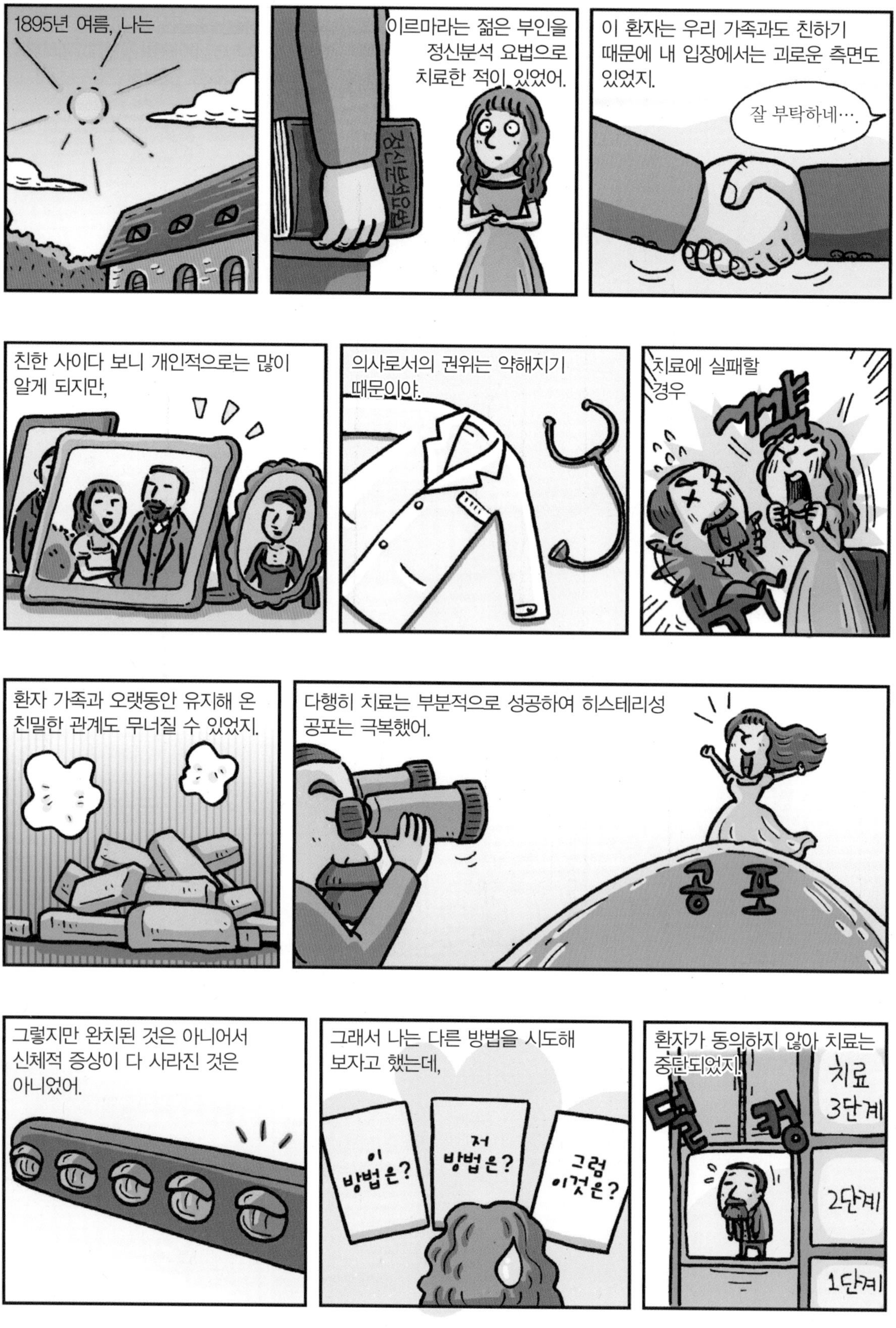
1895년 여름, 나는
이르마라는 젊은 부인을 정신분석 요법으로 치료한 적이 있었어.
정신분석요법
이 환자는 우리 가족과도 친하기 때문에 내 입장에서는 괴로운 측면도 있었지.
잘 부탁하네….
친한 사이다 보니 개인적으로는 많이 알게 되지만,
의사로서의 권위는 약해지기 때문이야.
치료에 실패할 경우
거절
환자 가족과 오랫동안 유지해 온 친밀한 관계도 무너질 수 있었지.
다행히 치료는 부분적으로 성공하여 히스테리성 공포는 극복했어.
공포
그렇지만 완치된 것은 아니어서 신체적 증상이 다 사라진 것은 아니었어.
그래서 나는 다른 방법을 시도해 보자고 했는데,
이 방법은?
저 방법은?
그럼 이것은?
환자가 동의하지 않아 치료는 중단되었지!
덜컹
치료 3단계
2단계
1단계

그러던 어느 날, 나와 가까운 젊은 의사 오토가
이르마와 그녀의 가족이 머물고 있던 시골에 다녀온 다음 나를 찾아왔어.
나는 환자의 안부를 물었어.
이르마는 요즘 어때요?
전보다 나아지긴 했지만 썩 좋아 보이지는 않았습니다.
나는 오토의 이러한 말투에 불쾌했지.
환자에게 너무 많은 것을 기대하게 만든 것은 아니냐는 비난이 말 속에 섞여 있다는 생각이 들었기 때문이었어.
비난
나는 오토가 내게 반감을 품고 있다면
그것은 환자 가족들의 영향 때문이라고 생각했었어.
전부터 그들이 내 치료를 달가워하지 않는다고 짐작했던 터였지.
오늘은 그냥 돌아가주세요.
그날 저녁 나는 우리 두 사람의 친구이며 우리를 지도하고 있던 의사 M에게 변명할 목적으로
드디어 등장인가?
이르마의 병력을 노트에 기록했어.
이르마
그날 밤, 아마 새벽녘이었던 것 같아.
나는 다음과 같은 꿈을 꾸었으며 깨어난 후 즉시 기록해 두었어.

[1895년 7월 23-24일의 꿈]
넓은 홀이다. 우리는 많은 손님을 접대하고 있다.
손님 중에 이르마가 눈에 띈다.
나는 그녀를 한쪽 구석으로 데려가 나의 해결책을 받아들이지 않은 그녀의 태도를 비난한다.
왜 제 충고를 따르지 않지요?
당신이 아직도 아프다면 그건 당신 탓입니다.
지금 목과 배가 얼마나 아픈지 알아요? 꼭 짓누르는 느낌입니다.
나는 깜짝 놀라 그녀를 바라본다. 그녀의 얼굴은 창백하고 퉁퉁 부어 있다.
몸에 병이 있는데 내가 모르고 지나친 것은 아닐까 하는 우려가 머리를 스친다.
히스테리
나는 그녀를 창가로 데려가 목 안을 살펴보려 한다. 하지만 그녀는 틀니를 낀 여자들처럼 입 벌리기를 거부한다.
마침내 그녀가 입을 크게 벌렸고
쩌억
나는 목 안 오른쪽에서 커다란 반점을 발견한다.

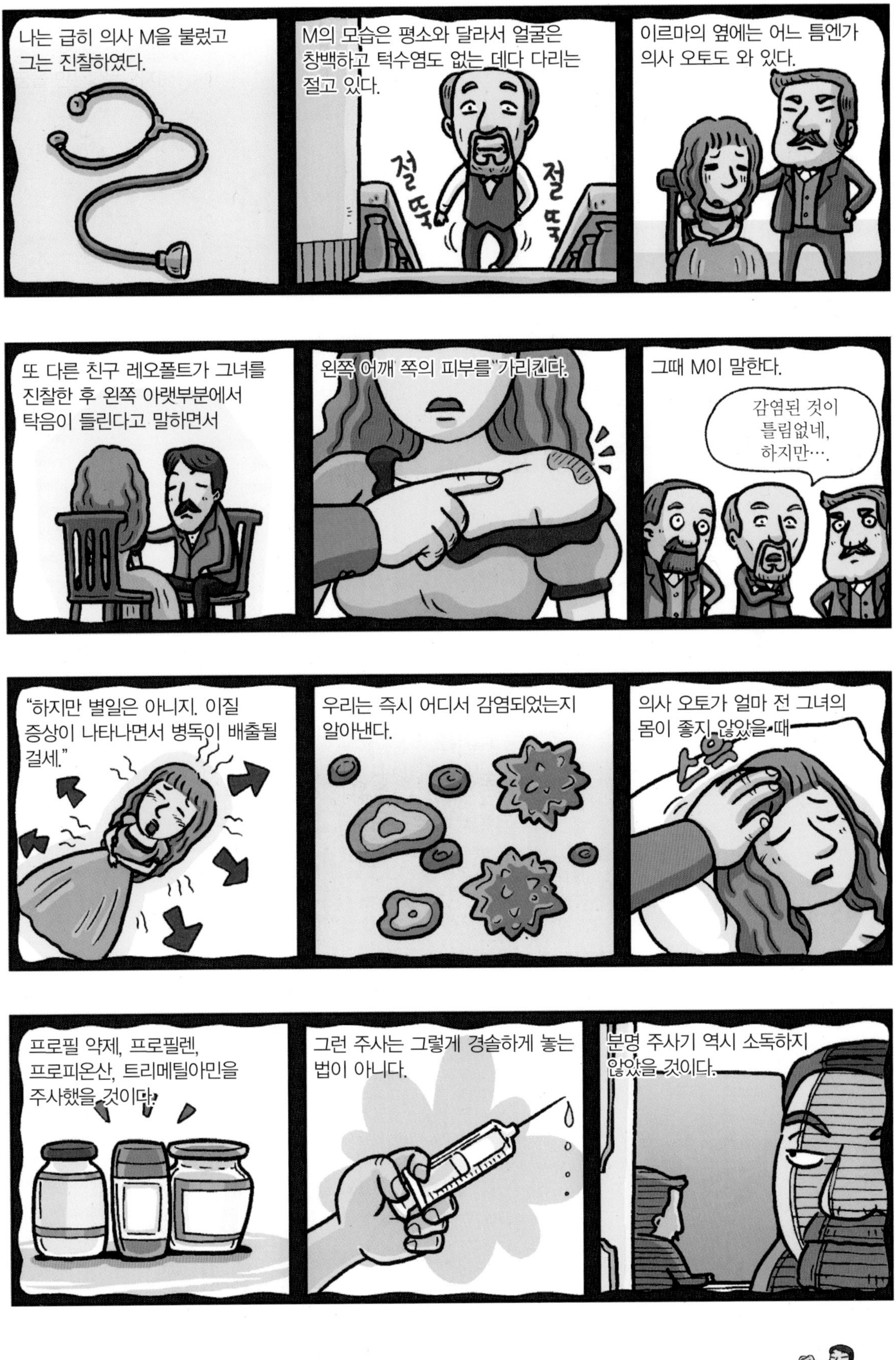
나는 급히 의사 M을 불렀고
그는 진찰하였다.
M의 모습은 평소와 달라서 얼굴은
창백하고 턱수염도 없는 데다 다리는
절고 있다.
절뚝
절뚝
이르마의 옆에는 어느 틈엔가
의사 오토도 와 있다.
또 다른 친구 레오폴트가 그녀를
진찰한 후 왼쪽 아랫부분에서
탁음이 들린다고 말하면서
왼쪽 어깨 쪽의 피부를 가리킨다.
그때 M이 말한다.
감염된 것이 틀림없네, 하지만….
“하지만 별일은 아니지. 이질
증상이 나타나면서 병독이 배출될
걸세.”
우리는 즉시 어디서 감염되었는지
알아낸다.
의사 오토가 얼마 전 그녀의
몸이 좋지 않았을 때
프로필 약제, 프로필렌,
프로피온산, 트리메틸아민을
주사했을 것이다.
그런 주사는 그렇게 경솔하게 놓는
법이 아니다.
분명 주사기 역시 소독하지
않았을 것이다.

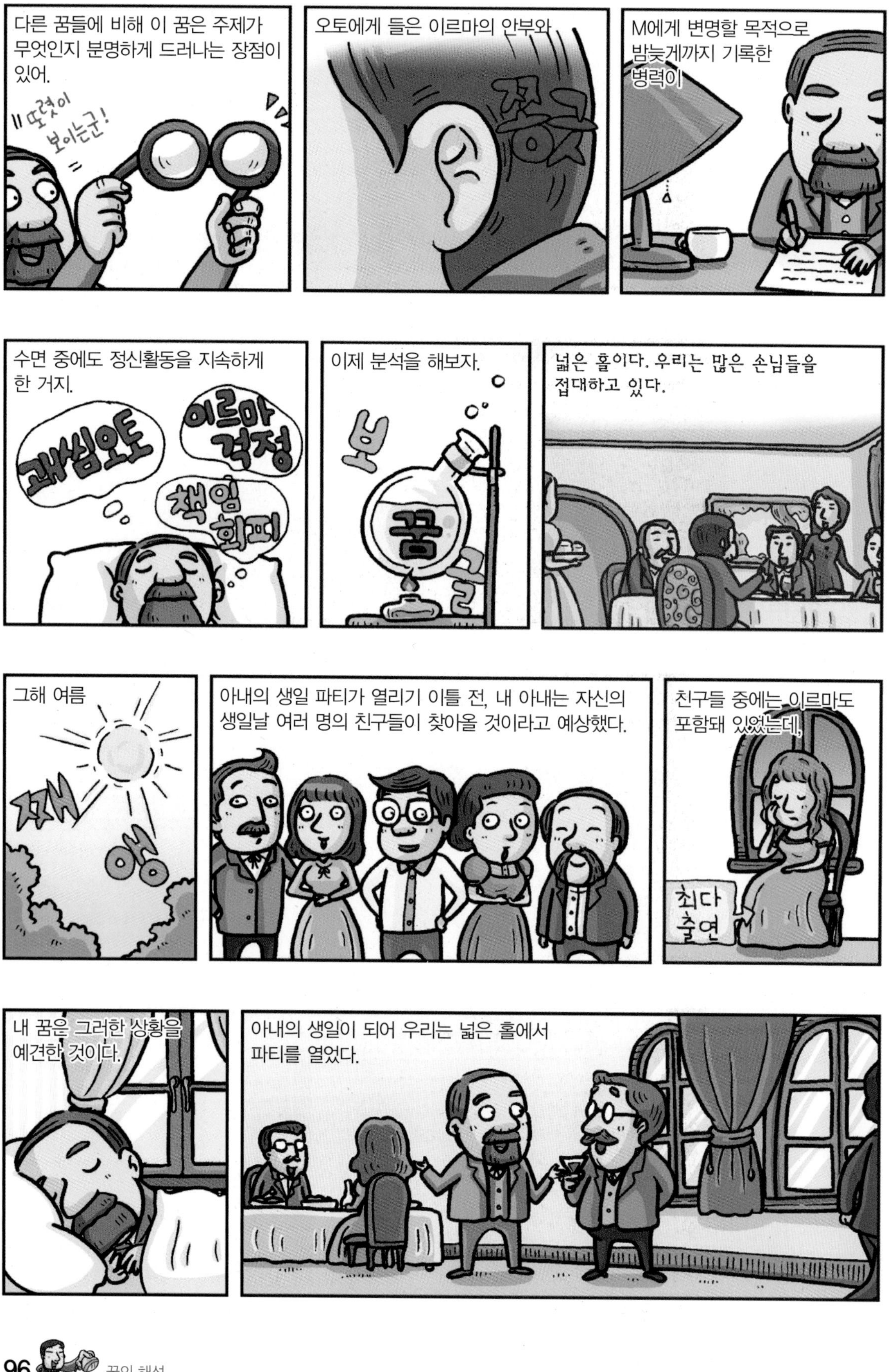
다른 꿈들에 비해 이 꿈은 주제가 무엇인지 분명하게 드러나는 장점이 있어.
또렷이 보이는군!
오토에게 들은 이르마의 안부와
쫑긋
M에게 변명할 목적으로 밤늦게까지 기록한 병력이
수면 중에도 정신활동을 지속하게 한 거지.
괘씸오토
이르마 걱정
책임 회피
이제 분석을 해보자.
보
꿈
글
넓은 홀이다. 우리는 많은 손님들을 접대하고 있다.
그해 여름
쨍
앵
아내의 생일 파티가 열리기 이틀 전, 내 아내는 자신의 생일날 여러 명의 친구들이 찾아올 것이라고 예상했다.
친구들 중에는, 이르마도 포함돼 있었는데,
최다 출연
내 꿈은 그러한 상황을 예견한 것이다.
아내의 생일이 되어 우리는 넓은 홀에서 파티를 열었다.

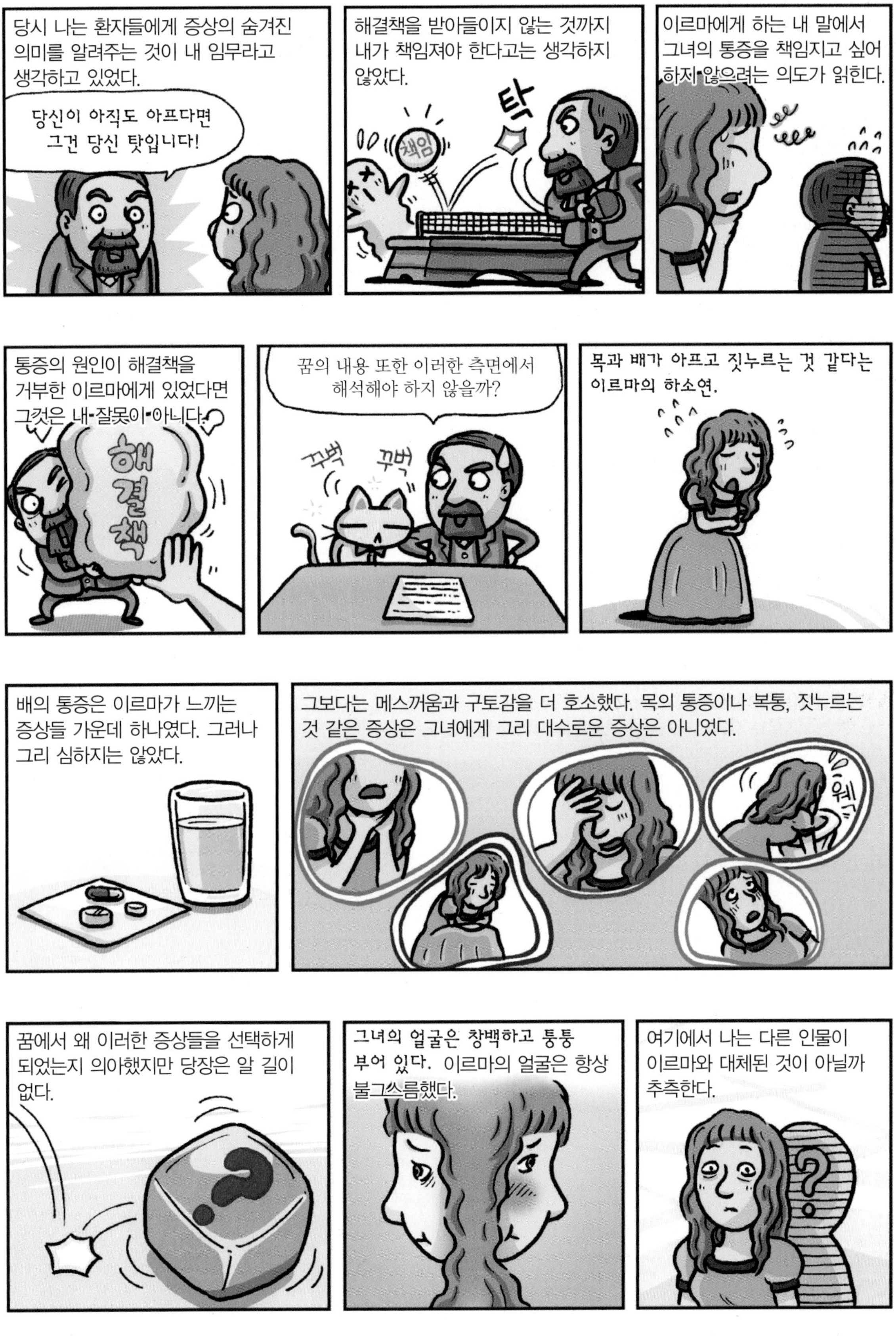
당시 나는 환자들에게 증상의 숨겨진 의미를 알려주는 것이 내 임무라고 생각하고 있었다.
당신이 아직도 아프다면 그건 당신 탓입니다!
해결책을 받아들이지 않는 것까지 내가 책임져야 한다고는 생각하지 않았다.
책임
탁
이르마에게 하는 내 말에서 그녀의 통증을 책임지고 싶어 하지 않으려는 의도가 읽힌다.
통증의 원인이 해결책을 거부한 이르마에게 있었다면 그것은 내 잘못이 아니다.
해결책
꿈의 내용 또한 이러한 측면에서 해석해야 하지 않을까?
꾸벅
꾸벅
목과 배가 아프고 짓누르는 것 같다는 이르마의 하소연.
배의 통증은 이르마가 느끼는 증상들 가운데 하나였다. 그러나 그리 심하지는 않았다.
그보다는 메스꺼움과 구토감을 더 호소했다. 목의 통증이나 복통, 짓누르는 것 같은 증상은 그녀에게 그리 대수로운 증상은 아니었다.
웩
꿈에서 왜 이러한 증상들을 선택하게 되었는지 의아했지만 당장은 알 길이 없다.
그녀의 얼굴은 창백하고 통통 부어 있다. 이르마의 얼굴은 항상 불그스름했다.
여기에서 나는 다른 인물이 이르마와 대체된 것이 아닐까 추측한다.

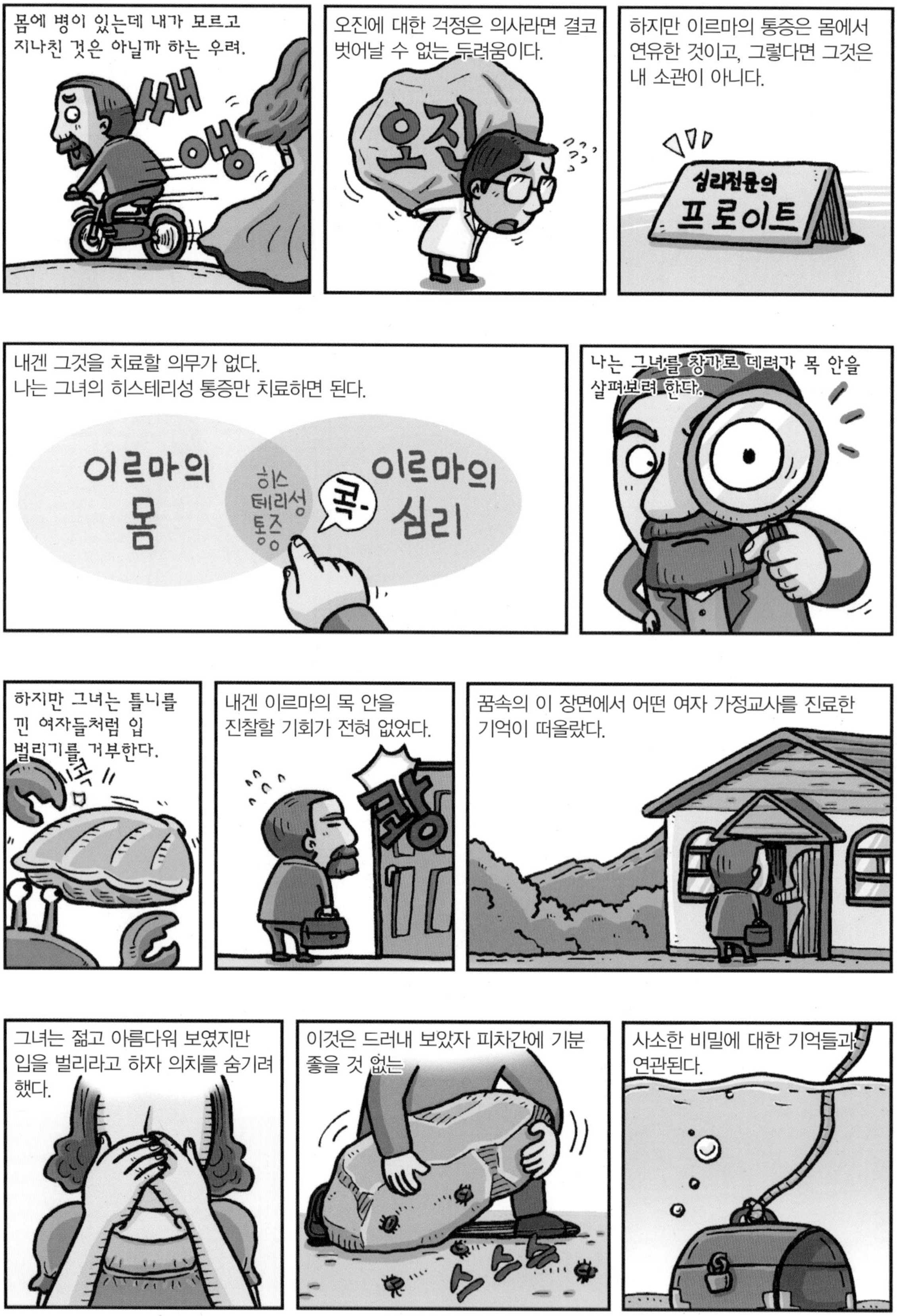
몸에 병이 있는데 내가 모르고
지나친 것은 아닐까 하는 우려.
쌔
앵
오진에 대한 걱정은 의사라면 결코
벗어날 수 없는 두려움이다.
오진
하지만 이르마의 통증은 몸에서
연유한 것이고, 그렇다면 그것은
내 소관이 아니다.
심리전문의
프로이트
내겐 그것을 치료할 의무가 없다.
나는 그녀의 히스테리성 통증만 치료하면 된다.
이르마의 몸
히스테리성 통증
콕
이르마의 심리
나는 그녀를 창가로 데려가 목 안을
살펴보려 한다.
하지만 그녀는 틀니를
낀 여자들처럼 입
벌리기를 거부한다.
콕
내겐 이르마의 목 안을
진찰할 기회가 전혀 없었다.
쾅
꿈속의 이 장면에서 어떤 여자 가정교사를 진료한
기억이 떠올랐다.
그녀는 젊고 아름다워 보였지만
입을 벌리라고 하자 의치를 숨기려
했다.
이것은 드러내 보았자 피차간에 기분
좋을 것 없는
사소한 비밀에 대한 기억들과
연관된다.

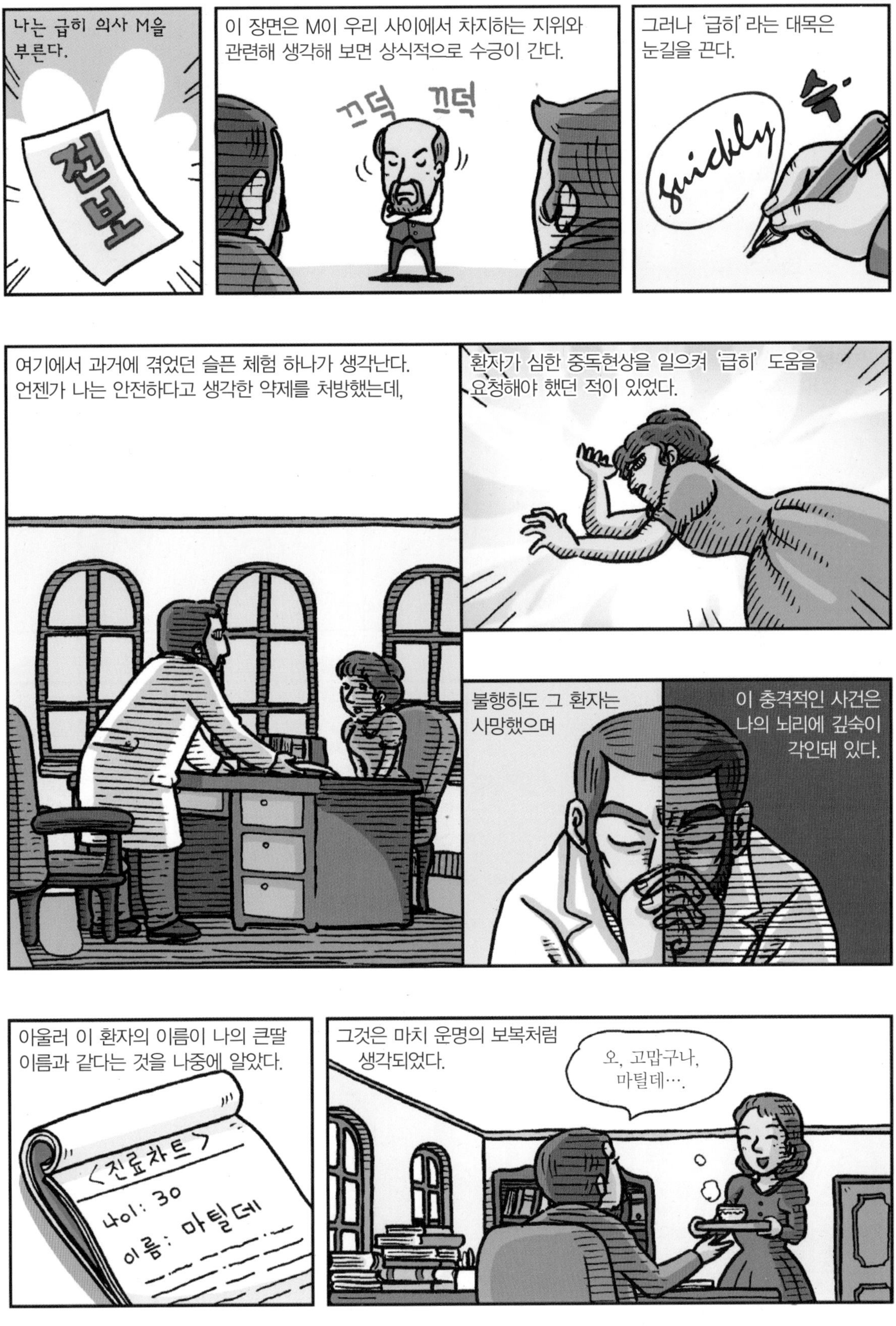
나는 급히 의사 M을 부른다.
전보
이 장면은 M이 우리 사이에서 차지하는 지위와 관련해 생각해 보면 상식적으로 수긍이 간다.
끄덕 끄덕
그러나 '급히' 라는 대목은 눈길을 끈다.
quickly
여기에서 과거에 겪었던 슬픈 체험 하나가 생각난다. 언젠가 나는 안전하다고 생각한 약제를 처방했는데,
환자가 심한 중독현상을 일으켜 '급히' 도움을 요청해야 했던 적이 있었다.
불행히도 그 환자는 사망했으며
이 충격적인 사건은 나의 뇌리에 깊숙이 각인돼 있다.
아울러 이 환자의 이름이 나의 큰딸 이름과 같다는 것을 나중에 알았다.
<진료차트>
나이: 30
이름: 마틸데
그것은 마치 운명의 보복처럼 생각되었다.
오, 고맙구나, 마틸데….

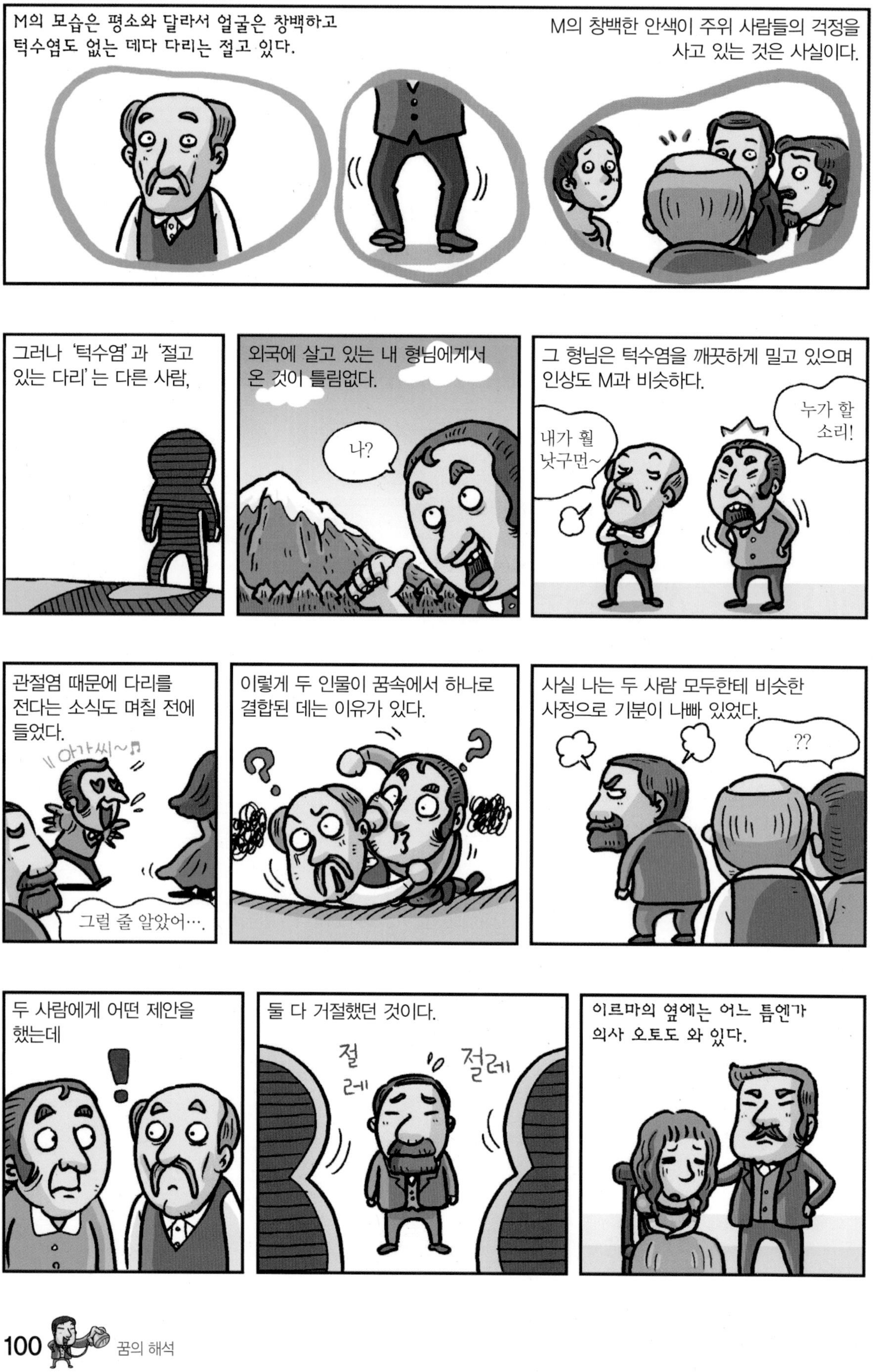

M의 모습은 평소와 달라서 얼굴은 창백하고
턱수염도 없는 데다 다리는 절고 있다.
M의 창백한 안색이 주위 사람들의 걱정을
사고 있는 것은 사실이다.
그러나 '턱수염'과 '절고
있는 다리'는 다른 사람,
외국에 살고 있는 내 형님에게서
온 것이 틀림없다.
나?
그 형님은 턱수염을 깨끗하게 밀고 있으며
인상도 M과 비슷하다.
내가 훨
낫구먼~
누가 할
소리!
관절염 때문에 다리를
전다는 소식도 며칠 전에
들었다.
아가씨~
그럴 줄 알았어….
이렇게 두 인물이 꿈속에서 하나로
결합된 데는 이유가 있다.
사실 나는 두 사람 모두한테 비슷한
사정으로 기분이 나빠 있었다.
??
두 사람에게 어떤 제안을
했는데
둘 다 거절했던 것이다.
절레
절레
이르마의 옆에는 어느 틈엔가
의사 오토도 와 있다.

또 다른 친구 레오폴트가 그녀를 진찰한 후
결국 나쁜 인가?
왼쪽 아랫부분에서 탁음이 들린다고 말하면서 왼쪽 어깨 쪽의 피부를 가리킨다.
빼꼼…
오토와 레오폴트는 같은 의사이면서 친척 간이기도 한 운명적 경쟁자이다.
이 두 사람은 한때 나를 도와 2년간 일했다. 따라서 꿈속의 이러한 장면은 내겐 익숙한 광경이다.
내가 오토와 함께 증상에 관해 논의하고 있으면 레오폴트는 환자를 다시 한 번 진찰해 예기치 않은 도움을 주기도 했다.
거식증이 아니라… 혹시 입덧?
이들 두 사람은 경쟁자답게 성격도 판이했다.
VS
한 사람은 민첩했고, 다른 한 사람은 신중하면서 꼼꼼했다.
탁
똑똑
내가 꿈에서 두 사람을 대립시켰다면 그것은 신중한 성격의 레오폴트를 칭찬하기 위해 그랬을 것이다.
좀 말려보게….
덩실
덩실
그런 주사는 그렇게 경솔하게 놓는 법이 아니다. 여기에서 '경솔하다'는 비난은 오토를 겨냥하고 있다.
나는 그가 말과 눈빛으로 반감을 드러냈던 그날 오후 이와 비슷한 생각을 한 적이 있다.
##??/%&〉@+&~
어쩌면 저렇게 남의 말을 쉽게 곧이듣고 경솔하게 판단할까 하는 생각이 들었던 것이다.
파란 깃발 들어!
하얀 깃발 들어!

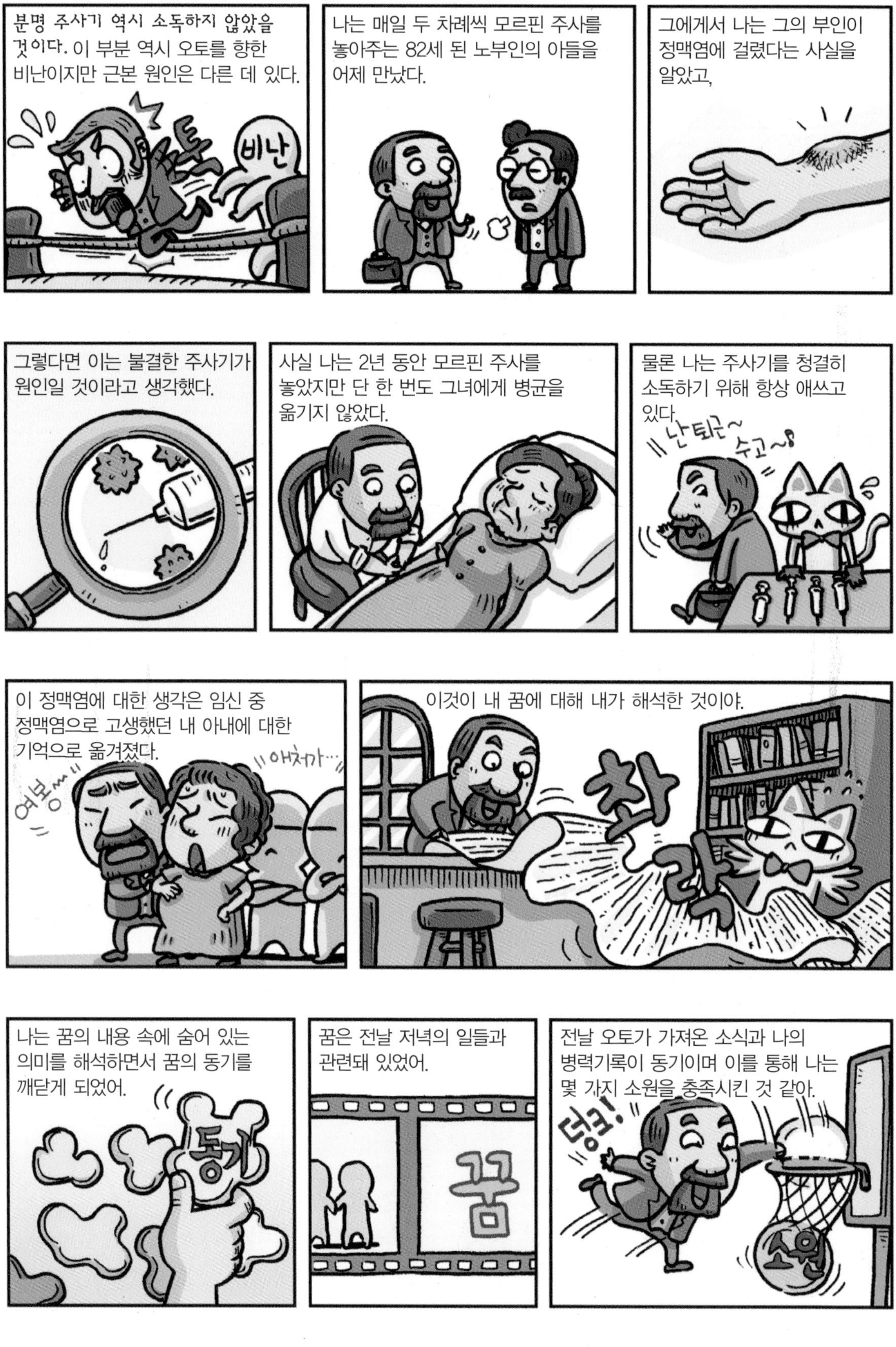
분명 주사기 역시 소독하지 않았을 것이다. 이 부분 역시 오토를 향한 비난이지만 근본 원인은 다른 데 있다.
비난
나는 매일 두 차례씩 모르핀 주사를 놓아주는 82세 된 노부인의 아들을 어제 만났다.
그에게서 나는 그의 부인이 정맥염에 걸렸다는 사실을 알았고,
그렇다면 이는 불결한 주사기가 원인일 것이라고 생각했다.
사실 나는 2년 동안 모르핀 주사를 놓았지만 단 한 번도 그녀에게 병균을 옮기지 않았다.
물론 나는 주사기를 청결히 소독하기 위해 항상 애쓰고 있다.
난 퇴근~
수고~!
이 정맥염에 대한 생각은 임신 중 정맥염으로 고생했던 내 아내에 대한 기억으로 옮겨졌다.
여봉~
애처가…
이것이 내 꿈에 대해 내가 해석한 것이야.
나는 꿈의 내용 속에 숨어 있는 의미를 해석하면서 꿈의 동기를 깨닫게 되었어.
동기
꿈은 전날 저녁의 일들과 관련돼 있었어.
꿈
전날 오토가 가져온 소식과 나의 병력기록이 동기이며 이를 통해 나는 몇 가지 소원을 충족시킨 것 같아.
덩크!
소원

즉 이 꿈의 결론은
톡
데구르르..
이르마의 고통이 내 책임이 아니라는 거야.
휴~
그럼, 누구 책임이에요?
그 책임은 오토에게 있는 거지!
깜짝
오토는 이르마가 완치되지 않았다는 말로 나를 화나게 했고,
쿠오오
꿈은 비난을 오토에게 돌려줌으로써 그에게 복수하는 것이지.
치 지 지~
꿈
꿈은 이르마가 현재 상태에 이른 이유를 다른 곳에서 찾으면서
복통
히스테리
구토
나를 책임에서 벗어나게 해.
홀가분~
톡
마음의 집
꿈은 어떤 사태를 내가 원하는 대로
묘사한 것으로 보여.
따라서 그 내용은 소원성취이고, 동기는 소원이라고 할 수 있을 거야.
합격

프로이트가 맞은 유레카의 순간

벌떡

이번 장에서 프로이트는 자신의 꿈을 분석하면서 꿈이 가지는 의미를 분석할 수 있다고 주장합니다. 그는 먼저 일반 사람들은 꿈의 의미를 해석하려고 하는 반면, 학자들은 꿈의 해석이 쓸데없는 짓이라고 생각하게 된 이유를 설명합니다. 기존의 꿈에 대한 해석으로는 상징적 해석과 암호해독이라는 두 가지 방법이 있는데, 모두 신뢰성이 없기 때문이라고 요약합니다. 그런 다음 독창적인 자신의 이론으로 일반인들이 바라는 꿈의 의미를 해석할 수 있다고 주장합니다.

그 계기가 되었던 것은 자신이 치료했던 '이르마'라는 환자에 대한 꿈입니다. 1895년 여름 프로이트는 아내와 함께 오스트리아의 수도 빈의 교외에 있는 별장을 빌려 휴가를 갑니다. 그 별장 이름은 '멋진 풍경의 성(Schloss Belle Vue)'이었습니다. 별장에서 휴가를 보내던 중 어느 날 저녁 그는 이르마에 대한 꿈을 꾸게 됩니다. 이 꿈의 의미를 곰곰이 생각하던 프로이트는 모든 과학자들이 학수고대하는 유레카의 순간을 맞은 것으로 보입니다. 이것이 《꿈의 해석》을 쓰게 되는 직접적인 계기가 됩니다.

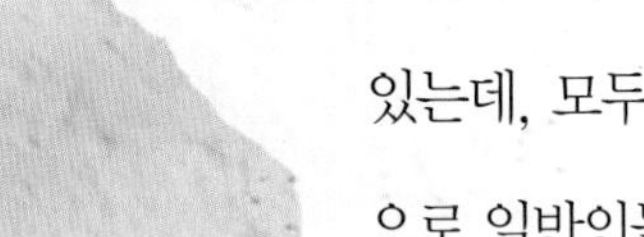

5년 후 프로이트는 이르마의 꿈을 꾸었던 별장을 다시 방문한 다음, 친구인 플리스에게 보내는 편지에서 이렇게 이야기합니다.

"자네는 언젠가 그 집에 다음과 같은 문구가 새겨진 대리석 탁자가 놓이는 것을 상상할 수 있겠는가?

1985년 7월 24일 이 집에서 지그문트 프로이트에게 꿈의 비밀이 드러나다.

지금 이 순간에는 그럴 가능성이 거의 보이지 않네."

이 편지를 보면 프로이트는 꿈의 해석에 대한 자신의 이론이 위대한 발견이라는 자신감을 가지고 있지만, 아직은 세상이 알아줄 것이라고는 생각하지 않는 것으로 보입니다. 그러나 머지않아 프로이트가 바란 꿈은 이루어집니다.

이 책에서 다루어지는 꿈의 분석에 대한 분석은 세 부분으로 이루어집니다. (1) 꿈을 꾸게 된 상황에 대한 기억으로 최근이나 옛날, 장소, 사건, 꿈이 참고로 하는 인물에 대한 기억, (2) 실제 꿈 이야기, (3) 자유 연상에 의한 꿈의 분석입니다. 이 책에서 인용된 꿈은 모두 223개인데, 프로이트의 꿈이 47개입니다. 프로이트는 자신의 꿈을 직접 분석합니다. 자신이 만들어낸 정신분석을 이용하여 자신을 분석할 사람은 자신밖에 없었기 때문입니다. 이를 자기분석이라고 합니다.

자기분석은 다른 정신분석과 마찬가지로 자유연상, 꿈의 분석, 행위의 해석에 의존합니다. 그러나 자기분석이 실제로 가능한지에 대해서는 프로이트 이론 추종자들 사이에서도 논란이 있습니다. 또 프로이트 이론에 대한 비판자들은 프로이트의 자기분석은 '놀라운 형식과 교활한 자서전' 또는 '은폐된 자서전'이라고 비난합니다. 실제로 이르마의 꿈을 분석하면서도 마지막 정맥염 부분에서 자신의 부인이 연상되었지만 분석은 거기에서 중단됩니다.

Der
TRAUM

제5장
꿈은 소원성취다

산비탈 사이의 좁고 험난한 길을 지나

갑자기 언덕이 나오면 길이 여러 갈래로 나뉘면서 사방 멀리까지 전망이 탁 트인다.

그러면 잠시 발길을 멈추고 먼저 어디로 갈 것인지 생각하게 된다.

첫 번째 꿈 해석을 무사히 마치고 난 지금 나의 심정이 이렇다.

이제 꿈이란 별다른 의미도 없는 제멋대로인 것이 아니라
수술은 아주 성공적이에요!
소원성취를 바라는 심리현상임을 알았겠지?
다풀었다!
또한 꿈의 내용은 깨어 있는 동안의 정신활동과 연결될 수 있다는 것도 알았을 거야.
뒤에서부터 걷어!
백지
그러나 아직도 해결하지 못한
팍 팍
문제들이 많아.
문제
꿈이 소원성취라면 무엇 때문에 이렇듯 기이하고 복잡하게 나타나는 걸까?
이러한 변화는 어떻게 이루어지며,
울다~ 웃다~
꿈의 재료는 또 어디에서 오는 것일까?
자동차
집
선물
돈
친구
탈 탈

내가 앞에서 첫 번째로 분석했던 내 꿈은 소원 성취였지만
소원 성취
실제 꿈에는 다양한 형태가 있어.
두려움을 불러일으키는 꿈도 있고,
오싹
텅~
뭔가를 깊이 생각하는 꿈,
주울까… 말까….
과거의 추억을
zzz
흐뭇~
단순히 되살리는 꿈도 있지.
ㅋㅋㅋ
꺅
소싯적 프로이트
꿈이 소원성취의 특성을 노골적으로 드러낸다는 것을 보여주기는 어렵지 않아.
소원성취
후루룩~
식은죽
나는 종종 실험삼아 꿈을 마음대로 만들어 낼 수도 있었어.
싹둑
꽃
돈
선물
윽! 당신 덕분에 목이 졸리는 꿈을 만들 수 있겠군!
턱
그래서 왜 꿈의 언어를 이제야 이해하게 되었는지가 이상할 정도야.
첨부터 쉬운 게 어딨어!
쯧쯧쯧
여보….
허걱!
꿈에 만나고 싶은 여인

소금에 절인 생선과 같은 짠 음식을 저녁에 먹었다면
갈증이 심해 자다가도 깰 정도지.
물~!
벌떡
그러나 깨어나기 전 매번 같은 꿈을 꿔.
뭐냐 하면… 물 마시는 꿈!
Zzz
꿈에서 물을 마시는데
진짜로 무척 목이 말라 있다가 시원한 물을 들이켤 때처럼 맛이 아주 좋아.
캬~
그런 꿈을 꾸고 나면 잠에서 깨어나 실제로 물을 마셔야 해.
물 물 물
이 꿈을 꾸게 된 동기는 깨어날 때 느끼는 갈증이라고 할 수 있지.
갈증 때문에 물을 마시고 싶다는 소원이 생겨난 거야.
곧 꿈속에서 그 소원을 성취하는 거고….
꿀꺽
나는 비교적 잘 자는 편이라
털썩
드르릉~
어떤 욕구 때문에 잠에서 깨어나는 경우가 드물어.
와장창
Zzz
물 마시는 꿈으로 갈증을 해소할 수 있다면
벌컥
벌컥
굳이 깨어날 필요도 없겠지.
구시렁
구시렁
이게 얼마나 귀찮은 일인데…

그런데 갈증이 있을 때 꾸는 꿈은 앞서 분석한 이르마의 꿈과는 달라.
오토에게 복수를 해야 한다는 소원은
꿈에서 해결되지만
갈증을 해소하려는 욕구는 꿈에서 충족되지 않아.
콰르릉
그래서 깨어나는 거고, 실제로 물을 마시고픈 욕구를 충족하지.
벌컥 벌컥
젊은 시절 나는 이런 꿈을 자주 꾸었어.
학생 프로이트
나는 밤늦게까지 일하는 버릇이 있어서
아침 제시간에 일어나기가 매우 어려웠지.
꼬끼오~
그럴 때면 침대에서 일어나
세수하는 꿈을 꾸곤 했지.
결국은 침대에서 일어나지 않았다는 사실을 깨달을 수밖에 없지만
내가 자고 있는 건가….
아니면, 깨어 있는 건가….
꿈 덕분에 잠을 좀 더 잘 수 있었던 거야.

내가 들은 다른 사람이 꾼 꿈에서도 어렵지 않게 이러한 소원성취의 현상들을 발견할 수 있어.
내 꿈 이론을 이미 알고 있는 한 친구가
재!
자기 부인에게도 그 이야기를 들려준 뒤 어느 날 내게 말했어.
어제 내 아내가 꿈을 꿨는데 말야.
생리하는 꿈을 꿨다네. 자네 이게 무슨 의미인지 설명해 줄 수 있겠나?
꿈
생리라….
생리라….
젊은 부인이 생리하는 꿈을 꾸면
생리가 중단된 경우야.
이것은 첫 임신을 알리는 재치 있는 방법이지.
어 맛!
축하합니다~
어머니로서의 고난이 시작되기 전에
으앙~
잠시 더 자유를 즐기고 싶어 하는 심정에서 꾼 꿈이라고 할 수 있지.

어린아이들의 꿈은 단순한 소원성취인 경우가 많아.
그래서 해석하기가 어려운 성인들의 꿈과는 달리
예쁘게 여장을 하고 서….
아동들의 꿈에서 풀어야 할 수수께끼는 없어.
그들의 꿈이란 내적 본질이 소원성취라는 것을 증명하는 데는 더할 나위 없이 중요하지.
나는 내 아이들이 꾼 꿈에서 그것을 확인할 수 있었지.
나는 동물들이 어떤 꿈을 꾸는지 알지 못해.
드르렁~
그런데 사람들이 말하는 속담은 그것을 안다고 주장해.
거위는 어떤 꿈을 꿀까?
옥수수꿈!
둘이 주고받는 속담의 두 문장 속에 꿈이 소원성취라는 이론 전부가 집약되어 있다고 할 수 있어.
거위꿈
옥수수꿈
소원성취

사람들의 언어관습만 봐도
꿈의 숨어 있는 의미에 관해
꿈
의미
내가 내린 결론에 쉽게 이를 수 있다는 것을 알 수 있어.
지이잉~
결론
일부 학식 있는 사람들은
"꿈은 물거품 같다."고 무시하지만,
꿈은 꿈일 뿐….
퐁
일반 사람들이 습관적으로 사용하는 언어 속에서 꿈은
주로 소원성취로 나타나는 것이 분명해.
꿈
현실에 기대 이상의 일이 생길 때,
사람들이 기쁨에 넘쳐 소리치는 것을 보면 알 수 있어.
와 와
"그런 일은 꿈에도 생각하지 못했어!"
수석 합격
세계신기록
1:08

소원성취의 의미

소원(所願)이란 우리가 바라고 원한다는 의미입니다. 소망所望이라고도 합니다. 그러면 프로이트가 말하는 소원이란 무슨 의미일까요?

프로이트가 말하는 소원은 인간의 감정이나 욕구를 표현하는 개념입니다. 인간의 감정이나 욕구를 표현하는 개념은 너무 근본적이어서 이해하기가 쉽지 않고 특히 다른 나라의 언어로 번역되면서 애초의 개념이 달라지는 경우가 많습니다. 그래서 프로이트가 말하는 소원이라는 말도 쉬운 말은 아닙니다. 프로이트의 소원성취는 욕망의 실현이라고도 할 수 있습니다. 욕망은 성욕을 의미하는 정욕, 혹은 탐혹이라고 번역될 수 있습니다. 그런데 중요한 것은 프로이트가 말하는 소원이란 우리가 의식할 수 없는 무의식의 세계에 있다는 점입니다. 즉 우리가 의식할 수 있는 것이 아니지요. 〈우리의 소원은 통일〉이라는 노래가 있지요? 우리가 흔히 사용하는 소원이란 이 노래가사처럼 우리가 의식적으로 바라는 것을 말합니다. 그러나 프로이트가 말하는 소원은 이것과는 차원이 다릅니다. 어떻게 다른지를 알게 되면 벌써 프로이트 이론의 절반은 알았다고도 할 수 있습니다.

꿈은 소원성취의 의미를 가지고 있다는 자신의 주장을 펼치기 위해 프로이트는 이번

장에서는 누구라도 꿈에서 자신이 원했던 것을 이룬다는 것을 인정할 수 있는 사례를 듭니다. 특히 어린이의 꿈은 꿈의 내적 본질인 소원성취라는 것을 증명하기 쉽다면서 어린이들의 꿈을 인용합니다. 왜 어린이의 꿈에서 소원성취를 이해하기 쉬운지를 여기서는 이유를 밝히지 않았습니다. 그러나 이후에 이어지는 프로이트의 글을 보면 알 수 있듯, 어린이들은 아직 꿈을 억압하는 검열기관이 발달하기 전이라고 생각했기 때문입니다. 검열기관이란 초자아 혹은 도덕적인 죄책감이라고도 할 수 있습니다. 물론 이것 역시 무의식 세계에서 작동합니다. 그래서 자신의 마음이 원하는 대로 꿈을 꾼다는 것입니다.

프로이트가 인용한 꿈을 꾼 아이들의 나이는 3년 4개월에서 8년 6개월 사이입니다. 프로이트는 잠꼬대도 꿈의 일종이라고 하면서 19개월과 22개월 아이의 꿈도 이야기합니다. 그러나 꿈에 대한 내용을 연구할 때는 일반적으로 잠꼬대는 꿈으로 보지 않습니다. 프로이트 이후 아동의 꿈에 대한 연구를 보면, 아동이 5~7세가 되어야 자신이 적극적인 등장인물로 등장하여 시각적인 이미지로 된 꿈을 꾸게 되고, 9~11세에 이르면 꿈의 형식이나 빈도가 성인의 꿈과 비슷해진다고 합니다. 반면 5세 이전에는 짧고 정적인 이미지로 된 꿈을 꾼다고 합니다. 이 시기의 꿈은 동물들을 자주 보고, 잠을 자거나 뭔가를 먹는 등 낮의 활동과 관련된 내용입니다. 아이들의 꿈에 대한 연구결과는 많지 않습니다. 성인의 꿈에 대한 이론과 마찬가지로 프로이트의 아동기 꿈 이론도 연구가 더 필요합니다.

제6장
꿈의 왜곡

내가 꿈은 소원성취라고 했지? 그렇다면 모든 꿈이 그럴까?
꿈
꿈
꿈
소원성취

그렇다고 주장하면 거세게 반대하는 사람들이 아주 많을 거야.
반대
엉터리

사람들은 꿈이 소원성취이기는 하지만 그렇지 않은 꿈들도 많다고 주장해.
꿈
꿈
꿈
꿈
소원성취
악몽

즐거움보다는 고통과 불만이 꿈에 더 자주 나타난다고도 하고

우리를 소름끼치게 하고 가위눌리게 하는 불안한 꿈도 있지.
아등
바등

소원성취를 쉽게 알아볼 수 있는 어린이들의 꿈에서조차도 이런 꿈들이 많아.

그렇다면 꿈이 소원을 성취하게 한다는 내 주장은 일반화될 수 없는 것일까?
이 연사 외칩니다~
와~
YES
YES
겉으로 드러난 꿈의 내용만 본다면
소원성취라는 이론에 허점이 있는 것처럼 보이지만,
소원성취
해석을 통해 꿈의 배후를 들여다보면
내 이론이 옳다는 것을 알 수 있을 거야.
덜컹
불쾌하거나 불안한 꿈 역시 그 배후에는 소원성취라는 기본의도가 숨어 있어.
소원 성취
앞에서 분석했던 '이르마의 꿈'을 생각해 보자.
이르마의 꿈 역시 처음에는 소원성취와는 거리가 먼 것처럼 보였지.
정확하게 분석을 하기 전에는 나 역시 그런 사실을 깨닫지 못했어.
그러나 분석한 결과
띵~
분석 완료!
이 꿈이 나의 소망을 충족하는 심리활동의 결과물이라는 것을 알았어.
want
바람
소망
wish
희망사항

이와 같이 해명이 필요한 꿈의
특징을 '꿈의 왜곡'이라고 해보자.
Distortion of Dream
그렇다면 겉으로
드러나는 꿈은
왜 왜곡되어
나타나는 걸까요?
나의 두 번째 꿈 해석을 통해
그것을 해명해 보고자 해.
그러기 위해서 우선
자야지.
쿨쿨
1897년 봄에
대학교수 두 사람이
나를 객원교수*로 추천했다는
소식을 들었다.
<추천장>
우리 두 사람은
프로이트 박사를
객원교수로
추천함.

*객원교수 – 정원 외의 사람으로 외부에서 초청된 교수.

나와 개인적 친분도 없는 사람들이
나를 인정해 준 것 같아 무척 기뻤지.
어쩜, 너무 잘생겼어~
흠…흠…
그러나 다음 순간 이를 기대해서는
안 된다고 스스로 다짐했다.
헉!!
휙
손!
이제까지 교육부에서는 이런
제안에 별 관심을 보이지 않았던
데다,
교육부
쌩~
나보다 몇 년 선배이며 업적 면에서
전혀 뒤질 게 없는 동료 두서너
명이 임명을 기다리고 있었기
때문이다.
게다가 나는 야심도 별로 없고,
정상
봤으니
이제 하산~
교수라는 칭호에 연연하지 않아도
될 만큼 지금의 일에 만족하고
있다는 것도 한 이유였다.
교수

그러던 어느 날 저녁, 가깝게 지내던 동료 R이 나를 찾아왔다.
R 역시 교수임용에 추천받은 상태였다.
임용
우리 사회에서는 교수로 임용되기만 하면
임용
쿵
환자들이 의사를 신처럼 떠받드는 데다가
그는 나처럼 쉽게 포기하는 성격이 아니어서
아가씨, 번호 좀~
교수가 되기 위해 이따금 당국자 사무실에 이의를 제기하곤 했다.
objection
그날도 그런 일로 거기에 갔다가 돌아오는 길이었다.
그는 이번에 자기가
교수임용이 미루어지는 이유가
교수 R
보류!
종교적인 문제가 아니냐고 단도직입적으로 따졌다고 했다.
Catholic
그런데 지금과 같은 상황에서는 장관도 어떻게 해볼 도리가 없다는 답변을 들었다고 했다.
미안하게 됐습니다.

이제 최소한 상황이
어떠한지는 알게 되었다네.
그 친구의
마지막 말이다.
이 소식은 체념하려는 나의 결심을
더욱 굳혀주었다.
종교적인 문제에서 나 역시
자유롭지 않았기 때문이다.
유대교
동료가 다녀간 이튿날 새벽 나는
다음과 같은 꿈을 꾸었다.
친구 R이 내 삼촌이다. 나는
그에게 깊은 애정을 느낀다.
그의 용모가 약간 변한 듯 보인다.
깍
얼굴이 좀 길쭉해진 것 같고,
턱을 감싼
누르스름한
수염이 유난히
눈에 띈다.
이 꿈을 꾸고 난 다음, 나는 꿈의
내용이 하도 황당해서 웃어넘겼지.
크하핫-
그러나 꿈은 온종일 나의 뇌리를
떠나지 않았어.
그러다 마침내 저녁 무렵
나는 내 자신을 이렇게
꾸짖었지.
아니야!
아니야!
네 환자 중 누군가 말도 안 되는
소리라고 꿈 해석을 무시하면,
우~
너는 그를 질책하면서 그가 알고
싶지 않은 불쾌한 이야기가 꿈
뒤에 숨어 있다고 추측할 것이다.

너 자신도 그와 똑같이 대하라.
꿈이 말도 안 된다는 네 의견은 꿈 해석에 대한 내부 저항을 의미할 뿐이다.
맞아!
엉터리!
그래서 나는 꿈을 해석하기 시작했어.
R이 내 삼촌이다. 이것은 무엇을 의미할까?
내게 삼촌은 요제프 삼촌 한 사람뿐이야.
그런데 이 삼촌에게는 좋지 않은 과거가 있어.
척~
감추고 싶은 과거
이분은 30여 년 전에 돈 벌 욕심으로 법을 어겨 형벌을 받았어.
이 일로 상심해서 며칠 사이 폭삭 늙어버린 우리 아버지는
그놈 때문에 제명에 못죽어~
입버릇처럼 이렇게 말씀하시곤 하셨지.
삼촌이 나쁜 사람은 아닌데….
모자란다 고요?
따라서 R이 요제프 삼촌으로 변형돼 나타났다면
나는 R이 삼촌처럼 모자라는 사람이라고 말하고 싶은 거라고 할 수 있겠지.
R은 바보 멍청이~
그런데 이것은 너무나 불쾌해서 그대로 믿을 수가 없어.
탁

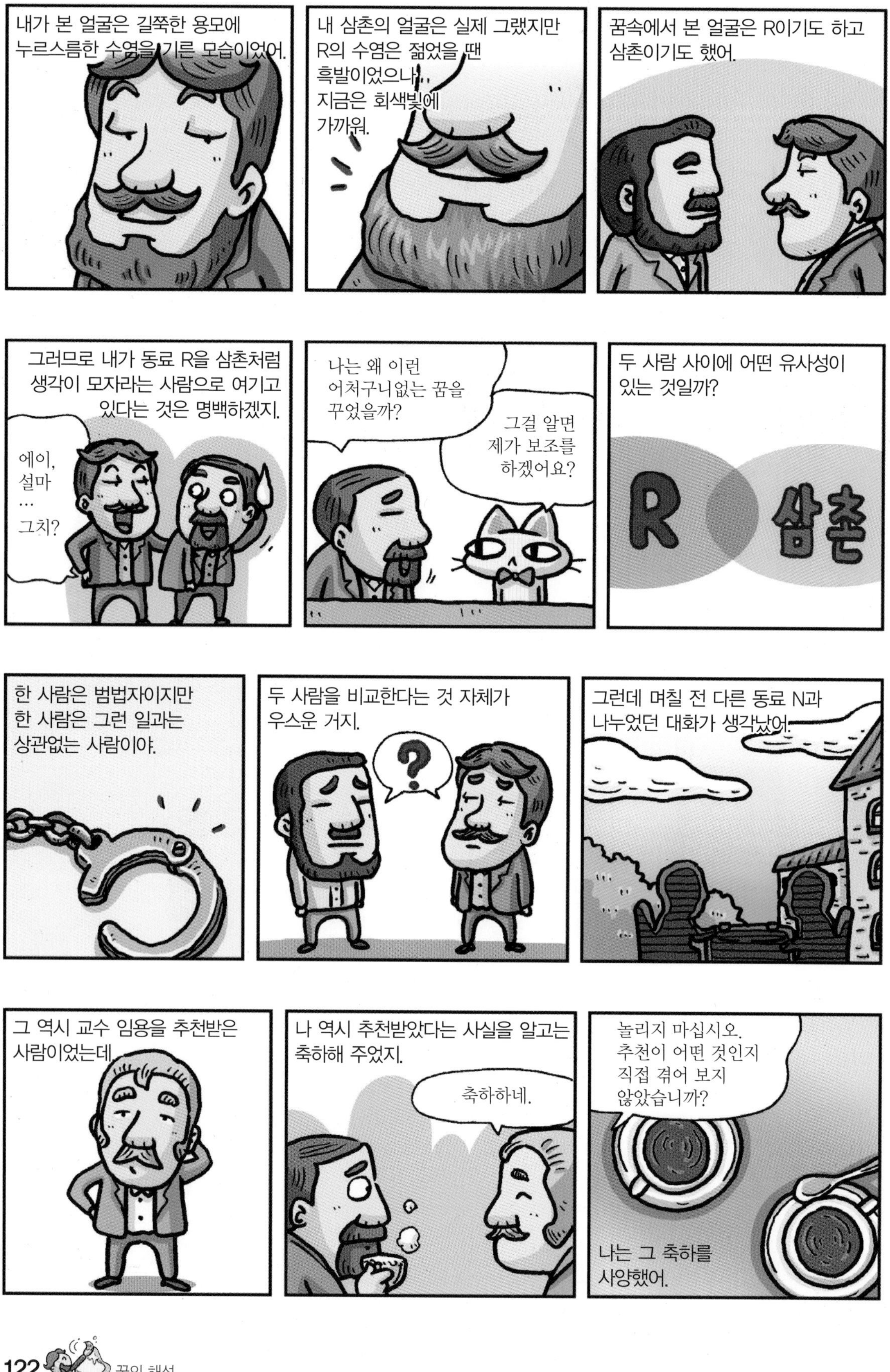
내가 본 얼굴은 길쭉한 용모에 누르스름한 수염을 기른 모습이었어.
내 삼촌의 얼굴은 실제 그랬지만 R의 수염은 젊었을 땐 흑발이었으나 지금은 회색빛에 가까워.
꿈속에서 본 얼굴은 R이기도 하고 삼촌이기도 했어.
그러므로 내가 동료 R을 삼촌처럼 생각이 모자라는 사람으로 여기고 있다는 것은 명백하겠지.
에이, 설마 … 그치?
나는 왜 이런 어처구니없는 꿈을 꾸었을까?
그걸 알면 제가 보조를 하겠어요?
두 사람 사이에 어떤 유사성이 있는 것일까?
R
삼촌
한 사람은 범법자이지만 한 사람은 그런 일과는 상관없는 사람이야.
두 사람을 비교한다는 것 자체가 우스운 거지.
?
그런데 며칠 전 다른 동료 N과 나누었던 대화가 생각났어.
그 역시 교수 임용을 추천받은 사람이었는데,
나 역시 추천받았다는 사실을 알고는 축하해 주었지.
축하하네.
놀리지 마십시오. 추천이 어떤 것인지 직접 겪어 보지 않았습니까?
나는 그 축하를 사양했어.

내 말에 그는 별로 심각한 기색이 없이 대답했다.
그것은 알 수 없는 일입니다. 내 경우는 좀 특별합니다.
내가 법적으로 고발당한 일이 있다는 것은 당신도 아시지요? 비열한 공갈협박이었지요.
그런데 당국에서는 이 일을 내세워 나를 임명하지 않으려나 봅니다.
그러나 당신은 깨끗하지 않습니까?
내 말에 그는 별로 심각한 기색이 없이 대답했다.
범법자
R+삼촌
N
꿈에서 요제프 삼촌은 교수에 임명되지 못한 두 동료를 모두 대변한다고 할 수 있어.
툭
한 사람은 생각이 모자라는 바보,
우씨~
다른 한 사람은 범죄자로 묘사하는 거라고 생각할 수 있지.
?
무엇 때문에 이런 묘사가 필요한지도 알 수 있어.
데구루루
친구 R과 N의 교수 임명이 지연되는 이유가 결정적으로 종교적인 것이라면 내 임명도 문제가 돼.
종교
교수 임명
그러나 그 이유를 나와 상관없는 다른 것에서 찾을 수 있으면, 내게는 여전히 희망이 남아 있겠지.
바보
범법자

꿈은 그런 식으로 진행되어 R은 생각이 모자라는 바보로, N은 범죄자로 만들었어.
쏘리~
그러나 나는 어느 쪽에도 해당되지 않아.
R
N
우리의 공통성이 없어지고,
슈
슈
슈
나는 교수로 임명될 날을 안심하고 기다려도 된다는 결론이지.
ㅋㅋ
16
이것이 내가 내 꿈을 분석한 결과야.
conclusion!
그러나 아직은 내 꿈에 대한 해석이 만족스럽게 끝난 것은 아니야.
하핫, 알았어. 알았다니까!
내가 교수로 임명될 수 있는 길을 열어놓기 위해
촤 륵-
존경하는 두 동료를 깎아내린 경솔함에 여전히 마음이 편치 않아.
두고 보자!
꿈에서 R이 내 삼촌으로 변형돼 나타났을 때 나는 삼촌에게 따뜻한 애정을 느꼈으나
이 또한 실제와는 달라.
현실에서 나는 요제프 삼촌에게 한 번도 따뜻한 감정을 느껴본 적이 없어.
그런데도 꿈에서는 이러한 감정이 뒤섞여 있어. 어떻게 해서 이러한 말도 안 되는 왜곡이 일어난 것일까?
콜록 콜록

이 왜곡엔 하나의 심리적 동기가 있어.
심리적 동기
왜곡
내가 R을 찾아가 꿈에서 느낀 애정과 비슷한 친밀감을 말로 표현한다면 그는 매우 놀라겠지.
와락
켁
사랑 한다네 ~!
그에 대한 내 애정은 과장되었으며
뻥
진실인 것 같지 않아.
잘생기고 멋진 박사님~ 월급 좀 올려주세요~
사실은 오히려 정반대야.
못생긴 데다가 얼마나 짠돌이인지….
꿈속의 애정은 숨어 있는 잠재적 내용이 아니라 그것을 감추기 위한 거야.
애정
범법자
어리석음
꿈에서 내가 삼촌의 가면을 통해 따뜻한 감정을 이입시킨 것은
R의 생각이 모자란다는 내 생각을 거부하기 위한 거지.
지구가 평평해서 다행이야.
이 의도가 꿈을 왜곡하고 위장한 거라고 할 수 있어.
꽁꽁
이토록 소원성취를 알아볼 수 없게 위장하고 있는 경우엔
이 소원에 저항하도록 하는 어떤 요인이 있게 마련이야.
교수임용
이 저항 때문에 소원은 왜곡돼 겉으로 드러나지 않아.
소원

꿈을 왜곡하는 현상과, 검열하는 현상을 통해 인간에게 두 가지 심리적 힘이 있다고 생각할 수 있어.
하나는 꿈을 통해 표현되는 소원을 형성하고,
다른 하나는 꿈을 검열하고
소원의 표현을 왜곡해.
검열을 수행하는 이 두 번째 심리적 경향이 허락하지 않는 한,
일단정지
첫 번째 심리적 경향의 어떤 것도 의식에 떠오를 수 없지.
문제는 이처럼 불쾌한 꿈을 어떻게 소원을 성취하는 꿈으로 해석할 수 있느냐는 것이야.
그러나 불쾌한 내용은 소원을 위장하기 위한 심리적 경향 때문이야.
따라서 불쾌한 꿈은 이 단계에서는 불쾌하지만 첫 번째 심리적 경향에서 보면 여전히 소원성취에 기여하는 무엇인가를 포함하고 있지.
시험 꿈
싸우는 꿈
화재 꿈
꿈에는 이처럼 비밀스러운 의미가 많아.
꿈의 이러한 속성을 이해하지 않으면 결코 꿈을 이해할 수 없어.
꿈

내가 잘 아는 어떤 젊은 아가씨는 이런 하소연을 했어.
지금 우리 언니에게 외아들 카를밖에 없다는 것은 선생님도 기억하실 거예요.
큰 아이 오토는 제가 언니 집에 같이 살고 있을 때 잃었어요.
저는 오토를 아주 귀여워했어요. 사실 제가 키운 거나 다름없거든요.
작은 애도 좋아하긴 하지만 죽은 오토만큼은 아니지요.
그런데 어젯밤 카를이 죽어서 제 앞에 누워 있는 꿈을 꾸었어요.
그 애가 손을 합장한 채 작은 관 속에 누워 있고, 주변에는 촛불이 켜져 있었어요.
어린 오토가 죽었을 때와 똑같았어요. 오토가 죽었을 때 저는 정말 큰 충격을 받았거든요.
선생님 어떻게 된 일인지 좀 말씀해 주세요. 선생님은 저를 잘 알고 계시잖아요.
하나밖에 없는 언니의 아들이 죽기를 바랄 만큼 제가 나쁜 사람인가요?
아니면 제가 그토록 귀여워했던 오토보다는 차라리 카를이 죽었으면 하고 바라는 것일까요?
흑흑

나는 두 번째 해석은 당치도 않은 말이라고 말해 줬지.
그리고 잠시 깊이 생각한 후, 그녀에게 꿈을 제대로 해석해 주었어.
세시간만에 입을 떼시다니…
그녀 역시 내 해석이 옳다고 동의했어.
맞아요!
흔들 흔들
나는 꿈을 꾼 아가씨가 살아온 내력을 알고 있었기 때문에 해석에 성공할 수 있었어.
해석
어린 시절 일찍 고아가 된 그 아가씨는
나이 차이 많은 언니 집에서 자랐으며,
언니 집을 드나드는 친구와 방문객들 중에서 한 남자에게
잊을 수 없는 깊은 인상을 받았어.
말은 서로 안 했지만 둘은 결혼까지 할 것처럼 보였지.
그러나 이것은 잠시였어. 행복한 결말은 언니의 반대 때문에 무산되었고,
언니가 반대한 이유는 아직도 잘 몰라.
학벌
?
나이차
재산
성격
질병

어쨌든 그렇게 관계가 끝난 후
아가씨가 사랑하던 남자는
발길을 뚝 끊었지.
그녀는 그동안 애정을 쏟았던
어린 오토가 세상을 떠난 지
얼마 후
독립해서 언니 집을 나왔어.
그러나 언니의 친구에게서
품었던 연정에서만큼은
벗어날 수 없었지.
그녀의 자존심은 그를 피하라고 명령했지만 그 사람 이후에 만난
어떤 구혼자들에게도 도저히 사랑을 느낄 수 없었어.
사랑하는 그 남자는 문학을
하는 사람이었어.
그가 강연을 한다는 소식이 들리면
그녀는 어디든지 가서 청중들
사이에 앉아 있었어.
또 먼발치에서나마 그의 모습을
볼 수 있다면
어디든지 갔었어.
남탕
오싹~
그 교수가 어떤 연주회에
갈 예정인데,
그녀 역시 그를 한 번 보기 위해 그곳에 갈 생각이라는 이야기를 전날
그녀에게 들은 기억이 났어.
Piano Solo

꿈꾸기 바로 전날이었어.
16 17 18
3 24 25
내게 꿈 이야기를 들려준 날 연주회가 열릴 예정이었지.
그래서 나는 쉽게 꿈을 해석할 수 있었지.
스트레스성 원형 탈모
헉…
오토가 죽은 후 무슨 일이 있지 않았나요?
물론 있었어요.
그가 오랫동안 발길을 끊은 후 처음으로 저희 집을 찾아왔어요. 저는 어린 오토의 관 옆에서 그를 다시 만나보았어요.
내가 예상했던 대로였어. 나는 꿈을 이렇게 해석했지.
이제 또 다른 조카애가 죽는다면, 그때와 같은 일이 되풀이될 것입니다.
당신은 언니 집에서 하루를 보내고, 틀림없이 교수는 문상하기 위해 다시 찾아올 것입니다.
당신은 그때와 똑같은 상황에서 그를 만나게 되겠지요.
꿈의 의미는 당신이 마음속에서 억누르려고 애쓰는 재회의 소원입니다. 나는 당신이 오늘 열리는 연주회의 입장권을 가방 안에 가지고 있다는 것을 알고 있습니다.
당신 꿈은 성급함에 의한 것으로 오늘 일어날 재회를 몇 시간 앞당긴 셈입니다.

그녀가 소원을 은폐하기 위해
그런 소원이 억제되는 상황,
NO!
즉 슬픔이 너무 커서 사랑은 감히 생각할 수도 없는 상황을 선택한 것이 분명했지.
그러나 꿈이 원래 그대로 묘사한 실제 상황에서
찰칵
꿈
즉 끔찍이 사랑했던 첫 조카의 관 옆에서 오랫동안 그리워한 방문객을 향해 애정 어린 감정을
억제하지 못했을 가능성도 다분히 있을 수 있지만
대부분의 사람들은
남에게 알리고 싶지 않은 소망이 있어 스스로를 억압해.
형의 여자 친구가 좋아졌어.
친구 숙제를 바꿔야 하는데….
이러한 억압이 꿈을 왜곡시키고
소원성취를 은폐하도록 하지.
이 억압하려는 의도가 검열 행위를 낳는 근원이기도 해.
지지직~
검열중
무슨 꿈이기에 또 은폐하려는 걸까요?
끙~ 해석해 보자꾸나.

꿈의 발현 내용과 잠재 내용

이번 장에서 프로이트는 꿈은 소원의 실현이라는 자신이 세운 명제의 보편성을 증명하고자 합니다. 이를 위해 프로이트는 내용이 명백하게 고통스러운 꿈들을 분석합니다. 불안한 꿈이나 처벌 받는 꿈 혹은 누가 죽는 꿈과 같이 명백하게 욕망의 실현에 대해 반대되는 경우에도 그 속에는 잠재된 소원을 감추고 있다는 것을 밝히고자 합니다. 프로이트에 따르면 잠재된 소원이 왜곡되어 나타나기 때문에 꿈을 정확히 분석하지 않으면 꿈에 숨겨진 소원을 알 수 없습니다. 왜곡이란 변화, 변형, 변질 등과 비슷한 의미로 생각하면 됩니다. 바뀌었다는 의미이지요. 꿈을 분석해야만 바뀌기 전의 꿈의 내용을 알아낼 수 있습니다.

프로이트 이론에서는 실제 꿈의 내용을 발현 내용이라고 하고, 분석을 통해서 밝혀진 내용을 잠재 내용이라고 합니다. 프로이트는 발현 내용을 그냥 내용이라고도 줄여서 말하기도 하고, 잠재 내용을 꿈의 사고 혹은 잠재 사고라고도 합니다. 그러나 프로이트도 인정하듯이 해석이 완벽하게 될 수는 없고, 새로운 연상에 의해서 자료가 추가되면 해석이 달라질 수도 있습니다. 프로이트 이론을 반대하는 사람들은 이러한 해석은 주관적이고 자의적이기 때문에 믿을 수 없다고 주장합니다.

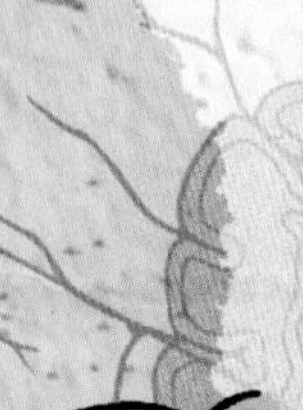

1960년대에는 발현 내용을 분석하여 꿈의 의미를 분석해 보고자 하는 연구가 있었습니다. 프로이트는 그것이 왜곡되어 있기 때문에 해석이 필요하다고 했지만 그렇게 해

석하지 않아도 많은 꿈을 모아서 그 내용을 분석해 보면 꿈의 의미를 찾을 수 있다는 것입니다. 이는 연구자의 주관적인 평가를 최대한 배제한 방법입니다. 대표적인 연구가가 돔호프(G.W. Domhoff)입니다. 그의 웹사이트인 드림뱅크(DreamBank.net)에는 꿈 보고서가 16,000개 이상 올라가 있습니다.

이들 연구에 따르면 사람들이 어디에 살았느냐에 상관없이 꿈에는 차이점보다 유사점이 많습니다. 주요 등장인물은 95%가 꿈꾸는 자기 자신입니다. 그리고 가장 흔한 배경은 집이나 건물입니다. 여성과 남성 모두 행운보다는 불운이, 긍정적 정서보다는 부정적 정서가, 호의보다는 공격이 더 많이 포함된 꿈을 꿉니다. 신체적 공격은 일반적으로 여성보다 남성의 꿈에 더 많이 나타납니다. 아동의 꿈에서는 공격행동이 거의 보이지 않지만 10대에 들어서면서부터 그 요소가 증가하기 시작합니다.

흔히 사람들은 꿈은 성적 행위로 가득하다는 생각을 합니다. 프로이트 이론의 영향 때문입니다. 그러나 실제 많은 꿈 내용을 종합해 보면 성행위는 전체 꿈의 10~30%에서 나타날 뿐입니다. 남성은 낯선 사람과 성교하는 꿈을 더 많이 꾸는 반면, 여성은 아는 사람을 상대로 그런 꿈을 꾸는 경향이 있습니다. 캐나다에서 실시한 조사에 따르면 꿈에 나타난 가장 흔한 주제는 쫓김, 추락, 학교생활, 성행위에 관한 꿈이었다고 합니다. 돔호프에 따르면, 한 개인이 꾼 일정한 개수의 꿈을 분석하면, 상징을 해석하거나 다른 도움이 없어도 그의 관심사와 인간관계를 정확히 알 수 있다고 합니다. 꿈은 꿈꾸는 사람이 그 문제를 덜 왜곡되고 덜 피상적인 시각에서 바라볼 수 있게 해 준다고 합니다. 이것은 꿈이 왜곡되어 있다는 프로이트 이론과는 아주 달라 보입니다. 그러나 어떤 관점이 옳은지는 아직도 결론을 내릴 수 없습니다.

제7장
꿈의 재료와 꿈의 출처
D-96
D-97
D-108
D-202
D-109
D-204

이제 겉으로 드러난 꿈의 내면에는 겉으로 드러나지 않은 잠재적인 내용이 숨어 있다는 것을 알았겠지?

그런데 꿈의 특성들 중
왜곡/이동
사고의압축
소원 성취

아직 이해하지 못한 것들이 남아 있는데
번쩍

이를 요약해 보면, 다음 세 가지야.

첫째, 꿈은 최근 며칠 동안의 경험을 선호한다.
24
졸업
25
친구와 낚시약속
31
결혼식

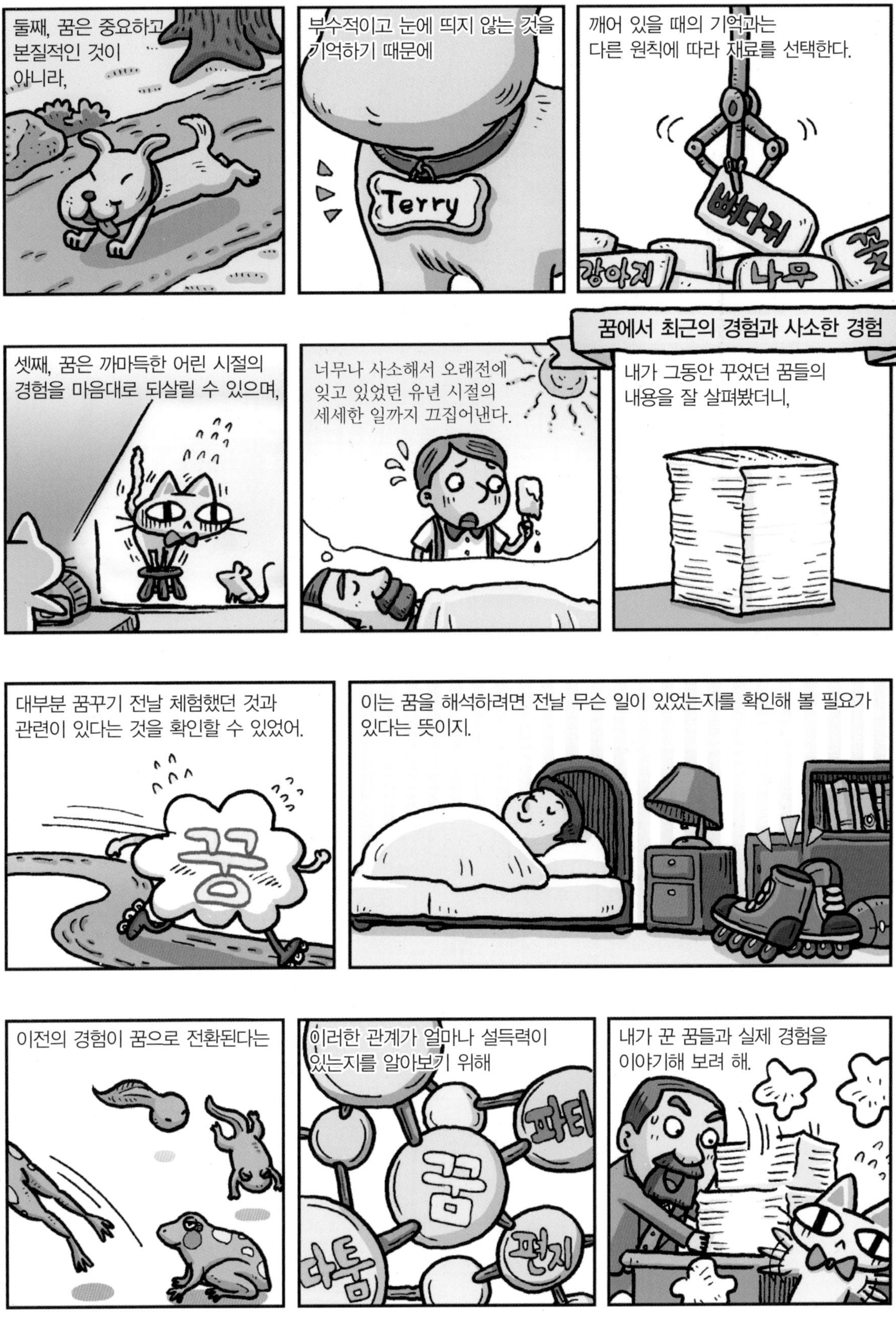
둘째, 꿈은 중요하고 본질적인 것이 아니라,
부수적이고 눈에 띄지 않는 것을 기억하기 때문에
Terry
깨어 있을 때의 기억과는 다른 원칙에 따라 재료를 선택한다.
뻐다귀
강아지
나무
꽃
꿈에서 최근의 경험과 사소한 경험
셋째, 꿈은 까마득한 어린 시절의 경험을 마음대로 되살릴 수 있으며,
너무나 사소해서 오래전에 잊고 있었던 유년 시절의 세세한 일까지 끄집어낸다.
내가 그동안 꾸었던 꿈들의 내용을 잘 살펴봤더니,
대부분 꿈꾸기 전날 체험했던 것과 관련이 있다는 것을 확인할 수 있었어.
꿈
이는 꿈을 해석하려면 전날 무슨 일이 있었는지를 확인해 볼 필요가 있다는 뜻이지.
이전의 경험이 꿈으로 전환된다는
이러한 관계가 얼마나 설득력이 있는지를 알아보기 위해
파티
꿈
편지
다툼
내가 꾼 꿈들과 실제 경험을 이야기해 보려 해.

[꿈] 나는 어떤 집을 방문했다. 간신히 주인을 만난다.
그 집의 여주인은 상당기간 나를 기다리게 한다.
[실제경험] 나는 전날 저녁 한 여자 친척과 만나 대화를 나누었다.
그때 원하는 물건을 기다려야 한다는 등의 말을 그녀에게 했다.
얼마나 기다려야 하나요?
[꿈] 나는 거리에서 두 여인을 본다.
둘은 어머니와 딸 사이로 딸은 과거 내 환자였다.
[실제경험] 치료 중인 어떤 여자 환자는
어머니가 치료를 계속하지 못하게 한다고 전날 저녁에 내게 이야기했다.
굵은 글씨는 내 생각으로는 실제 경험과 꿈의 내용이 일치하는 부분이야.
기다리게
어머니
이 외에도 다른 많은 꿈들에서도
꿈이 생각이 안 나네….
꿈은 전날 혹은
8
8
29
그보다는 좀 더 오래된 날들에 겪었던 경험이나 느낌과 관련이 깊다는 것을 알 수 있었어.

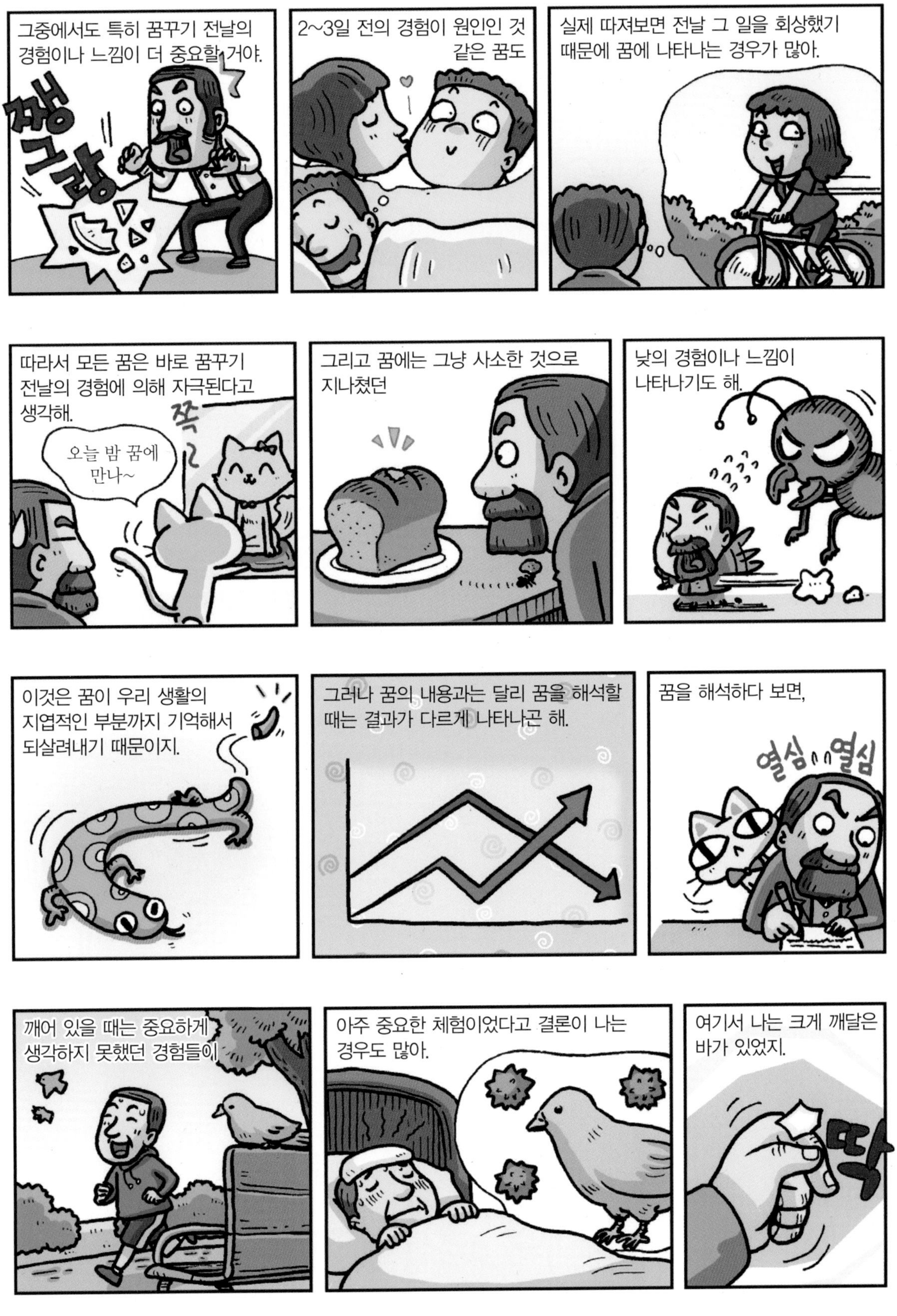
그중에서도 특히 꿈꾸기 전날의 경험이나 느낌이 더 중요할 거야.
쨍그랑
2~3일 전의 경험이 원인인 것 같은 꿈도
실제 따져보면 전날 그 일을 회상했기 때문에 꿈에 나타나는 경우가 많아.
따라서 모든 꿈은 바로 꿈꾸기 전날의 경험에 의해 자극된다고 생각해.
오늘 밤 꿈에 만나~
쪽
그리고 꿈에는 그냥 사소한 것으로 지나쳤던
낮의 경험이나 느낌이 나타나기도 해.
이것은 꿈이 우리 생활의 지엽적인 부분까지 기억해서 되살려내기 때문이지.
그러나 꿈의 내용과는 달리 꿈을 해석할 때는 결과가 다르게 나타나곤 해.
꿈을 해석하다 보면,
열심 열심
깨어 있을 때는 중요하게 생각하지 못했던 경험들이
아주 중요한 체험이었다고 결론이 나는 경우도 많아.
여기서 나는 크게 깨달은 바가 있었지.
딱

그렇다면 꿈은 왜 사소하고 별로 중요하지 않은 경험을 다루는 것일까?
그런 꿈은 단지 소모적이고 별로 쓸데없는 심리적 활동에 불과한 것인가?
꿈
꿈
꿈
헥 헥
꿈
나의 답은 '아니다.'야.
깨어 있는 동안 우리의 관심을 끈 문제는
꿈에서도 우리의 관심을 끌고 꿈을 지배하지.
우리가 낮 동안 흥분했던 일들은 꿈에서도 다시 나타나.
그런데도 사소하게 생각했던 일들이
꿈의 내용을 지배하는 것처럼 보이는 것은 전적으로
꿈의 왜곡현상 때문이야~
이 관계를 잘 이해하기 위해서는 그런 꿈을 꾸게 된 그 사람의 의식세계를 아는 것이 필수적이지.
만약 낮 시간 동안 벌어진 일들 가운데 인상적인 체험이 두 번 이상 있었다면
꿈에서는 이 두 체험이 그냥 뒤섞여 하나로 나타나.
꿈에는 '그것들을 하나로 통합하라는 강요'가 있는 것 같아.
내가 꾸었던 꿈을 다시 예를 들어 보자.
위잉~
꿈의 재료
꿈의 재료

어느 여름날 오후 기차 여행 중에
평소 알고 지내던 두 사람을 만났어. 두 사람끼리는 처음 보는 사이였지.
한 남자는 사교계에 많이 알려진 동료였고,
다른 남자는 내가 진료를 맡고 있는 이름난 가문 출신의 청년이었어.
기차 안에서 나는 두 신사를 서로 소개시켜 줬는데,
그들은 기차 여행 내내 나하고만 대화를 나누었어.
그래서 나는 번갈아가며 두 사람과 얘기해야 했었지.
나는 동료에게 이 창창한 청년을 사교계에 소개시켜 줄 것을 부탁했지.
동료는 그 청년이 유능해 보이긴 하지만
외모가 초라해 좋은 가문의 사람들과 어울리기는 쉽지 않을 거라고 대답하더군.
그래서 나의 추천이 필요한 것 아니냐고 했지.
번쩍
그러고는 그 젊은 친구에게 그의 숙모에 대한 안부를 물었어.
이 숙모는 내 환자의 어머니였는데 중병에 걸려 있었지.

이날 밤 내가 꾼 꿈은. 동료에게 후원을 부탁했던 젊은 친구가 우아한 살롱에 있는 꿈이었어.
그는 내가 아는 훌륭하고 부유한 사람들이 모여 있는 상류사회 모임에서
능숙한 몸짓으로 같이 여행한 또 다른 사람의 숙모뻘 되는 노부인(꿈에서는 이미 죽은 것으로 되어 있다)의 조사를 낭독했다.
나와 사이가 좋지 않던 부인이었지.
따라서 내 꿈은 또다시 낮에 경험했던 두 가지, 즉 '사교계'와 '건강'을 결합시켰으며
건강
사교계
그것을 이용해 통일된 상황을 연출해 낸 거라고 할 수 있지.
액션!
#꿈
이제까지의 분석을 통해 꿈을 만들어내는 자극 중에는
애 애 앵~
사소한 자극이란 없다는 것을 알 수 있었지.
따라서 단순한 꿈 역시 존재하지 않는다고 결론 내릴 수 있어.
얼핏 단순해 보이는 꿈들도 막상 분석해 보면 교묘하게 왜곡된 거야.

꿈의 출처로서 유아적인 경험

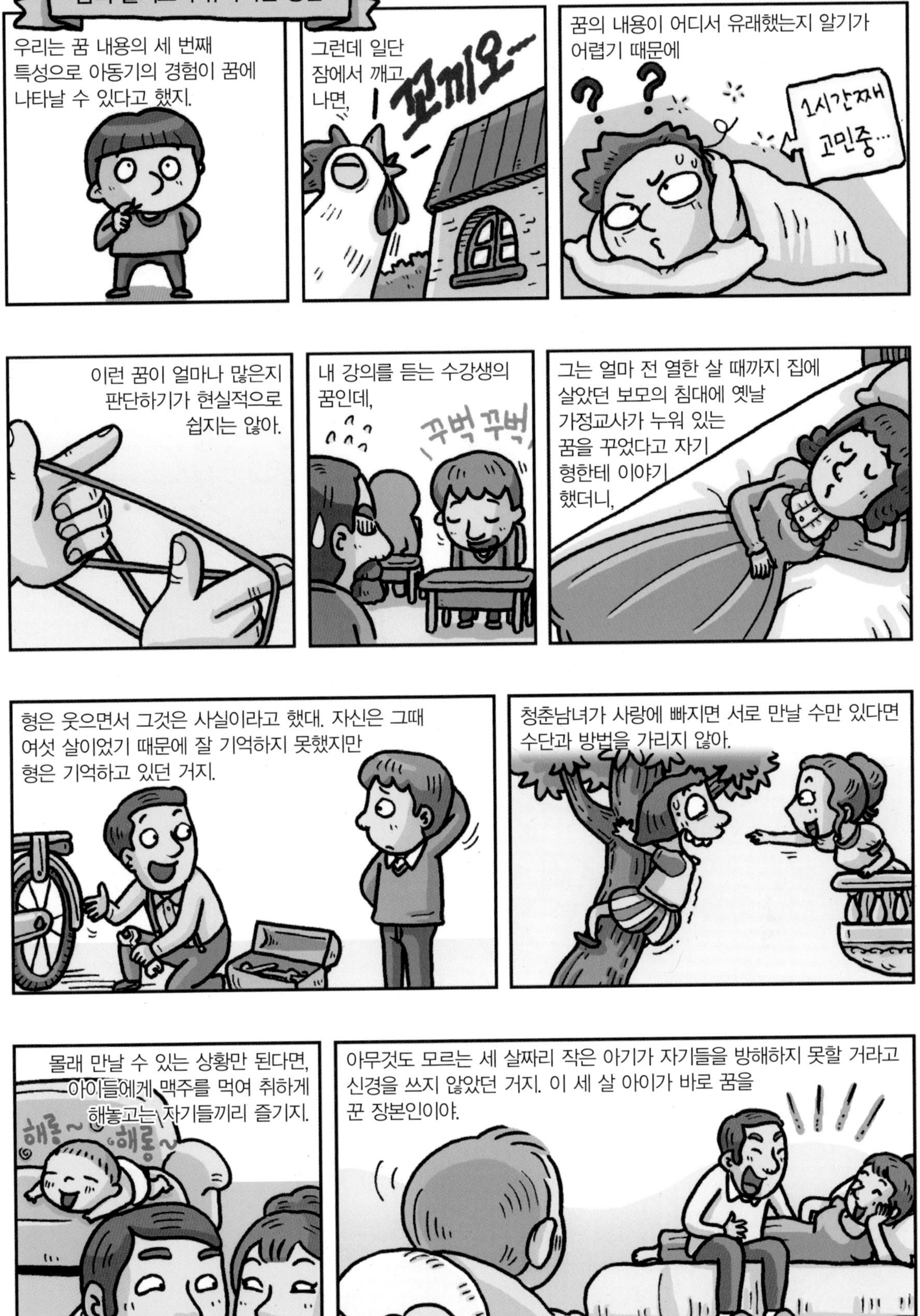
우리는 꿈 내용의 세 번째 특성으로 아동기의 경험이 꿈에 나타날 수 있다고 했지.
그런데 일단 잠에서 깨고 나면,
꼬끼오~
꿈의 내용이 어디서 유래했는지 알기가 어렵기 때문에
1시간째 고민중…
이런 꿈이 얼마나 많은지 판단하기가 현실적으로 쉽지는 않아.
내 강의를 듣는 수강생의 꿈인데,
꾸벅 꾸벅
그는 얼마 전 열한 살 때까지 집에 살았던 보모의 침대에 옛날 가정교사가 누워 있는 꿈을 꾸었다고 자기 형한테 이야기 했더니,
형은 웃으면서 그것은 사실이라고 했대. 자신은 그때 여섯 살이었기 때문에 잘 기억하지 못했지만 형은 기억하고 있던 거지.
청춘남녀가 사랑에 빠지면 서로 만날 수만 있다면 수단과 방법을 가리지 않아.
몰래 만날 수 있는 상황만 된다면, 아이들에게 맥주를 먹여 취하게 해놓고는 자기들끼리 즐기지.
해롱~ 해롱~
아무것도 모르는 세 살짜리 작은 아기가 자기들을 방해하지 못할 거라고 신경을 쓰지 않았던 거지. 이 세 살 아이가 바로 꿈을 꾼 장본인이야.

꿈을 분석하다 보면 꿈을 만들어내고 꿈을 통해 성취되는 소원이
지이잉~
소원
어린 시절에서 유래한다는 것을 알게 돼.
놀랍게도 '성인의 꿈속에서는 어린 시절의 소원이 계속 살아 있다.'고 할 수 있지.
친구 R이 내 삼촌이라는 앞전의 내 꿈을 다시 분석해 보자.
이 꿈에서 내가 객원교수가 되고 싶다는 욕심이 은연 중 드러났지.
이러한 명예욕은 어디에서 유래한 것일까?
행복
돈
권력
목표
내가 태어날 때 늙은 농부의 아낙이 첫아들을 얻어 기뻐하는 어머니에게
"훌륭한 남자를 세상에 선사하셨네요."라고 예언했다고 해.
이 이야기는 어렸을 때 자주 들었던 것이 생각나. 이것이 현재의 내게 영향을 미쳤을까?
어머니의 기대심리
하지만 이런 예언은 주변에서 흔히 들을 수 있어.
어머니는 제가 특출한 고양이라고 하셨거든요.
기대에 부풀어 자식에게 당신의 미래를 맡기는 어머니들은 많고, 이런 예언이 해로운 것도 아니지.
그렇다면 내 출세욕은 여기에서 비롯되었을까?
출세욕

청소년 시절에 있었던 일들이 생각나는데, 이것이 내 꿈을 해석하기에 더 적합한 것 같아.
열한 살 무렵 부모님이 나를 자주 데려가곤 했던 프라터 공원에 한 음식점이 있었어.
식당 안에는 돈을 약간 주고 한 가지 주제를 말해 주면 즉석에서 시를 지어주는 사람들이 있었어.
어느 날 저녁에 여기서 있었던 일이야. 그날 한 남자 시인이 있었는데,
나는 그 시인을 우리 식탁으로 데려오는 심부름을 했지.
그는 심부름 간 나에게 고맙다고 하면서 내가 훗날 장관이 될 거라는 시를 지어주었어.
당시에는 정부의 내각을 시민 중에서 뽑았어.
아버지는 시민 출신의 박사들 초상화를 집에 가져왔는데, 그들 중에는 유대인도 있었어.
따라서 유대인일지라도 열심히 공부하면 장관이 될 수 있다고 생각하고 있었지.
그래서 나는 대학에 가서 법률을 공부할 생각이었어.
법률
물론 마지막 순간에 의학으로 바꾸었지만….
에이~~
많은 사람들은 장관이 의사와 비슷한 지위를 가졌다고 생각해.

이제 내 꿈으로 다시
돌아가 보자.
파라락
나는 꿈에서 현재의 우울한 상황을
벗어나
희망에 찼던 시민내각 시대로 돌아가
당시의 소원을 성취해.
이제야 그 꿈의 의미를 알게
된 것 같다.
두고 보자!
존경스러운 동료이자 학자인
두 친구를 유대인이라는
이유 때문에,
Judaism
한 사람은 생각이 모자라는 바보로,
우쒸~
또 한 사람은 범죄인인 양
가혹하게 다루면서
?
나는 마치 장관이라도 된 듯 행동했어.
어험
장관에 대한 얼마나 철저한
복수인가?
먼 옛날 기억에 따라
꿈속의 소원들이 더욱 커지는 경우도 있어.
푸우

나는 로마에 대한 꿈도 자주 꾸었어.
나는 최근에 이탈리아를 여행할 기회가 있었는데, 트라지메너 호수를 지나 티베르 강을 본 후에 아쉽게도 되돌아와야 했어.
로마와는 80킬로미터밖에 떨어지지 않은 곳이라 아쉬웠지.
나는 여행을 하면서 왜 내가 로마를 그토록 동경하게 되었는지를 비로소 알게 되었어.
그것은 젊은 시절의 경험 때문이었어. 김나지움에 다니던 어린 시절에
나는 한니발*을 숭배했어.

*한니발 Hannibal B.C.247~B.C.183 – 카르타고의 정치가, 장군. 제2차 포에니 전쟁을 일으켜 피레네 산맥과 알프스를 넘어서 이탈리아로 침입, 각지에서 로마군을 격파했다.

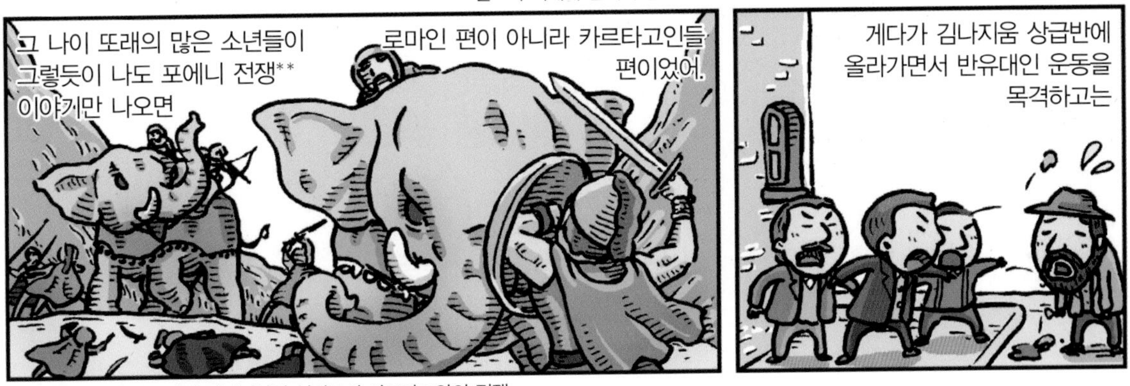
그 나이 또래의 많은 소년들이 그렇듯이 나도 포에니 전쟁** 이야기만 나오면
로마인 편이 아니라 카르타고인들 편이었어.
게다가 김나지움 상급반에 올라가면서 반유대인 운동을 목격하고는

**포에니 전쟁 – 로마와 페니키아의 식민도시 카르타고와의 전쟁.

이방인 혈통이 무엇인지를 알게 되었고 내 눈에 비친 유대인 사령관 한니발의 모습은 한층 위대하게 보였지.
소년시절 내게 '한니발'과 '로마'는 강인한 유대인 기질과 가톨릭 교회 제도의 대립을 상징했어.
그래서 로마에 가고 싶은 소원이 더욱 큰 다른 소원을 꿈에서 은폐하는 역할을 한 거지.
꿈

이와 관련한 감정 체험은
아버지와 관련이 있어.
열한두 살 무렵이었을 거야.
그때 아버지는 나를 데리고 산책을 다니면서
세상일들에 대한 당신의 견해를
들려주기 시작했어.
한번은 내가 당신보다 얼마나 더
좋은 시대에 태어났는지 알려주려고
이런 이야기를 하셨지.
내가 젊었을 때 일이다.
백만 스물 둘!
어느 토요일인가 나는 옷을
멋지게 차려입고 새로 산
털모자까지
쓴 다음,
네가 태어난 고장의 시내
중심가를 산책하고 있었지.
그때 한 기독교인이 갑자기
다가와
내 모자를 진흙탕에 내던지며
소리쳤어.
야, 유대인! 어서
인도에서 내려가지 못해!
그래서 아버지는
어떻게 했어요?
나는 차도로
내려가 모자를
주워들었단다.
나는 아버지가 너무
태연하게 대답하셔서 놀랐어.

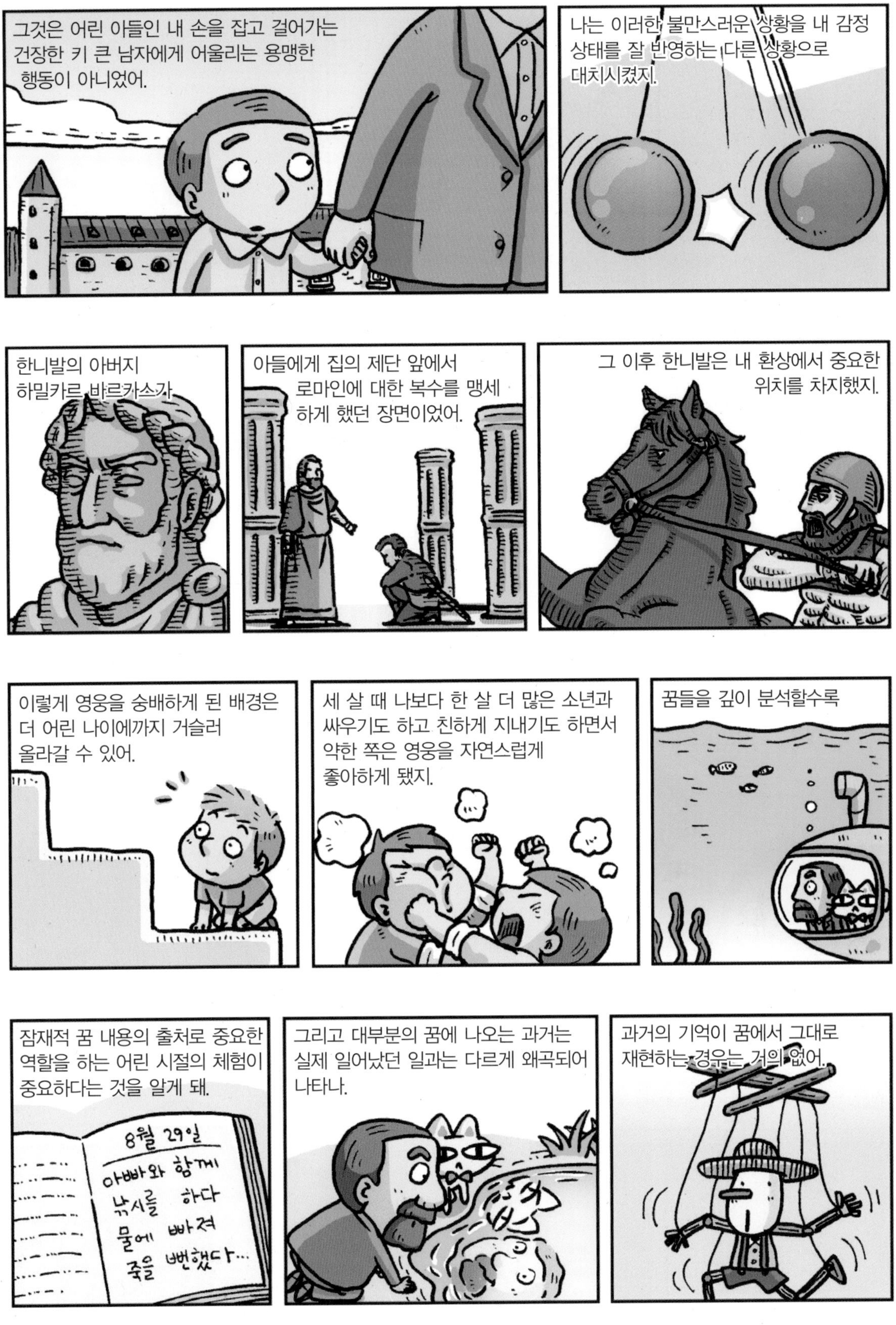
그것은 어린 아들인 내 손을 잡고 걸어가는 건장한 키 큰 남자에게 어울리는 용맹한 행동이 아니었어.
나는 이러한 불만스러운 상황을 내 감정 상태를 잘 반영하는 다른 상황으로 대치시켰지.
한니발의 아버지 하밀카르 바르카스가
아들에게 집의 제단 앞에서 로마인에 대한 복수를 맹세하게 했던 장면이었어.
그 이후 한니발은 내 환상에서 중요한 위치를 차지했지.
이렇게 영웅을 숭배하게 된 배경은 더 어린 나이에까지 거슬러 올라갈 수 있어.
세 살 때 나보다 한 살 더 많은 소년과 싸우기도 하고 친하게 지내기도 하면서 약한 쪽은 영웅을 자연스럽게 좋아하게 됐지.
꿈들을 깊이 분석할수록
잠재적 꿈 내용의 출처로 중요한 역할을 하는 어린 시절의 체험이 중요하다는 것을 알게 돼.
8월 29일
아빠와 함께
낚시를 하다
물에 빠져
죽을 뻔했다...
그리고 대부분의 꿈에 나오는 과거는 실제 일어났던 일과는 다르게 왜곡되어 나타나.
과거의 기억이 꿈에서 그대로 재현하는 경우는 거의 없어.

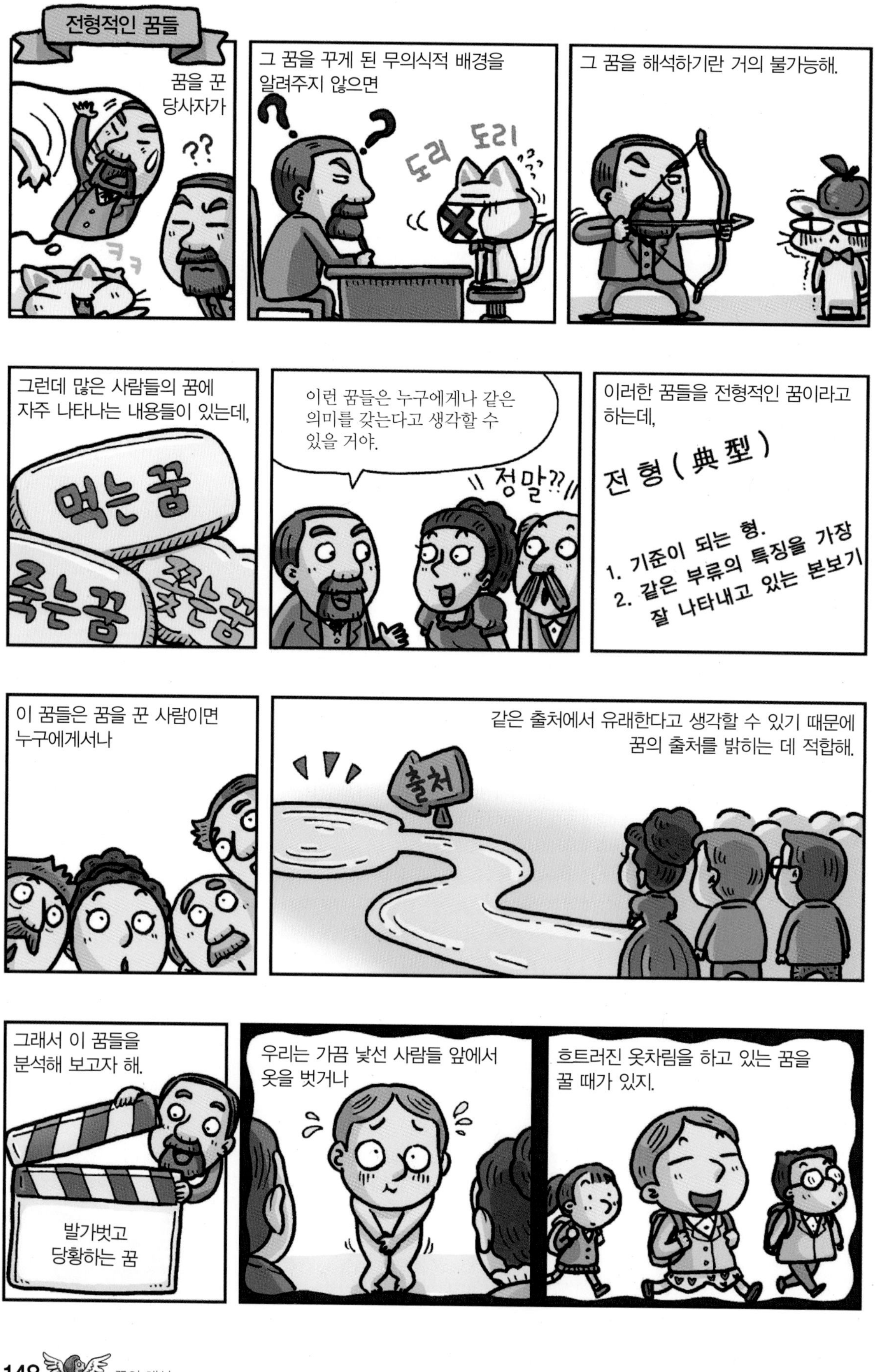

전형적인 꿈들
꿈을 꾼 당사자가
??
ㅋㅋ
그 꿈을 꾸게 된 무의식적 배경을 알려주지 않으면
도리 도리
그 꿈을 해석하기란 거의 불가능해.
그런데 많은 사람들의 꿈에 자주 나타나는 내용들이 있는데,
먹는 꿈
죽는 꿈
이런 꿈들은 누구에게나 같은 의미를 갖는다고 생각할 수 있을 거야.
정말??
이러한 꿈들을 전형적인 꿈이라고 하는데,
전형(典型)
1. 기준이 되는 형.
2. 같은 부류의 특징을 가장 잘 나타내고 있는 본보기
이 꿈들은 꿈을 꾼 사람이면 누구에게서나
같은 출처에서 유래한다고 생각할 수 있기 때문에 꿈의 출처를 밝히는 데 적합해.
출처
그래서 이 꿈들을 분석해 보고자 해.
발가벗고 당황하는 꿈
우리는 가끔 낯선 사람들 앞에서 옷을 벗거나
흐트러진 옷차림을 하고 있는 꿈을 꿀 때가 있지.

전혀 부끄러움을 느끼지 않는가 하면
수치심과 당혹감을 느낄 때도 있지.
내가 관심을 갖는 것은 숨거나 도망치려 하지만,
실제로 저지당한 것처럼 꼼짝도 할 수 없으며
끙
끙
난처한 상황을 변화시킬 수 없다고 느끼는 경우야.
난 꿈속이 아니라고!
후
발가벗는 꿈은 이런 모순적인 상황과
결합할 때만 전형적이라고 할 수 있어.
아마 대부분의 사람들이 꿈속에서 이런 상황을 겪어 보았을 거야.
신부님도죠?
아멘~
옷을 벗고 있는 방식은 대부분 분명하지는 않아.
난 속옷을 입고 있었어!
이렇게 뚜렷한 형상인 경우는 아주 드물고, 대부분 애매하게 묘사해.
"나는 내의 아니면 속치마 차림이었다."와 같이.
군인은 규칙을 어긴 복장 상태로 나타나기도 하지.

꿈속에서 벌거벗은 자신은
수치심을 느끼지만 주변 사람들은
별로 관심을 보이지 않아.
그리고 주변 사람들도 대부분 낯선
사람들이야.
전형적인 꿈에서는 당혹스러운
옷차림이 눈에 띄거나
그 때문에 비난받는 일은 결코
일어나지 않아.
이런 꿈은 알몸이어도 전혀 부끄럽지 않은
어린 시절로 돌아가고 싶은 소원이 표현된 거라고
할 수 있어.
그런데 꿈속의 주인공은 어린
시절의 자신이 아니라 지금의
모습이며,
그런 자신의 알몸을 바라보는 사람들 역시
어린 시절과 전혀 상관이 없는 사람들이지.
꿈은 어린 시절에 자신이
관심을 두었던 사람이나
자신의 알몸을 본 사람들을
전혀 상관없는 낯선 사람들로 바꾸지.
Hi~
꿈이 단순한 회상이 아니기
때문이야.

두 번째의 전형적인 꿈은 소중한 친척, 부모나 형제자매, 자녀 등이 죽는 내용의 꿈이야.
소중한 사람이 죽는 꿈
이것은 감정반응에 따라 두 가지로 나눌 수 있는데,
하나는 꿈속에서 전혀 슬픔을 느끼지 않아.
깨어나서는 자신의 냉혹함에 스스로 놀라는 경우이고,
다른 하나는 죽음을 몹시 비통해하며 잠에서 설움을 참지 못하고 울음을 터뜨리는 경우야.
으앙~
첫 번째 부류의 꿈은 전형적인 꿈이 아니므로 무시해도 돼.
휙
하지만 소중한 사람의 죽음 앞에서 비통함을 느끼는 꿈들은 달라.
이 꿈은 내용이 의미하는 대로 관계된 사람이 죽었으면 하고 소망하는 꿈이야.
그러나 부모나 형제자매가 죽는 꿈을 꾸었다고 해서
꿈을 꾼 당사자가 그들의 죽음을 바라고 있다고 직접적으로 해석해서는 안 돼.
언젠가 어렸을 때 그러한 소원을 가진 적이 있었다는 의미로 해석해야 해.
엄마 미워!!
그런데 이런 꿈을 꾼 적이 있는 사람들이라면 아마도 이런 내 주장에 강하게 반발할 수도 있겠지.
그러나 나는 내 이론이 옳다는 것을 증명할 수 있어. 증명을 위해 오래전 파묻혀 버린 어린 날 체험에서 시작해 보자.
DIARY

먼저 어린이들이 자기 형제 자매 사이에 형성된 관계에 주목해 보자.
나는 혈연관계라고 해서 모두 사랑에 넘친다고는 생각하지 않아.
성인 세계에서 형제간에 싸우는 것을 흔히 볼 수 있는데,
이러한 갈등은 유년시절부터 비롯되었다고 봐.
일반적으로 어린이는 철저하게 이기적이라고 할 수 있어.
유아독존*
어린이는 욕구를 조절할 줄도 몰라. 그리고 서로 경쟁관계에 있는 동료들을 배려할 능력은 더더욱 없어.
못생겼으니까 내동생 아냐!

*유아독존 – 세상에서 자기 혼자 잘났다고 뽐내는 태도.

형제도 마찬가지야. 그래서 자기가 원하는 것은 무조건 가지려고 하지.
이것이 일반적인 어린이들의 성향이라고 할 수 있어.
내 놔!
그러나 대부분 성장하면서 도덕성이 발달하면서 형제를 배려할 수 있게 돼.
미안해, 사탕…
그래서 욕심쟁이 아이들을 "나쁘다."고 비난하지는 않고, 그저 "버릇이 없다."고 할 뿐이겠지.
버릇없이 굴지 마, 양양!
으앙
따라서 현재 형제자매들 가운데 누군가 죽으면 몹시 슬퍼할 사람들도
무의식 속에는 과거의 나쁜 소원이 숨어 있으며 이것이 꿈을 통해서 나타날 수 있는 거지.
세 살 이전의 아이들이 동생들을 대하는 태도를 잘 관찰해 보면 아주 흥미롭지.

아이는 지금까지 혼자였는데
어느 날 어머니가 황새가 새 아이를 가져왔다며 동생을 보여주면,
까르르~
아이는 새로 생긴 동생을 유심히 살펴본 다음,
황새에게 다시 데려가라고 해!
아이들은 새로 생긴 낯선 존재 때문에
예상되는 불이익을 정확하게 계산할 줄 알아.
엄마의 관심은 새로 생긴 동생에게 쏠리고 자기에게는 신경을 써주질 않을 테니까.
소외...
새로운 존재에 대한 적대감은 이때부터 생겨나지.
적대감
내가 보는 여성 환자들 중 형제자매지간에 적대감이 있는데,
형제자매가 죽는 꿈을 꾸지 않는 여성은 한 명도 없었어.
죽음과 상관없어 보이는 꿈도
꿈
분석해 보면 죽음을 의미하는 경우도 많아.
death
한 부인은 네 살 때 처음으로 다음과 같은 꿈을 꾼 이후 여러 번 반복해서 꿈을 꾸었대.

한 무리의 어린이들이 풀밭에 모여 뛰어놀고 있었다.
모두 그녀의 언니, 오빠, 사촌 형제들이었다.
갑자기 그들에게 날개가 생기더니 그들은 하늘로 날아가 버렸다.
활짝
나는 이 꿈을 이렇게 분석해.
평소 알고 지내던 아이가 죽었을 때
흑흑
아마 그 부인은 어른에게 "아이들이 죽으면 어떻게 되나요?" 라고 물었겠지.
아마 틀림없이 아이들이 죽으면 날개 달린 천사가 된다는 이야기를 들었을 거야.
형제들은 모두 천사처럼 날개를 달고 날아가 버리고, 꿈을 꾼 자기만 혼자 남는 것을 상상하는 거지.
죽음에 대한 어린아이들의 생각은 어른들과는 전혀 다르기 때문에
죽음
여덟 살 된 어떤 어린이는 자연사 박물관을 구경하고는 집에 돌아와 어머니에게 이렇게 말했다고 해.
"엄마 나는 엄마가 너무 좋아요.
다음에 엄마가 죽으면, 항상 엄마를 볼 수 있도록 박제해서 방 안에 세워 두겠어요!"
어린이에게 죽음은 '떠난다.' 혹은 '더 이상 방해하지 않는다.' 는 의미라고 할 수 있지.

형제자매의 죽음을 바라는 소원은
그들을 경쟁자로 생각하는 어린이의 이기심으로 설명할 수 있다면,
이기심
꽝
온갖 사랑을 베풀고 욕구를 해결해 주는 부모가 죽기를 바라는 소원은 어떻게 설명할 수 있을까?
?
이기적 관점에서 보면 오히려 계속 살아 있기를 소원해야 맞지 않을까?
오래 오래 사세요~
부모의 죽음에 관한 꿈은 주로 꿈꾸는 사람과 성별이 같은 쪽에만 해당돼.
남자아이는 아버지의 죽음을,
여자아이는 어머니의 죽음을 주로 꿈꾸지.
이것을 규칙이라고 내세울 수는 없지만 그런 경우가 눈에 띄게 많아.
요점만 간단히 말하면
싹둑
싹둑
성적으로 어떤 한쪽을 좋아하는 경향이 일찍부터 나타나서,
소년은 아버지를, 소녀는 어머니를 사랑의 경쟁자로 보고
이 경쟁자를 제거하면 자신에게 유리하다고 생각하는 것 같아.

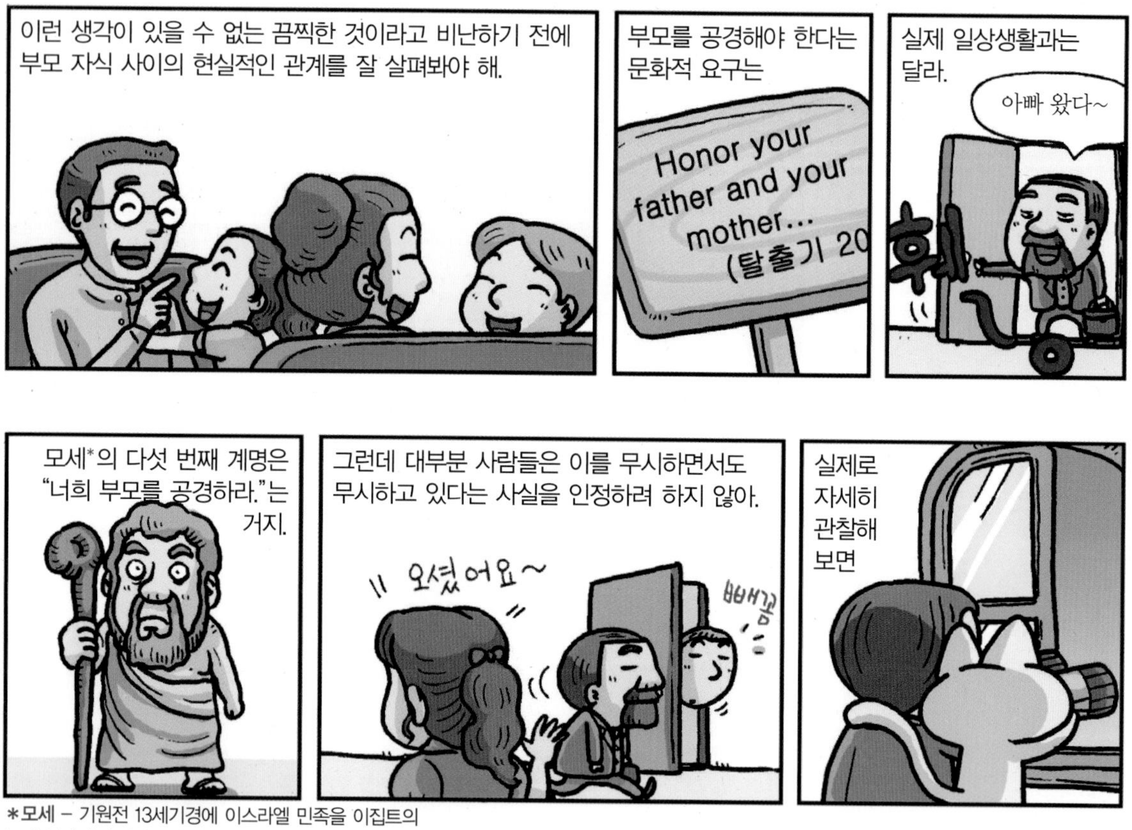

이런 생각이 있을 수 없는 끔찍한 것이라고 비난하기 전에 부모 자식 사이의 현실적인 관계를 잘 살펴봐야 해.
부모를 공경해야 한다는 문화적 요구는
Honor your father and your mother...
(탈출기 20
실제 일상생활과는 달라.
아빠 왔다~
모세*의 다섯 번째 계명은 "너희 부모를 공경하라."는 거지.
그런데 대부분 사람들은 이를 무시하면서도 무시하고 있다는 사실을 인정하려 하지 않아.
오셨어요~
빼꼼
실제로 자세히 관찰해 보면

*모세 – 기원전 13세기경에 이스라엘 민족을 이집트의 노예 상태에서 해방시킨 민족의 지도자.

부모와 자식 간에는 적대감을 불러일으키는 동기가 한 가지 이상 숨어 있어.
신화와 전설에도 그런 내용이 많지.
어미 돼지가 낳은 새끼들을 수퇘지가 먹어 치우듯이
크로노스는 자신의 자식들을 삼키고, 제우스는 자신의 아버지를 밀어내고 지배자가 되지.
고대의 가족을 보면 가족 안에서 아버지가 절대적인 권력을 휘두를수록 장차 그 자리를 이어받을 아들은 그만큼 더 적대적인 입장이 될 수밖에 없었고, 아버지가 죽으면 직접 지배하고 싶은 조바심을 조절하기는 어려웠겠지.

정신신경증 환자들을 분석해 보면
이러한 내 추측은 확실한 것 같아.
찰칵
성적인 소원은 아주 어린 나이에 나타나기 시작하여, 여자아이는 최초의 애정을 아버지에게 느끼며,
남자아이 최초의 유아기 욕망은 어머니에게 향한다는 것을 알 수 있어.
따라서 사내아이에게는 아버지가, 여자아이에게는 어머니가 방해되는 경쟁자라고 할 수 있지.
성적인 선호는 일반적으로 부모의 행동에서 이미 나타나.
우리가 뭘 어쨌기에!
부모는 물론 평형을 유지하고 자식들 교육에 신경 쓰려 하지만
자기도 모르게 아버지는 어린 딸을 귀여워하고, 어머니는 아들 편을 들게 돼.
어린이는 부모 중 어느 한쪽을 선택하는 경우 자신의 성적 충동을 따름과 동시에 부모에게서 받은 자극을 그대로 되풀이해.
엄마가 어디로 가버릴지도 몰라요. 그러면 아빠는 나와 결혼해야 해요. 내가 아빠의 부인이 되겠어요.
내가 아는 아주 총명하고 생기 넘치는 네 살 된 여자아이는 터놓고 이렇게 말하곤 해.
물론 어린이의 삶에서 이런 소원이 어머니를 깊이 사랑할 가능성을 완전히 배제하는 것은 아니야.

어느 날 어떤 부인이 많이 울었는지 퉁퉁 부은 얼굴로 몹시 슬퍼하면서,
윽!
나에게 친척들이 자신을 소름끼쳐 하기 때문에 만나고 싶지 않다고 말했어.
어떤 꿈이 생각나는데… 저는 꿈의 의미가 무엇인지 도무지 모르겠어요.
그녀는 자신이 꾸었던 꿈을 해석해 달라고 나에게 부탁했지.
그녀가 네 살 때 꾼 꿈은 이런 내용이야.
살쾡이 아니면 여우인 듯한 짐승이 지붕 위를 걸어다닌다.
무엇인가가 밑으로 떨어진다. 아니면 어머니가 떨어진 것인지도 모른다.
그런 다음 사람들이 죽은 어머니를 집 밖으로 내가고 그녀는 몹시 슬피 운다.
나는 이 꿈이 어머니의 죽음을 바라는 그녀 어린 시절의 소원을 의미하고,
친척들이 그녀를 소름끼쳐 할 거라는 생각은 바로 이 꿈 때문이라고 해석했어.
그녀는 이 말을 들은 즉시 꿈 해석의 실마리가 되는 과거 경험을 이야기했어.
언젠가 어린 시절 부랑자에게서 '살쾡이 눈'이라는 욕설을 들은 적이 있었던 거야.
그리고 그녀의 어머니는 그녀가 세 살 때 지붕에서 떨어진 벽돌에 머리를 맞고 피를 흘렸다고 해.

지금까지의 내 경험에 따르면,
??
어른이 되어 정신신경증을 앓게 되는 어린이들의 정신생활에서
부모가 중대한 역할을 해.
이때 형성된 부모 어느 한쪽에 대한 사랑과
다른 한쪽에 대한 증오심은 훗날
신경증 증상의 중요한 원인이 돼.
그러나 나는 정신신경증 환자들의 심리가 정상적인 사람들과
전혀 다르다고는 생각하지 않아.
안녕, 사촌~
부모를 향한 사랑의 소원이나 적대적 소원은 대부분 어린이들의 정신 안에서도 일어나는 현상이야.
다만 환자들의 경우에는 그 정도가 더 심해서 우리들 눈에 띌 뿐이지.
이러한 내 주장을 뒷받침해 주는 전설이 예로부터 전해 내려오지.
그것은 오이디푸스 왕 전설과 소포클레스*의 희곡이야.

*소포클레스 Sophocles, B.C. 496~B.C. 406 - 그리스 비극을 기교적·형식적으로 완성했다. 작품으로 《안티고네》, 《오이디푸스 왕》이 있다.

오이디푸스는 테베의 왕 라이오스와
왕비 이오카스테의 아들로,
태어나기도 전에 아버지를 살해할 것이라는
예언이 있어서 출생 즉시 버려진다.
그러나 그는 다행히
목숨을 건지고
다른 왕궁에서
왕자로
성장한다.
그러던 어느 날 자신의 출생에 의심이 들어
직접 예언자에게 물어본다.
아버지를 살해하고
어머니와 결혼할 것이기 때문에
고향을 떠나라.
오이디푸스는 고향이라 여기는 곳을 떠나 길을 가던 중
우연히 라이오스 왕을 만난다.
둘 사이에는 뜻하지 않게
싸움이 벌어지고,
오이디푸스는 그만
라이오스 왕을
죽이고 만다.

그런 다음 그는 테베에 이르러 길을 막는
스핑크스의 수수께끼를 푼다.
테베 인들은 감사의 표시로
그를 왕으로 선출하고, 이오카스테는
그의 왕비가 된다.
오이디푸스는 오랫동안 위엄을 가지고 평화스럽게
나라를 통치하며, 또한 그가 누구인지 모르는
어머니와의 사이에 딸 둘과 아들 둘을 낳는다.
그러나 나라 안에 페스트가 창궐하고, 테베 인들은
또다시 예언자에게 조언을 구한다.
소포클레스의 비극은
여기서 시작된다.
라이오스의 살해범이 나라 안에서 추방되면
페스트가 수그러들 것이라는 소식을 전령이 가져오고,
오이디푸스는 스스로 유배의 길에 오른다.

이 비극에는 운명의 힘을 인정하게 만드는 우리 내면의 목소리가 담겨 있어.
그의 운명이 우리의 운명이 될 수도 있고 우리도 똑같은 저주를 받을 수 있어.
우리는 모두 어머니에게 최초의 성적 자극을,
아버지에게 최초의 증오심과 폭력적 희망을 품는 운명을 짊어지고 있는지도 몰라.
우리의 꿈은 그것이 사실이라고 우리를 설득시키는 것 같아.
꿈
아버지 라이오스를 살해하고, 어머니 이오카스테와 결혼한 오이디푸스 왕은
우리 어린 시절의 소원성취일 뿐이야.
그러나 우리는 성장하면서
오이디푸스보다 행복하게 우리의 성적 자극을 어머니에게서 분리시키고 아버지에 대한 질투심을 잊을 수 있어.
학업
여자 친구
취미 생활
이 과정이 잘 이루어지지 못하면 신경증 환자가 되지.
당시처럼 오늘날에도 많은 사람들이 어머니와 성관계하는 꿈을 꿔. 이들은 격분 반 놀라움 반으로 꿈을 이야기하지.
이제 이 꿈이 이 비극을 이해하는 열쇠이며,
아버지가 죽은 꿈을 보충한다고 쉽게 이해할 수 있겠지.

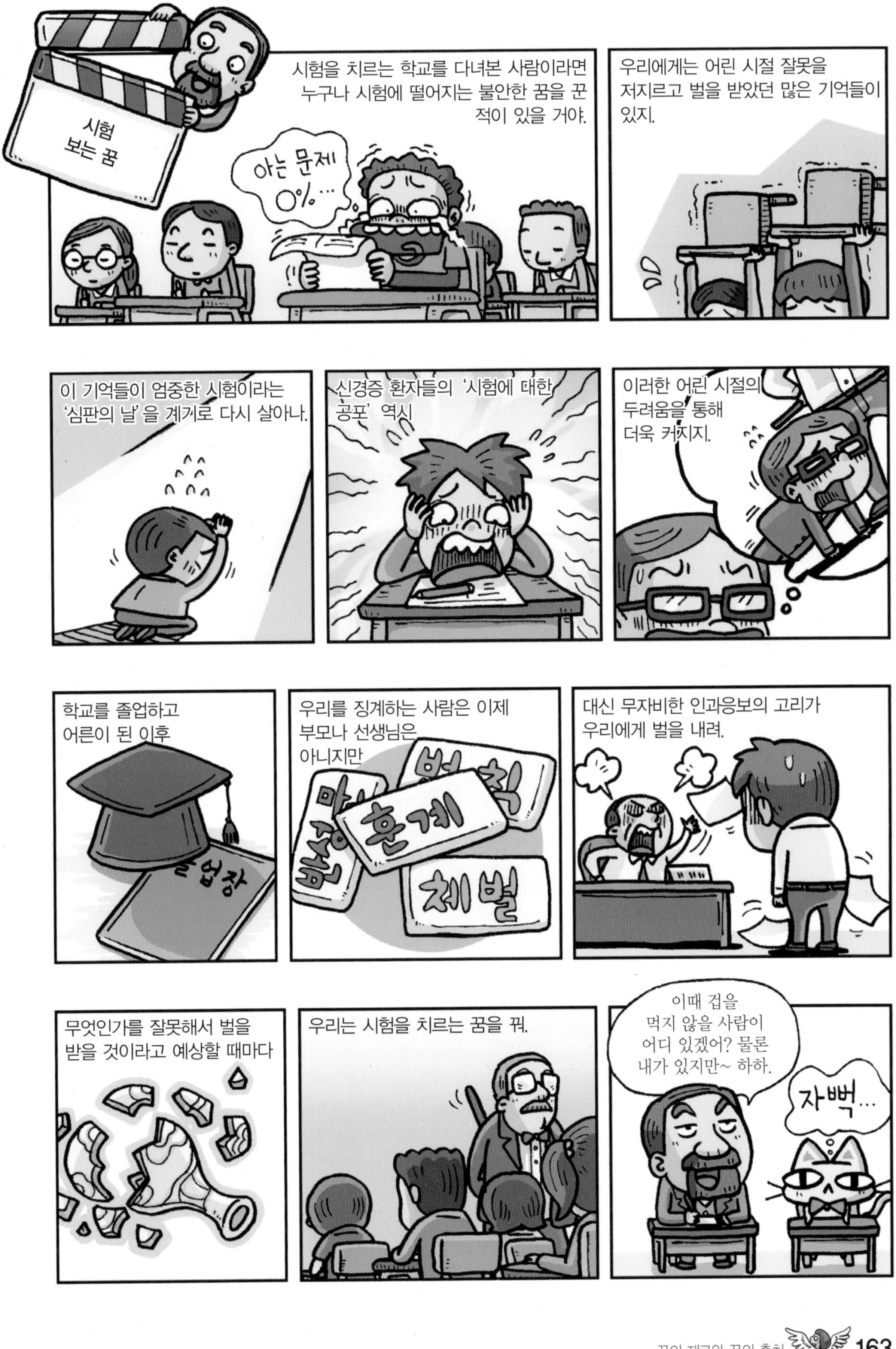
시험
보는 꿈
시험을 치르는 학교를 다녀본 사람이라면 누구나 시험에 떨어지는 불안한 꿈을 꾼 적이 있을 거야.
아는 문제 0%…
우리에게는 어린 시절 잘못을 저지르고 벌을 받았던 많은 기억들이 있지.
이 기억들이 엄중한 시험이라는 '심판의 날'을 계기로 다시 살아나.
신경증 환자들의 '시험에 대한 공포' 역시
이러한 어린 시절의 두려움을 통해 더욱 커지지.
학교를 졸업하고 어른이 된 이후
우리를 징계하는 사람은 이제 부모나 선생님은 아니지만
훈계
체벌
대신 무자비한 인과응보의 고리가 우리에게 벌을 내려.
무엇인가를 잘못해서 벌을 받을 것이라고 예상할 때마다
우리는 시험을 치르는 꿈을 꿔.
이때 겁을 먹지 않을 사람이 어디 있겠어? 물론 내가 있지만~ 하하.
자뻑…

오이디푸스 콤플렉스

▲ 오이디푸스

이번 장은 꿈을 만드는 재료에 대한 설명입니다. 프로이트는 최근 기억, 어린 시절의 기억 그리고 신체적 기원을 설명한 다음 전형적인 꿈을 예를 들어 이를 다시 설명합니다. 이 중 옛날 재료에 대한 문제가 가장 중요합니다. 그래서 프로이트의 꿈 이론을 다시 요약하면, 어린 시절의 억압된 욕망과 관련한 최근의 억압된 욕망이 꿈으로 나타난다는 것입니다. 프로이트는 어린 시절의 성 욕구를 설명하면서 오이디푸스 신화를 언급합니다. 이것은 오이디푸스 콤플렉스라는 개념으로 발전하는데, 프로이트 이론의 중심적인 개념이 됩니다.

오이디푸스 콤플렉스는 아이가 다른 성의 부모에 대해 성적인 욕망 또는 사랑의 감정을 표현하고, 같은 성의 부모에게는 적의를 표현하는 무의식적 감정입니다. 오이디푸스 콤플렉스는 2~3세 무렵 관능적인 쾌감을 느끼기 시작할 때 나타나서 5~6세까지 지속되다가 사춘기 이후 해결됩니다. 그래서 일반적으로 오이디푸스 콤플렉스의 기간은 3~5세입니다.

프로이트 이론에서 오이디푸스 콤플렉스는 1897년 친구에게 보내는 편지에서 처음 나타납니다. "나는 나 자신의 어머니를 향한 사랑과 아버지를 향한 시기심을 도처에서 발견했다. 이 감정은 모든 어린아이들에게 나타나는 공통적 현상이라고 생각한다." 이후에 프로이트는 이 명제를 더욱 강화하여, “모든 인간에게는 오이디푸스 콤플렉스를 극복하는 임무가 주어져 있다.”고 합니다. 그것의 극복은 거세불안에 의해 해결됩니다. 거세란 남성의 성기를 잘라버리는 것입니다. 거세를 하는 대리인은 아버지가 됩니다. 거세불안은 아이에게 잠복기의 발단이 되고, 초자아의 형성을 재촉합니다. 잠복기란 어린아이의 성욕이 쇠퇴하는 5~6세에서부터 사춘기가 시작되는 기간입니다. 이 시기에는 억압에 의해 성적인 활동이 감소하고, 억압이 더욱 강화되면서 유년기 전반에 대한 기억상실이 일어납니다. 그 결과 성욕보다는 애정이 우선순위에 서고, 수치심이나 혐오감과 같은 감정이 나타나고, 도덕성도 발달합니다. 그리고 아버지에 대한 적대감은 아버지와 동일시로 대치됩니다.

여자아이의 경우, 오이디푸스 콤플렉스와 거세 콤플렉스와의 관계는 아주 다릅니다. 남자아이의 거세 콤플렉스는 거세에 대한 불안이고, 여자아이의 거세 콤플렉스는 남자아이처럼 음경을 갖기를 바라는 것입니다. 따라서 남자아이의 오이디푸스 콤플렉스는 거세 콤플렉스에 의해 없어지는 반면, 여자아이의 거세 콤플렉스는 오이디푸스 콤플렉스와 연결됩니다. 음경을 갖고 싶어하는 여자아이의 소원은 오이디푸스 콤플렉스의 과정에서 두 가지 형태를 띱니다. 하나는 자기 내부에 음경을 가지고 싶은 소망으로 주로 어린아이 특히 아버지의 아이를 갖고 싶다는 형태로 나타납니다. 다른 하나는 성교에서 음경을 즐기고 싶은 소원입니다. 그러므로 여성 오이디푸스와 남성 오이디푸스는 정확히 일치하지 않고, 여자아이에게서의 오이디푸스 콤플렉스의 쇠퇴시기를 명확히 말하기는 어렵습니다.

프로이트 이론을 따르는 정신분석학자들 사이에서도 오이디푸스 콤플렉스가 과연 근거 있는지에 대한 논란이 많지만, 이는 자손의 필연적 연속성을 위한 근친상간의 욕망과 그 금지의 필연성 문제와 밀접히 연관되어 있습니다.

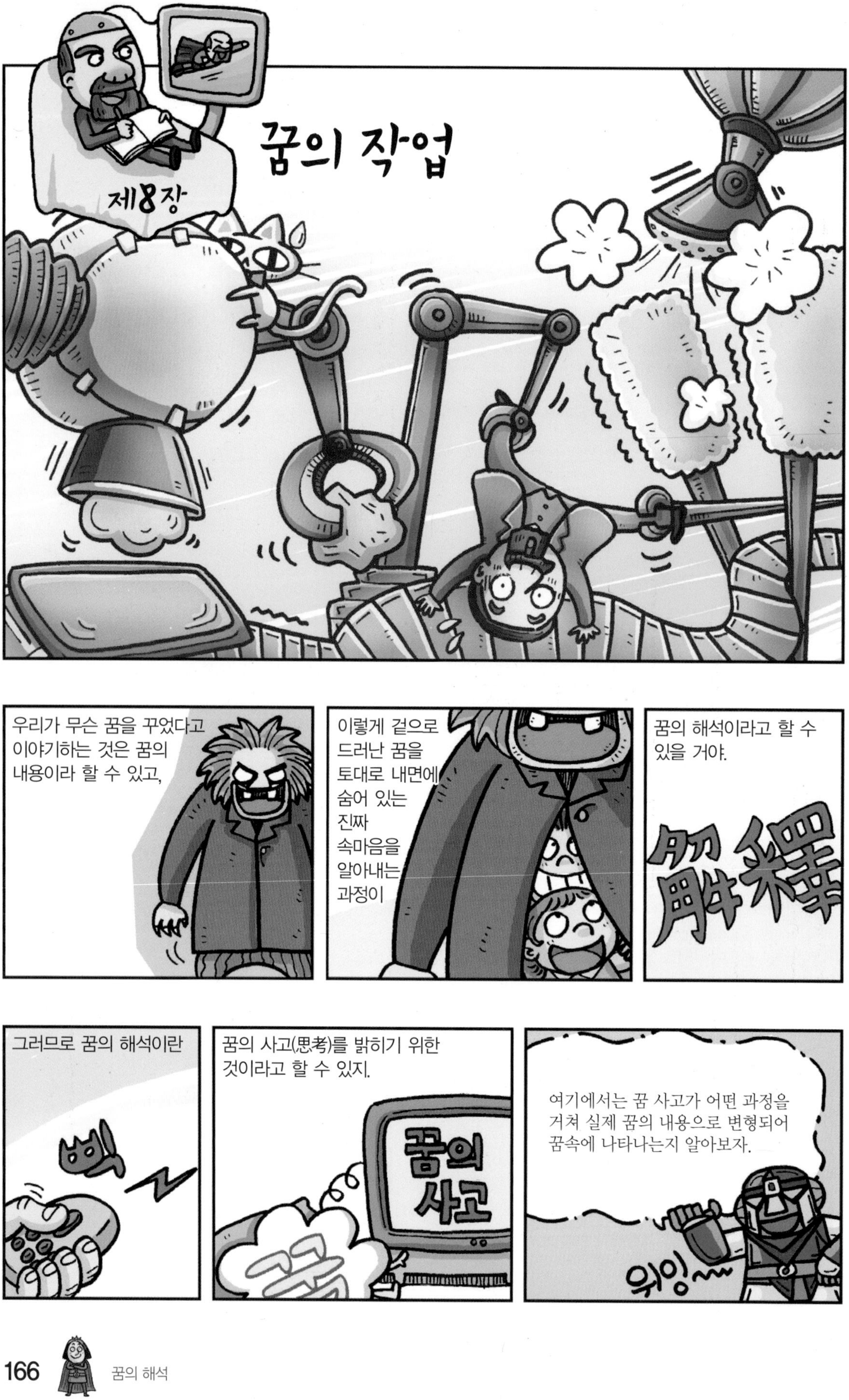

제8장
꿈의 작업
우리가 무슨 꿈을 꾸었다고 이야기하는 것은 꿈의 내용이라 할 수 있고,
이렇게 겉으로 드러난 꿈을 토대로 내면에 숨어 있는 진짜 속마음을 알아내는 과정이
꿈의 해석이라고 할 수 있을 거야.
解釋
그러므로 꿈의 해석이란
삑
꿈의 사고(思考)를 밝히기 위한 것이라고 할 수 있지.
꿈의 사고
여기에서는 꿈 사고가 어떤 과정을 거쳐 실제 꿈의 내용으로 변형되어 꿈속에 나타나는지 알아보자.
위잉~~

꿈 사고를 기반으로 꿈의 내용을 만들어내는 과정을
꿈의 작업이라고 하는데,
이 작업 말고….
이것을 나는 다음 네 가지로 분석하고자 해.
이렇게 꿈이 만들어지는 과정을 알면 꿈을 해석하기가 훨씬 쉽겠지.
압축
이동(전위)
형상화의 고려
2차 가공
압축작업
꿈의 실제 내용과 그 속에 잠재되어 있는 꿈 사고를 비교해 보면
드림 택배요!
꿈 사고는 크고 풍부한 데 비해 실제 내용은 매우 작고 간략해.
꿈 사고 내용
꿈 내용
꿈을 꾼 내용을 글로 옮겨보면 보통 반 페이지를 넘지 않지만,
이를 해석하여 그 속에 잠재된 꿈 사고를 써보면
여섯 배나 열두 배의 분량이 돼.
즉 꿈 사고가 실제 꿈으로 나타나면서 엄청난 규모의 압축작업이 일어나는 거지.

그렇다면 압축은 어떻게 이루어질까?
삐걱
삐걱
간략해진다고 해서 단순히 요약되는 것은 아니야.
꿈 사고의 일부가 망각되는 것은 더더욱 아니지.
압축과정은 생략, 즉 취사선택의 과정이라고 할 수 있어.
텅
꿈 사고 중 일부만이 선택되어
실제 꿈에 나타나는 과정이 압축이라는 과정이야.
그러면 어떤 것이 선택되고 선택되지 않는 것은 무엇일까?
꿈 사고 가운데 선택되어 꿈의 인물이나 주제와 같은 요소로서 나타날 수 있는 자격이 되려면
가능한 한 많은 꿈 사고와 관련이 있어야 해.
그런데 단 하나의 요소가 여러 꿈 사고에서 여러 번 등장하기도 하고,
여러 요소가 잡다하게 모여 하나의 통일체를 이루기도 해.
압축 단계를 보여주는 사례로 내 환자였던 한 중년부인의 꿈을 분석해 보자.

꿈
부인은 상자 속에 풍뎅이(May-beetle) 두 마리가 들어 있다는 것을 안다.
그대로 방치하면 죽을 것이 틀림없다는 생각에 풀어줄 작정으로 상자를 연다. 풍뎅이들이 축 늘어져 있다.
풍뎅이 한 마리가 열린 창문을 통해 날아간다.
하지만 다른 한 마리는 그녀가 창문을 닫으면서 문틈에 끼어 죽는다. 마치 그 순간 누군가 그녀에게 창문을 닫으라고 요구하는 것 같다.

꿈을 꾸게 된 동기
부인의 남편은 여행 중이고, 열네 살 먹은 딸이 그녀 옆에서 자고 있다.
저녁에 딸아이가 자신의 물컵 안에 나방이 빠져 있다고 말한다. 그러나 그녀는 나방을 꺼내는 것을 잊어버린다.
그러고는 아침에 그 불쌍한 곤충을 보고 안쓰러워한다.
그녀가 저녁에 읽은 책에는 사내아이들이 고양이를 끓는 물에 넣어 고양이가 몸부림치는 모습을 묘사하는 대목이 있다. 최근 부인의 관심사는 '동물에 대한 잔인함' 이다.

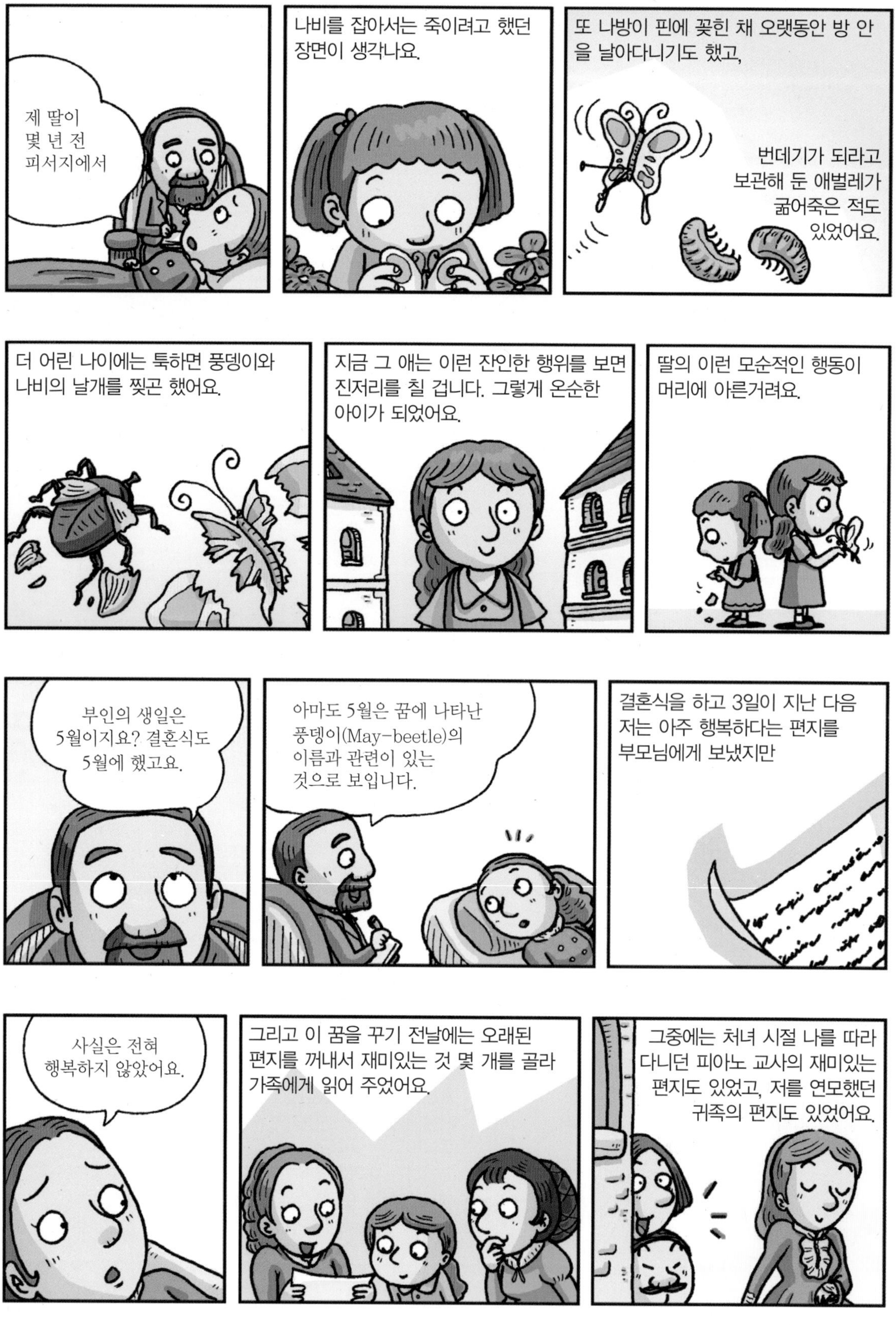
제 딸이 몇 년 전 피서지에서
나비를 잡아서는 죽이려고 했던 장면이 생각나요.
또 나방이 핀에 꽂힌 채 오랫동안 방 안을 날아다니기도 했고,
번데기가 되라고 보관해 둔 애벌레가 굶어죽은 적도 있었어요.
더 어린 나이에는 툭하면 풍뎅이와 나비의 날개를 찢곤 했어요.
지금 그 애는 이런 잔인한 행위를 보면 진저리를 칠 겁니다. 그렇게 온순한 아이가 되었어요.
딸의 이런 모순적인 행동이 머리에 아른거려요.
부인의 생일은 5월이지요? 결혼식도 5월에 했고요.
아마도 5월은 꿈에 나타난 풍뎅이(May-beetle)의 이름과 관련이 있는 것으로 보입니다.
결혼식을 하고 3일이 지난 다음 저는 아주 행복하다는 편지를 부모님에게 보냈지만
사실은 전혀 행복하지 않았어요.
그리고 이 꿈을 꾸기 전날에는 오래된 편지를 꺼내서 재미있는 것 몇 개를 골라 가족에게 읽어 주었어요.
그중에는 처녀 시절 나를 따라다니던 피아노 교사의 재미있는 편지도 있었고, 저를 연모했던 귀족의 편지도 있었어요.

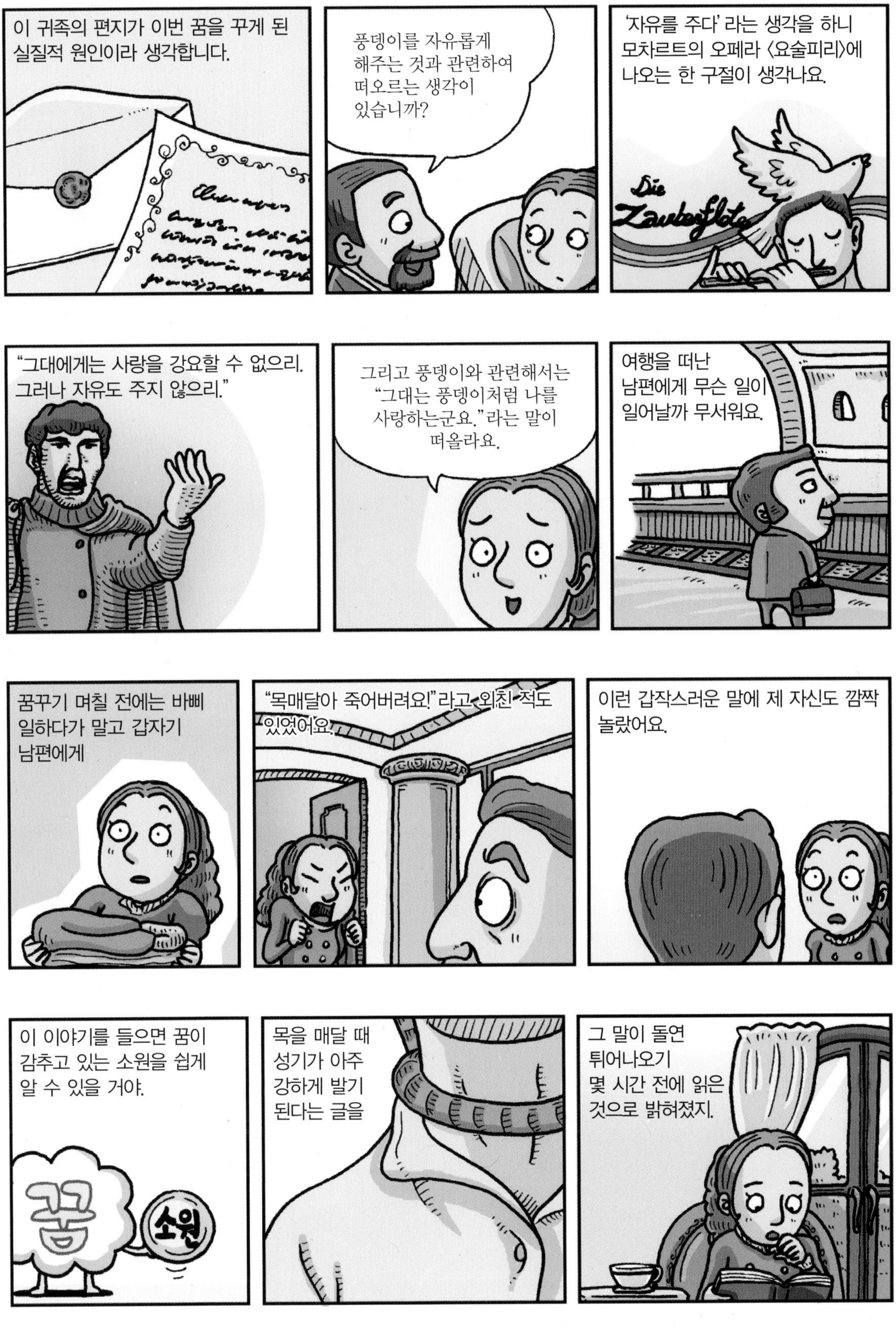
이 귀족의 편지가 이번 꿈을 꾸게 된 실질적 원인이라 생각합니다.
풍뎅이를 자유롭게 해주는 것과 관련하여 떠오르는 생각이 있습니까?
'자유를 주다' 라는 생각을 하니 모차르트의 오페라 〈요술피리〉에 나오는 한 구절이 생각나요.
Die Zauberflöte
"그대에게는 사랑을 강요할 수 없으리. 그러나 자유도 주지 않으리."
그리고 풍뎅이와 관련해서는 "그대는 풍뎅이처럼 나를 사랑하는군요." 라는 말이 떠올라요.
여행을 떠난 남편에게 무슨 일이 일어날까 무서워요.
꿈꾸기 며칠 전에는 바삐 일하다가 말고 갑자기 남편에게
"목매달아 죽어버려요!" 라고 외친 적도 있었어요.
이런 갑작스러운 말에 제 자신도 깜짝 놀랐어요.
이 이야기를 들으면 꿈이 감추고 있는 소원을 쉽게 알 수 있을 거야.
꿈
소원
목을 매달 때 성기가 아주 강하게 발기 된다는 글을
그 말이 돌연 튀어나오기 몇 시간 전에 읽은 것으로 밝혀졌지.

놀라운 모습으로 위장한 발기에 대한 소원이 억압을 뚫고 나온 거지.
"목매달아요!"는 '무슨 일이 있어도 발기해요.' 라는 의미라고 할 수 있지.
그리고 창문을 여닫는 것은
남편과의 끊임없는 갈등을 의미해.
그녀는 창문을 열고 자는 것을 좋아하는 반면, 남편은 닫고 자는 것을 좋아한다고 해.
부인의 꿈을 해석하면서
"이 꿈은 당신의 극심한 불안 상태와 일치합니다. 그리고 꿈에 당신의 성적인 사고가 숨어 있습니다." 라고 했더니
부인은 많이 놀라고 충격을 받는 듯했어.
이동(전위) 작업
꿈 내용에서 중요하게 다루어졌다고 해서
꿈 사고에서도 중요한 역할을 하는 것은 아니라는 것을 이제 알 수 있겠지?
마찬가지로 꿈 사고에서 중요한 위치를 차지한 내용들이
대기실
식욕
성욕
소유욕

꿈으로 꼭 표현되는 것도 아니야.
공연끝!
그렇다면 꿈 작업에 어떤 심리적 힘이 작용한다고 생각할 수 있겠지.
위이잉~
이 힘은 심리적으로 의미가 큰 성분들의 가치를 깎아내리고,
가치가 별로 없어 보이는 성분들에게는 새로운 가치를 부여하여
꿈에 나타나게 해.
사실이 그렇다면 꿈이 만들어지는 과정에서
위이잉~
쿵
각 요소들의 '심리적 강도의 이동'이 일어난 것이라고 할 수 있으며,
지이잉~
위잉~
결과적으로 실제 꿈의 내용은 잠재된 심리현상인 꿈 사고와는 다르게 나타나게 돼.
??
이 과정을 꿈의 이동 작업이라고 해.
잔인함과 성욕을 주제로 한 풍뎅이 꿈을 분석해 보면,
실제 꿈 내용의 중심을 이루고 있는 것은
MOVIE
<줄거리요약>
동물학대의 잔인함과 관련된 것이지만,

실제 말하고자 하는 심리적 문제는
바로 성욕이었지.
성 욕
즉 꿈을 꾸게 된 내면의 잠재된 사고가
그대로 꿈에 나오는 것이 아니고
동물이야기와 같은 낯선 내용으로 변형되는 거지.
이것이 꿈의 이동작업이라는 거야.
꿈사고
꿈내용
실제로 많은 꿈을 분석하다 보면
꿈 사고 가운데 본질적이고 중요한 요소와는 별 상관없어 보이는 요소가
꿈에 크게 드러나는 것을 볼 수 있어.
이러한 이동 작업의 결과로 꿈 내용이 왜곡되어 나타나는 거지.
꿈, 성 욕
이동 작업은 앞에서 살펴본 압축 작업과 함께
이동작업
꿈을 만드는 중요한 작업이라고 할 수 있어.
이동작업
압축 작업

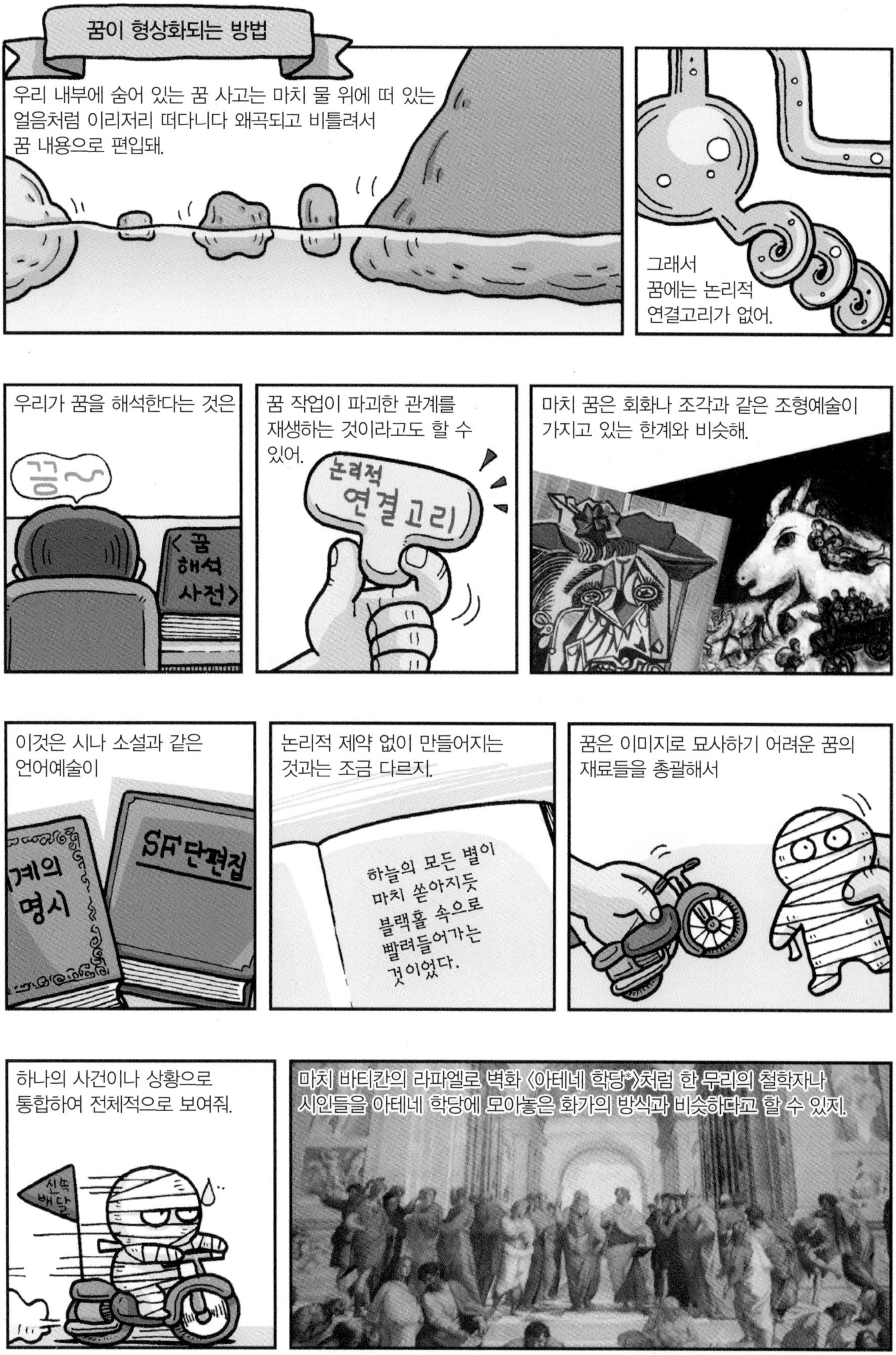
꿈이 형상화되는 방법
우리 내부에 숨어 있는 꿈 사고는 마치 물 위에 떠 있는 얼음처럼 이리저리 떠다니다 왜곡되고 비틀려서 꿈 내용으로 편입돼.
그래서 꿈에는 논리적 연결고리가 없어.
우리가 꿈을 해석한다는 것은
끙~
〈꿈 해석 사전〉
꿈 작업이 파괴한 관계를 재생하는 것이라고도 할 수 있어.
논리적 연결고리
마치 꿈은 회화나 조각과 같은 조형예술이 가지고 있는 한계와 비슷해.
이것은 시나 소설과 같은 언어예술이
계의 명시
SF 단편집
논리적 제약 없이 만들어지는 것과는 조금 다르지.
하늘의 모든 별이 마치 쏟아지듯 블랙홀 속으로 빨려들어가는 것이었다.
꿈은 이미지로 묘사하기 어려운 꿈의 재료들을 총괄해서
하나의 사건이나 상황으로 통합하여 전체적으로 보여줘.
신속 배달
마치 바티칸의 라파엘로 벽화 〈아테네 학당*〉처럼 한 무리의 철학자나 시인들을 아테네 학당에 모아놓은 화가의 방식과 비슷하다고 할 수 있지.

* 〈아테네 학당〉 – 라파엘로가 그린 철학을 상징하는 〈아테네 학당〉은 폭 80미터짜리 벽화(그림크기 579.5㎝×823.5㎝)로 철학자와 과학자 54명이 등장한다.

또 우리는 꿈속에서 불안에 빠져 아무것도 할 수 없는 상황에 빠질 때가 있지.
꿈속에서 이러한 마비는 왜 나타날까?

내 꿈을 분석하면서 그 이유를 설명해 보자.
꿈속의 장소는 사설진료소와 여러 개의 식당이 혼합된 것처럼 보이는 곳이다. 한 직원이 내게 조사받아야 할 것이 있으니 따라오라고 말한다.
나는 꿈에서 무엇인가 없어진 것이 있는데 그것을 내가 착복했다는 혐의를 받고 있다는 것을 알고 있다. 하지만 나는 죄가 없으며 그 사람들을 상담해 주는 전담의사라는 것을 의식해 태연히 직원을 따라간다.
문에서 다른 직원이 우리를 맞아들인다. 이 직원은 나를 가리키며, "이 분을 모셔오다니, 아주 품위 있는 분인데."라고 말한다.
나는 혼자 기계들이 늘어서 있는 큰 홀로 들어간다. 홀은 마치 무서운 죄를 치러야 하는 감옥 같은 인상을 준다. 어떤 기구 옆에 한 동료가 묶여 있다. 그 동료는 나를 의식해야 할 충분한 이유가 있음에도 전혀 내게 주의하지 않는다.
어느 순간 나는 나가도 좋다는 허락을 받지만 모자를 찾지 못해 나오지 못한다.

내가 정직한 사람으로 인정받아 나가도 된다는 것은 분명 꿈의 소원성취이겠지.
따라서 내가 나가지 못하게 되는 상황은
나의 소원성취를 가로막는 뭔가가 꿈의 사고에 있다는 의미일 거야.
꿈에서 무슨 일을 할 수 없다는 것은 반대의 표현, '아니오.'를 의미해.
can't
No!
여기에는 여러 가지로 해석할 수 있는 낮의 체험이 개입되어 있어.
꿈
평소에 물건을 잘 보관하던 가정부가 모자를 안 보이는 곳에 치워놓아 애먹은 일이 있었지.
꿈에서 모자를 찾지 못해 나오지 못하는 상황은 여러 가지로 해석할 수 있어.
먼저 내가 성실하지 못하다는 거겠지.
또 죽음에 대한 어떤 생각,
나는 아직 내 할 일을 못했으므로 아직 가서는 안 된다는
슬픈 거부가 배후에 있다고 할 수 있어.
형상화 가능성에 대한 고려
꿈 사고가 실제 꿈으로 바뀌는 과정에서 세 번째로 중요한 작업은
3
도르르

형상화가 얼마나 잘될 수 있느냐에 따라서 달라져.
일반적으로 본질적인 꿈 사고의 여러 내용 중에서
이미지로 형상화가 가능한 것들이 선별돼.
헤르베르트 질베러(Herbert Silberer)는 꿈이 만들어지는 과정에서 사고가 형상으로 전환되는 것을 직접 관찰했어.
헤르베르트 질베러 1882~1923
그가 피곤하고 잠에 취한 상태에서 생각하려고 애쓰면
사고는 달아나버리고 대신 사고를 대체하는 상징적 형상이 자주 나타났다고 해.
뭉게 뭉게
질베러가 연구한 사례를 살펴보자.
나는 사고 흐름의 끈을 잃어버린다. 끈을 다시 발견하려 노력하지만, 연결점을 완전히 잊었다는 사실만 인식한다.
마지막 몇 줄이 빠져있는 조판
나는 논문의 매끄럽지 못한 부분을 수정해야겠다고 생각한다.
쓱싹 쓱싹
꿈이 만들어지는 작업에서도 이러한 상징적 방법이 이용돼.
그러나 꿈 작업이 새로운 상징을 만들어내는 것은 아니고,
공연이나 열심히 해!
꿈
이미 무의식적 사고에 이미 완성되어 있는 상징을 이용해.
창고
꿈

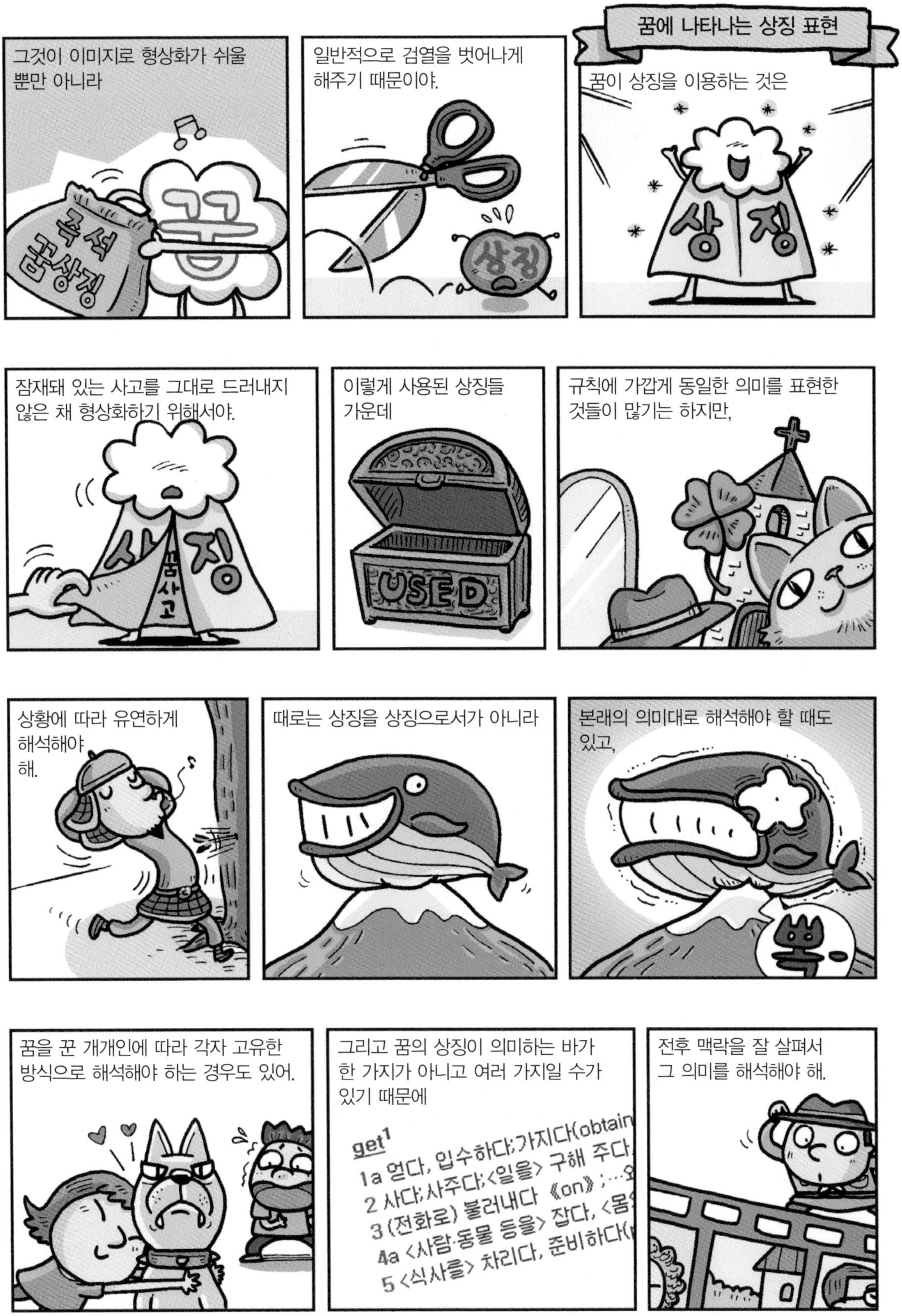

그것이 이미지로 형상화가 쉬울 뿐만 아니라
꿈
일반적으로 검열을 벗어나게 해주기 때문이야.
상징
꿈에 나타나는 상징 표현
꿈이 상징을 이용하는 것은
상징
잠재돼 있는 사고를 그대로 드러내지 않은 채 형상화하기 위해서야.
상징
꿈 사고
이렇게 사용된 상징들 가운데
USED
규칙에 가깝게 동일한 의미를 표현한 것들이 많기는 하지만,
상황에 따라 유연하게 해석해야 해.
때로는 상징을 상징으로서가 아니라
본래의 의미대로 해석해야 할 때도 있고,
꿈을 꾼 개개인에 따라 각자 고유한 방식으로 해석해야 하는 경우도 있어.
그리고 꿈의 상징이 의미하는 바가 한 가지가 아니고 여러 가지일 수가 있기 때문에
get[1]
1a 얻다, 입수하다;가지다(obtain
2 사다;사주다;<일을> 구해 주다
3 (전화로) 불러내다 《on》;
4a <사람·동물 등을> 잡다,
5 <식사를> 차리다, 준비하다
전후 맥락을 잘 살펴서 그 의미를 해석해야 해.

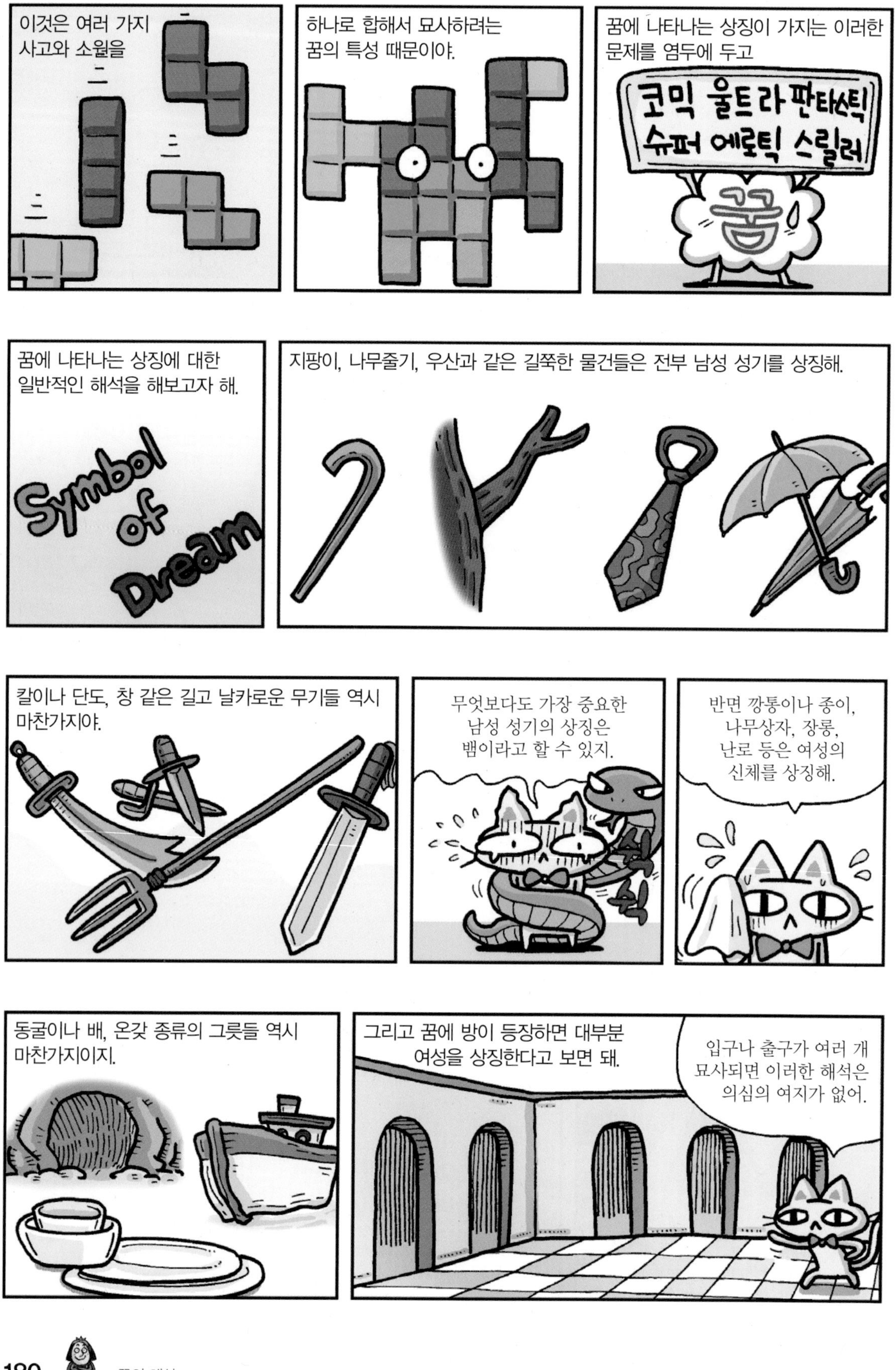
이것은 여러 가지 사고와 소원을
하나로 합해서 묘사하려는 꿈의 특성 때문이야.
꿈에 나타나는 상징이 가지는 이러한 문제를 염두에 두고
코믹 울트라 판타스틱 슈퍼 에로틱 스릴러
꿈
꿈에 나타나는 상징에 대한 일반적인 해석을 해보고자 해.
Symbol of Dream
지팡이, 나무줄기, 우산과 같은 길쭉한 물건들은 전부 남성 성기를 상징해.
칼이나 단도, 창 같은 길고 날카로운 무기들 역시 마찬가지야.
무엇보다도 가장 중요한 남성 성기의 상징은 뱀이라고 할 수 있지.
반면 깡통이나 종이, 나무상자, 장롱, 난로 등은 여성의 신체를 상징해.
동굴이나 배, 온갖 종류의 그릇들 역시 마찬가지이지.
그리고 꿈에 방이 등장하면 대부분 여성을 상징한다고 보면 돼.
입구나 출구가 여러 개 묘사되면 이러한 해석은 의심의 여지가 없어.

계단, 사다리, 층계 또는 이것을 오르내리는 행위는 성행위를 상징해.
계단을 오르내리는 율동 자체가 성행위 율동과 비슷하기 때문이지.
꿈속에선 이러한 성적인 상징들 말고도 다양한 상징이 나타나는데
꿈에 나타나는 황제와 황후는 대부분 꿈을 꾸는 사람의 부모를 나타내고,
왕자나 공주는 꿈꾸는 사람 자신을 상징해.
꿈해석에서 상징의 분석은 단지 보조수단일 뿐
왼손은 거들 뿐!
꿈에 나오는 상징을 제대로 이해하지 못하면
꿈에 커다란 뱀 한 마리가 나를 칭칭 감고서는….
정말?
꿈에 대한 해석이 거의 불가능하다는 것을 알게 될 거야.
뱀박물관
실컷 봐.
광장공포증이 있는 어느 부인의 꿈을 살펴보자.
부인의 어머니는 혼자 걸어다닐 수 있어야 한다며, 그녀의 어린 딸을 밖으로 내보낸다….
그런 다음 그녀는 어머니와 함께 기차를 타고 가다 딸아이가 선로 쪽으로 곧장 걸어오는 것을 본다.

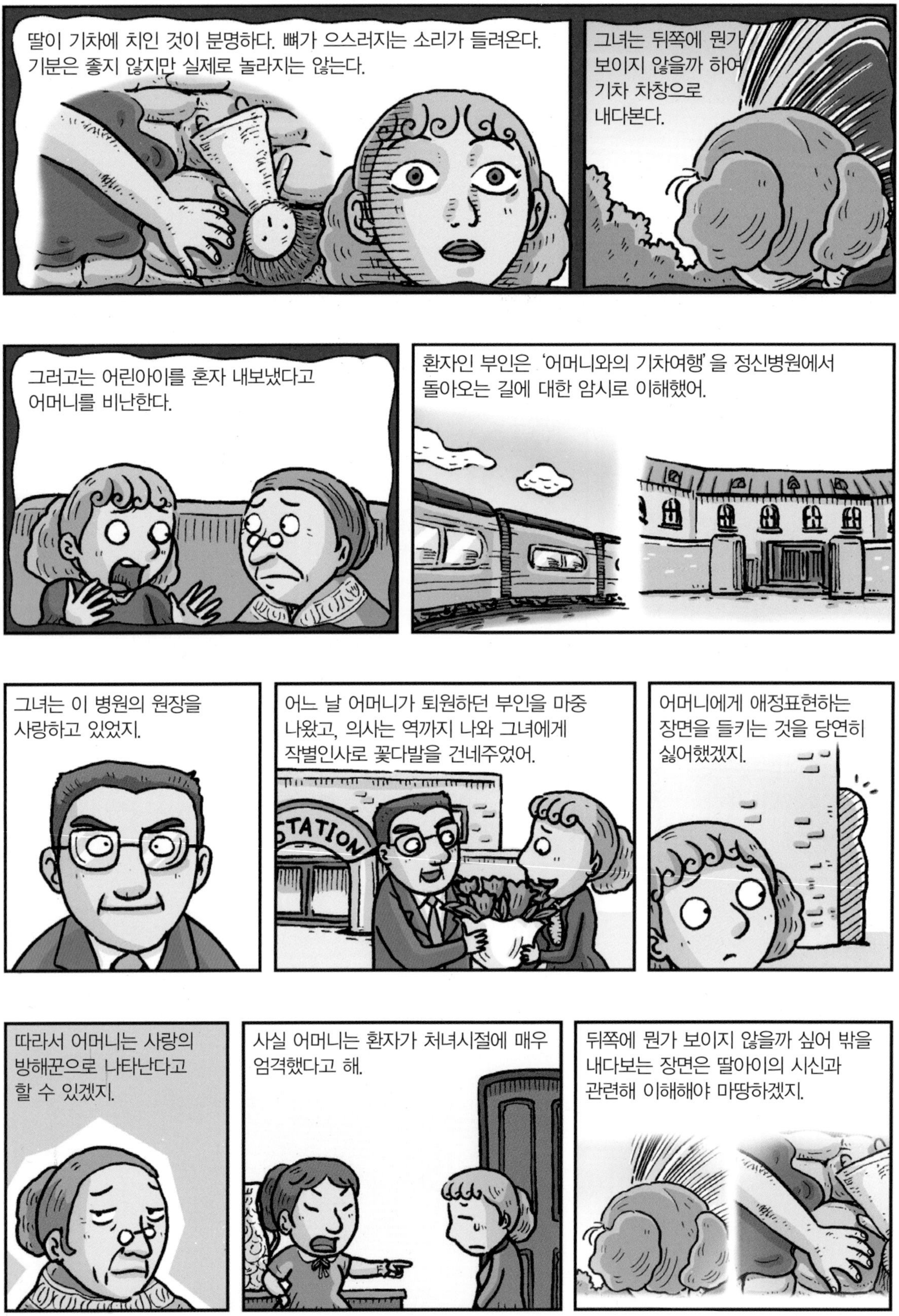
딸이 기차에 치인 것이 분명하다. 뼈가 으스러지는 소리가 들려온다. 기분은 좋지 않지만 실제로 놀라지는 않는다.
그녀는 뒤쪽에 뭔가 보이지 않을까 하여 기차 차창으로 내다본다.
그러고는 어린아이를 혼자 내보냈다고 어머니를 비난한다.
환자인 부인은 '어머니와의 기차여행'을 정신병원에서 돌아오는 길에 대한 암시로 이해했어.
그녀는 이 병원의 원장을 사랑하고 있었지.
어느 날 어머니가 퇴원하던 부인을 마중 나왔고, 의사는 역까지 나와 그녀에게 작별인사로 꽃다발을 건네주었어.
STATION
어머니에게 애정표현하는 장면을 들키는 것을 당연히 싫어했겠지.
따라서 어머니는 사랑의 방해꾼으로 나타난다고 할 수 있겠지.
사실 어머니는 환자가 처녀시절에 매우 엄격했다고 해.
뒤쪽에 뭔가 보이지 않을까 싶어 밖을 내다보는 장면은 딸아이의 시신과 관련해 이해해야 마땅하겠지.

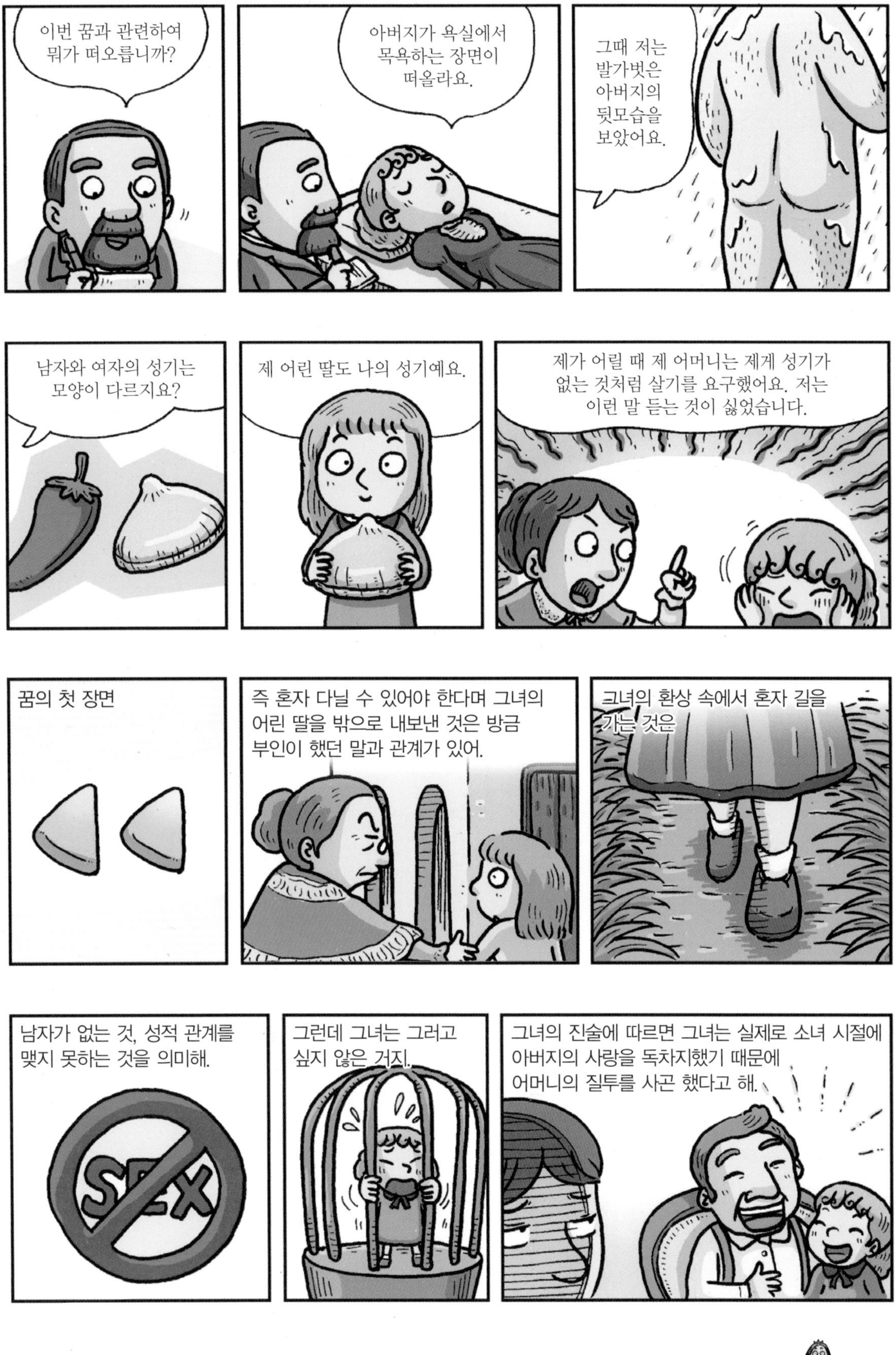
이번 꿈과 관련하여 뭐가 떠오릅니까?
아버지가 욕실에서 목욕하는 장면이 떠올라요.
그때 저는 발가벗은 아버지의 뒷모습을 보았어요.
남자와 여자의 성기는 모양이 다르지요?
제 어린 딸도 나의 성기예요.
제가 어릴 때 제 어머니는 제게 성기가 없는 것처럼 살기를 요구했어요. 저는 이런 말 듣는 것이 싫었습니다.
꿈의 첫 장면
즉 혼자 다닐 수 있어야 한다며 그녀의 어린 딸을 밖으로 내보낸 것은 방금 부인이 했던 말과 관계가 있어.
그녀의 환상 속에서 혼자 길을 가는 것은
남자가 없는 것, 성적 관계를 맺지 못하는 것을 의미해.
SEX
그런데 그녀는 그러고 싶지 않은 거지.
그녀의 진술에 따르면 그녀는 실제로 소녀 시절에 아버지의 사랑을 독차지했기 때문에 어머니의 질투를 사곤 했다고 해.

이 꿈은 부인이 같은 날 밤 꾼 다른 꿈을 통해 좀 더 깊이 해석할 수 있었어.
철컥...
다른 꿈에서 부인은 남동생과 자신을 동일시해.
사실 부인은 어린 시절 사내아이처럼 행동해서
여자아이로 잘못 태어났다는 소리를 종종 들었다고 해.
자신과 남동생이 하나의 인물로 나타난 꿈에서 어머니는 그(그녀)를 거세하겠다고 위협을 해.
이것은 성기를 가지고 장난친 것에 대한 징벌이라고 나는 생각해.
따라서 이것은 그녀가 어렸을 때 자위행위를 했다는 것을 증명해.
그러므로 부인의 이번 꿈에서 어린 딸 즉 성기를 멀리 보내는 것은
거세의 위협과도 관계가 있어.
결국 그녀는 어머니가 자신을 사내아이로 낳지 않았다는 사실을 원망하는 꿈이라고 할 수 있지.
다른 많은 재료를 통해 이 꿈에서 나오는 어린 딸은 성기를 상징하며, 차에 치이는 것은 성교를 상징한다고 확신할 수 있지.

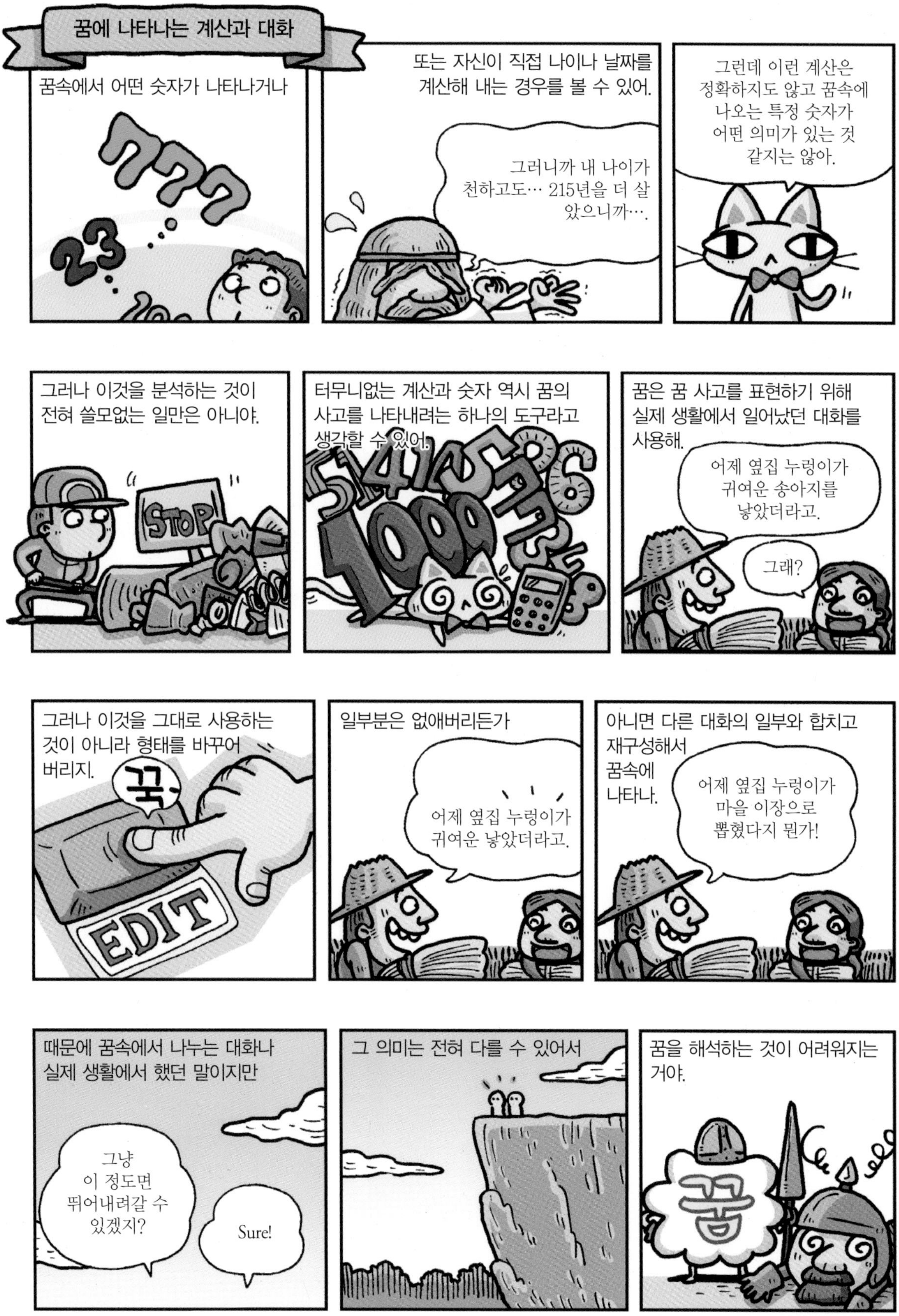
꿈에 나타나는 계산과 대화
꿈속에서 어떤 숫자가 나타나거나
777
23
또는 자신이 직접 나이나 날짜를 계산해 내는 경우를 볼 수 있어.
그러니까 내 나이가 천하고도… 215년을 더 살았으니까….
그런데 이런 계산은 정확하지도 않고 꿈속에 나오는 특정 숫자가 어떤 의미가 있는 것 같지는 않아.
그러나 이것을 분석하는 것이 전혀 쓸모없는 일만은 아니야.
STOP
터무니없는 계산과 숫자 역시 꿈의 사고를 나타내려는 하나의 도구라고 생각할 수 있어.
1000
꿈은 꿈 사고를 표현하기 위해 실제 생활에서 일어났던 대화를 사용해.
어제 옆집 누렁이가 귀여운 송아지를 낳았더라고.
그래?
그러나 이것을 그대로 사용하는 것이 아니라 형태를 바꾸어 버리지.
꾹
EDIT
일부분은 없애버리든가
어제 옆집 누렁이가 귀여운 낳았더라고.
아니면 다른 대화의 일부와 합치고 재구성해서 꿈속에 나타나.
어제 옆집 누렁이가 마을 이장으로 뽑혔다지 뭔가!
때문에 꿈속에서 나누는 대화나 실제 생활에서 했던 말이지만
그냥 이 정도면 뛰어내려갈 수 있겠지?
Sure!
그 의미는 전혀 다를 수 있어서
꿈을 해석하는 것이 어려워지는 거야.
꿈

조리가 없는 꿈과 꿈속에서의 지적 활동

그러면 왜 꿈은 이리도 앞뒤가 맞지 않는
조리 없는 이야기를 만들어내는지 궁금하겠지.
이제 그 이유를 따져보자.
이런 사람들의 눈으로 보면 꿈은 무의미하게 지나가는 정신활동의 부산물 정도에 지나지 않을 거야.
꿈이란 원래 그런 거라고….
그러나 꿈이 조리가 없어 보이는 것은 겉으로만 봐서 그럴 뿐이야.
꿈의 의미 속으로 깊이 파고 들어가면 그 이유를 금방 알게 돼.
다음의 사례를 통해 확인해 보자.
6년전 아버지를 잃은 어느 남자의 꿈
아버지에게 아주 불행한 일이 일어났다. 아버지가 타고 가던 야간열차가 탈선한 것이다.
좌석들이 뒤엉키면서, 아버지 머리가 옆으로 으스러졌다.

그런 다음 침대에 누워 있는 아버지의 모습이 보인다. 왼쪽 눈썹 가장자리 위쪽에 수직으로 상처가 나 있다.
그는 아버지의 불행을 의아하게 생각한다.
아버지는 이미 돌아가셨기 때문이다. 눈이 너무 또렷하다.
저는 아버지가 이미 돌아가셨다는 사실을 잊고 있었는데, 꿈에서 기억이 되살아났어요.
그래서 꿈꾸며 내 꿈이 이상하다고 느꼈어요.
그러면 꿈의 의미를 같이 생각해 봅시다. 꿈꾸기 전에 어떤 일이 있었나요?
얼마 전 어느 조각가에게 아버지의 흉상 제작을 의뢰했어요.
그런데 꿈꾸기 이틀 전 그 흉상을 훑어볼 기회가 있었는데,
실제 아버지 모습과는 조금 다르게 보이더라고요.
조각가는 생전에 아버지를 본 적이 없어 사진에만 의지해서 작업을 해왔기 때문이었을 겁니다.
그래서 저는 우리 집에서 오래 일한 하인을 보내서
그 흉상을 살펴보도록 시켰습니다.

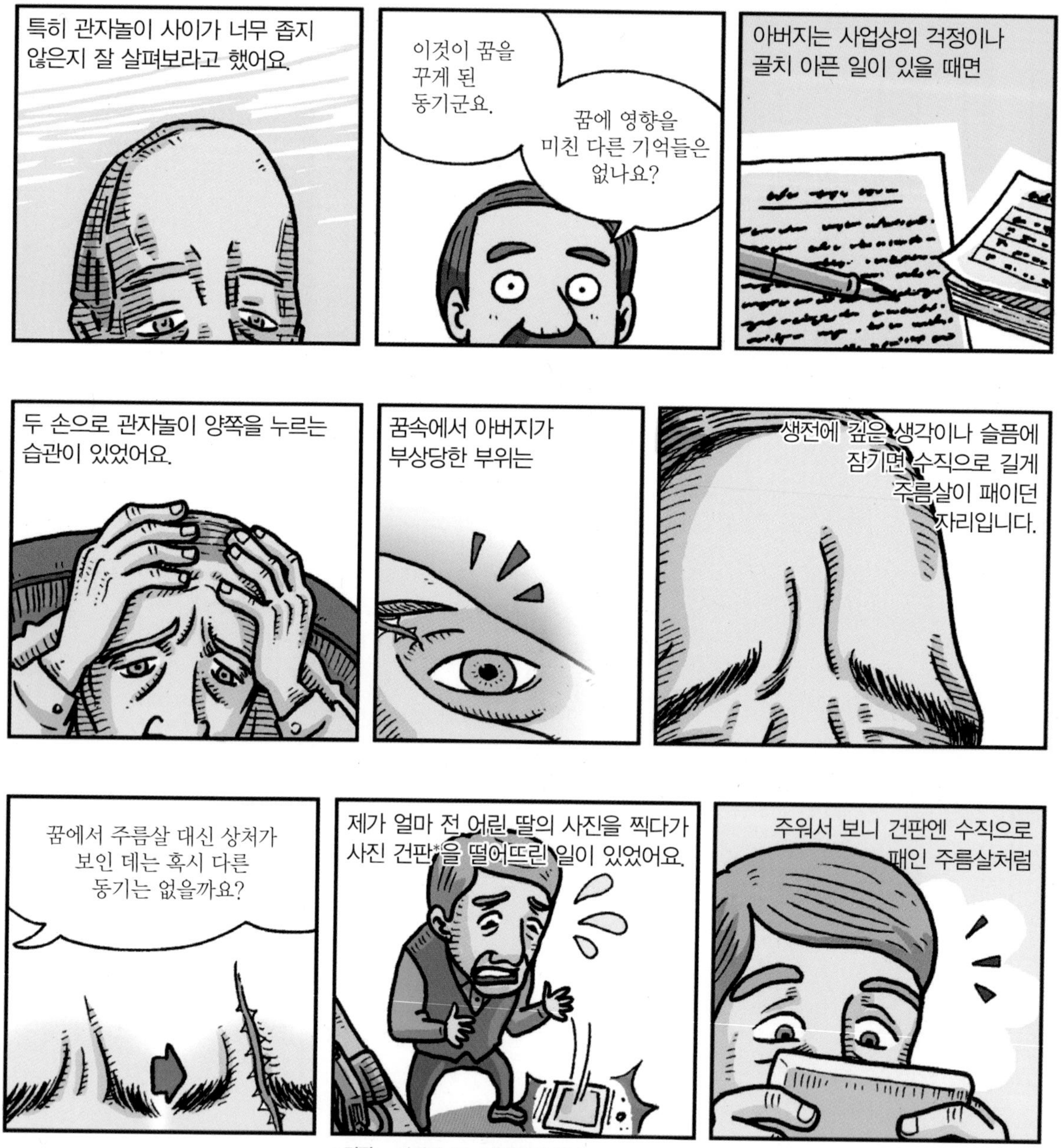
특히 관자놀이 사이가 너무 좁지 않은지 잘 살펴보라고 했어요.
이것이 꿈을 꾸게 된 동기군요.
꿈에 영향을 미친 다른 기억들은 없나요?
아버지는 사업상의 걱정이나 골치 아픈 일이 있을 때면
두 손으로 관자놀이 양쪽을 누르는 습관이 있었어요.
꿈속에서 아버지가 부상당한 부위는
생전에 깊은 생각이나 슬픔에 잠기면 수직으로 길게 주름살이 패이던 자리입니다.
꿈에서 주름살 대신 상처가 보인 데는 혹시 다른 동기는 없을까요?
제가 얼마 전 어린 딸의 사진을 찍다가 사진 건판*을 떨어뜨린 일이 있었어요.
주워서 보니 건판엔 수직으로 패인 주름살처럼

*건판 – 사진에 쓰는 감광판의 하나.

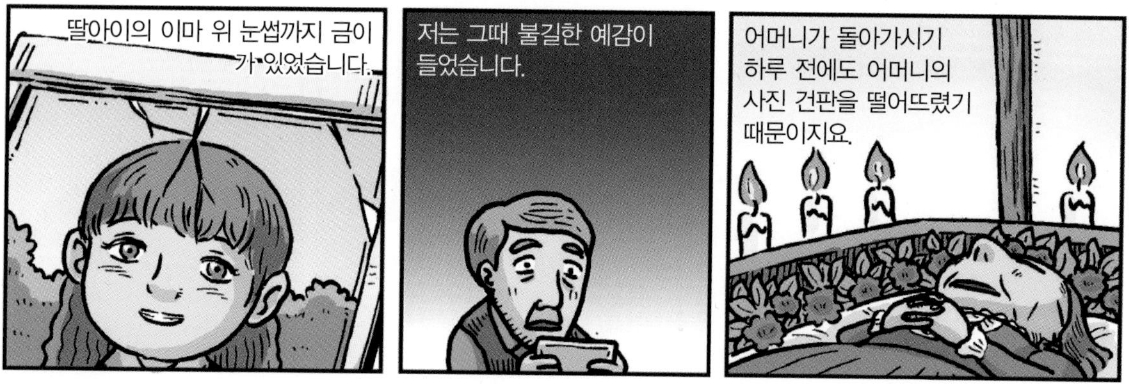
딸아이의 이마 위 눈썹까지 금이 가 있었습니다.
저는 그때 불길한 예감이 들었습니다.
어머니가 돌아가시기 하루 전에도 어머니의 사진 건판을 떨어뜨렸기 때문이지요.

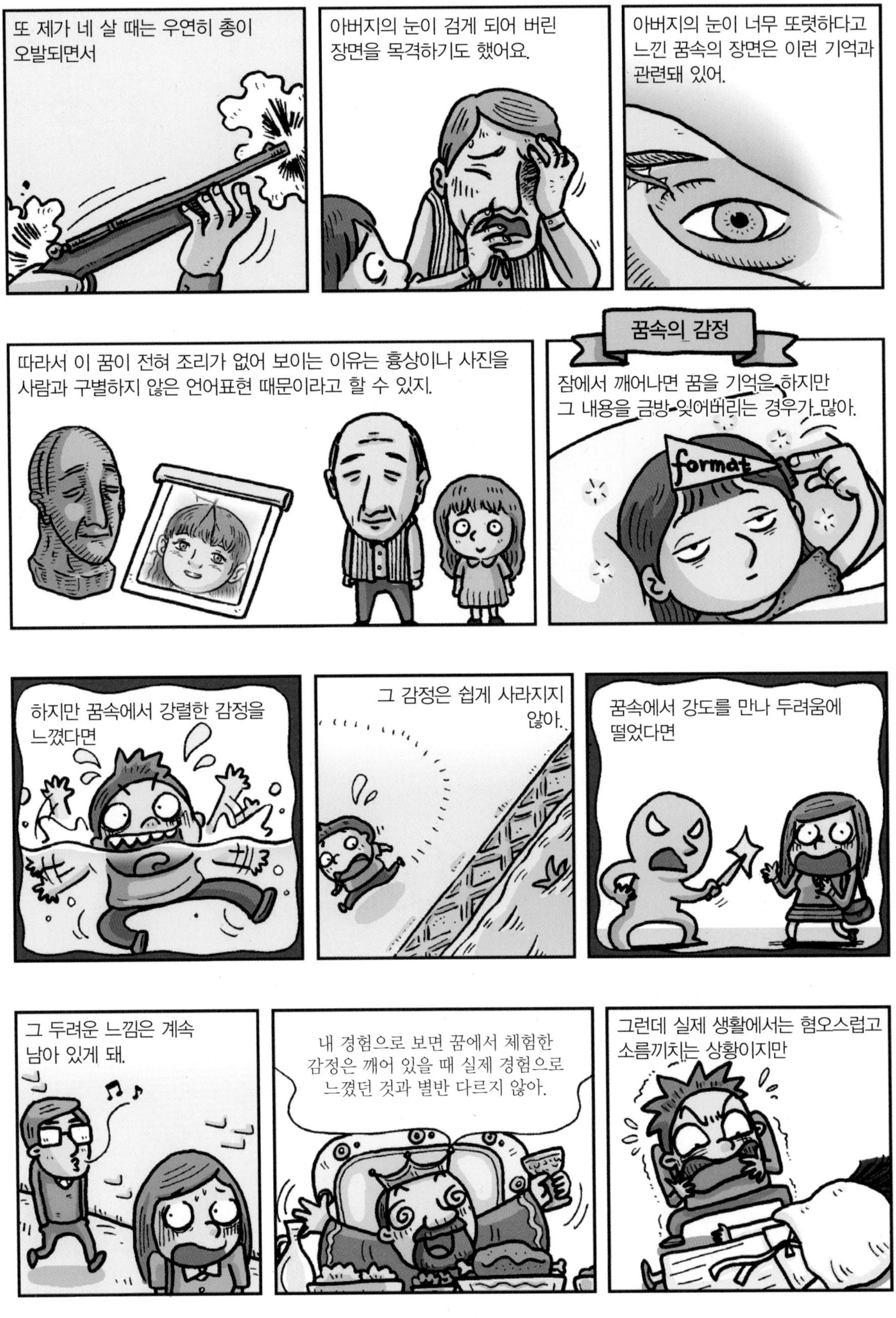
또 제가 네 살 때는 우연히 총이 오발되면서
아버지의 눈이 검게 되어 버린 장면을 목격하기도 했어요.
아버지의 눈이 너무 또렷하다고 느낀 꿈속의 장면은 이런 기억과 관련돼 있어.
따라서 이 꿈이 전혀 조리가 없어 보이는 이유는 흉상이나 사진을 사람과 구별하지 않은 언어표현 때문이라고 할 수 있지.
꿈속의 감정
잠에서 깨어나면 꿈을 기억은 하지만 그 내용을 금방 잊어버리는 경우가 많아.
format
하지만 꿈속에서 강렬한 감정을 느꼈다면
그 감정은 쉽게 사라지지 않아.
꿈속에서 강도를 만나 두려움에 떨었다면
그 두려운 느낌은 계속 남아 있게 돼.
내 경험으로 보면 꿈에서 체험한 감정은 깨어 있을 때 실제 경험으로 느꼈던 것과 별반 다르지 않아.
그런데 실제 생활에서는 혐오스럽고 소름끼치는 상황이지만

꿈에서는 전혀 두려움이나 혐오감을 느끼지 않는가 하면,
아무렇지도 않은 일에 놀라거나 기뻐하는 경우도 꿈에서는 흔해.
꿈이 이런 특성을 보이는 것은
겉으로 드러난 꿈이
숨어 있는 잠재사고를 그대로 표현하지 못하기 때문이지.
그러면 이와 관련하여 어떤 부인의 꿈을 살펴보자.
촤르르
그녀는 사막에서 세 마리의 사자를 만나지만 두려워하지 않는다.
그중 한 마리는 웃고 있다.
그런 다음 사자들에게서 도망친 것이 분명하다. 그녀가 나무 위로 기어오르려고 애쓰기 때문이다.
그런데 나무 위에는 프랑스어 교사인 여자의 사촌이 벌써 올라가 있다.

제가 이 꿈을 꾸게 된 계기는 얼마 전 영어교사에게서 받은 숙제 때문인 것 같아요. 거기에는 "The mane is the lion's adornment.(갈기는 사자의 장식이다.)"는 문장이 있었어요.
부인! 사자와 관련하여 무슨 생각이 떠오릅니까?
제 아버지의 얼굴에 수염이 많았는데,
마치 사자 갈기처럼 얼굴을 감싸고 있어요.
그리고 영어 회화선생의 이름은 라이언스(Miss Lyons)이고요.
ENGLISH
또 최근에는 평소에 알고 지내던 뢰베(Loewe-영어로 lion이라는 의미)라는 사람이 저에게 발라드를 한 편 보내주었어요.
Loewe
Lion
그러면 이들 세 사람이 꿈속에서 사자로 나타난 거군요.
또 있어요. 제가 최근 읽은 책에는
폭동을 선동한 흑인이 맹견에 쫓기다가

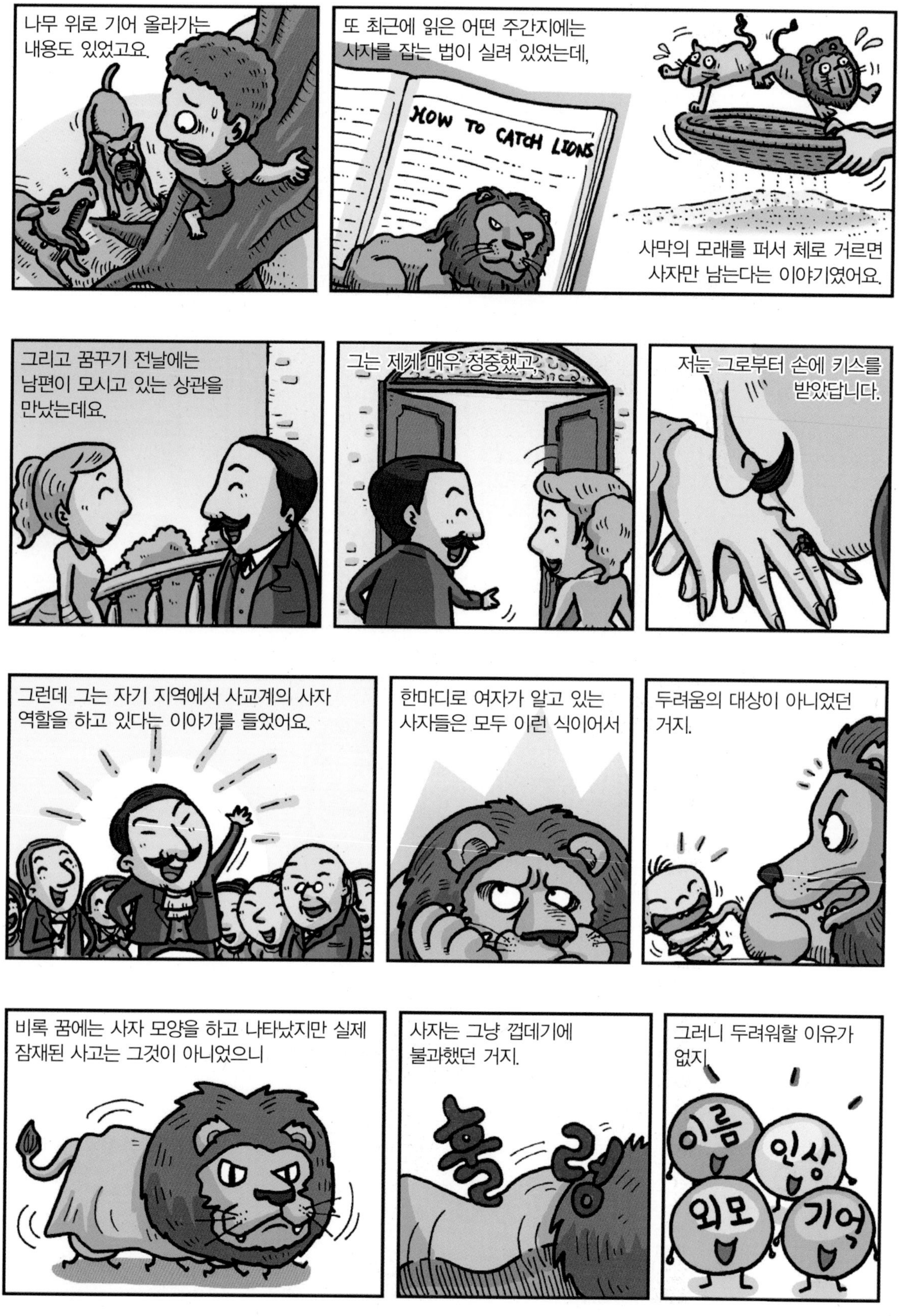
나무 위로 기어 올라가는 내용도 있었고요.
또 최근에 읽은 어떤 주간지에는 사자를 잡는 법이 실려 있었는데,
HOW TO CATCH LIONS
사막의 모래를 퍼서 체로 거르면 사자만 남는다는 이야기였어요.
그리고 꿈꾸기 전날에는 남편이 모시고 있는 상관을 만났는데요.
그는 제게 매우 정중했고,
저는 그로부터 손에 키스를 받았답니다.
그런데 그는 자기 지역에서 사교계의 사자 역할을 하고 있다는 이야기를 들었어요.
한마디로 여자가 알고 있는 사자들은 모두 이런 식이어서
두려움의 대상이 아니었던 거지.
비록 꿈에는 사자 모양을 하고 나타났지만 실제 잠재된 사고는 그것이 아니었으니
사자는 그냥 껍데기에 불과했던 거지.
훌렁
그러니 두려워할 이유가 없지.
이름
인상
외모
기억

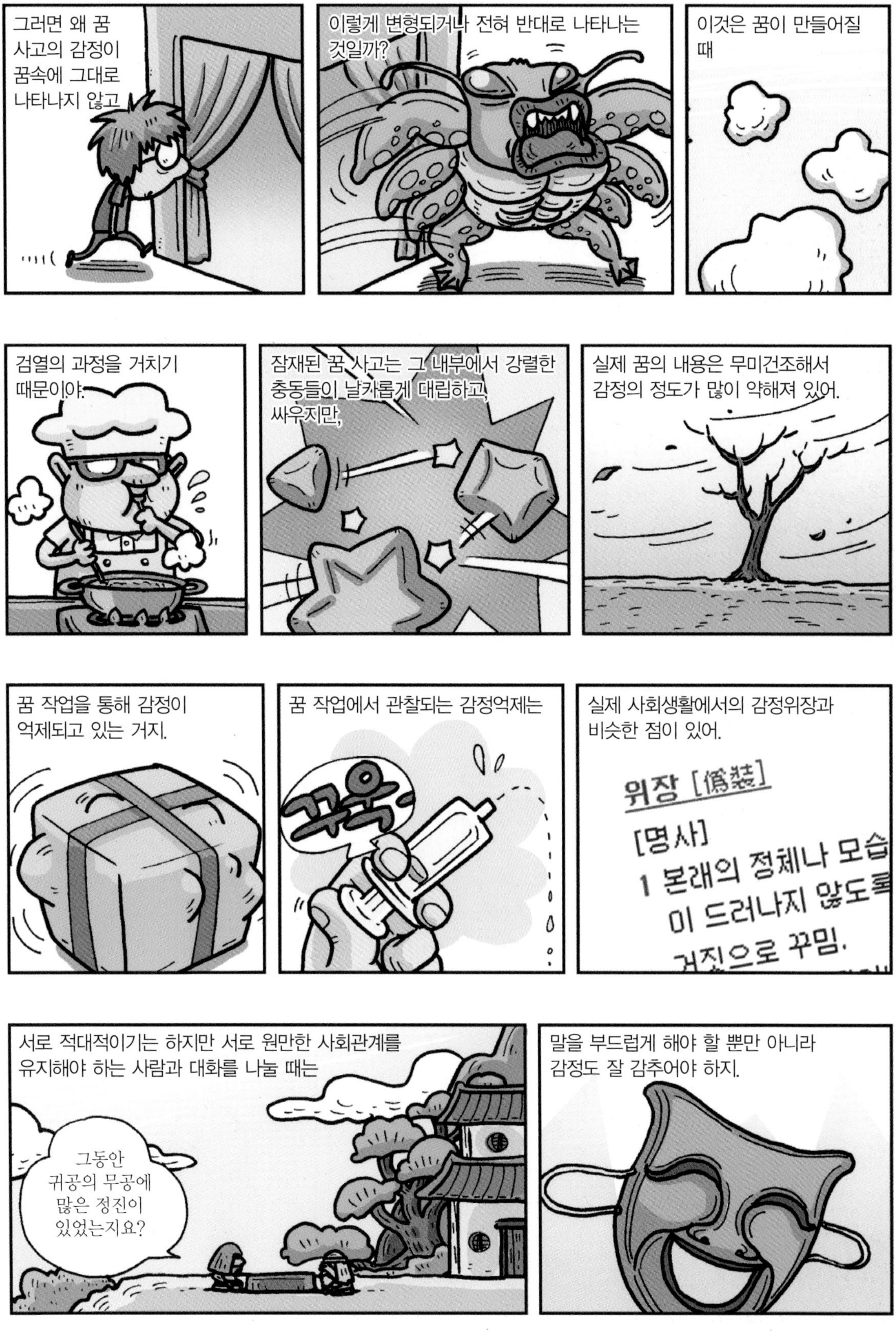
그러면 왜 꿈 사고의 감정이 꿈속에 그대로 나타나지 않고
이렇게 변형되거나 전혀 반대로 나타나는 것일까?
이것은 꿈이 만들어질 때
검열의 과정을 거치기 때문이야.
잠재된 꿈 사고는 그 내부에서 강렬한 충동들이 날카롭게 대립하고, 싸우지만,
실제 꿈의 내용은 무미건조해서 감정의 정도가 많이 약해져 있어.
꿈 작업을 통해 감정이 억제되고 있는 거지.
꿈 작업에서 관찰되는 감정억제는
꾸욱-
실제 사회생활에서의 감정위장과 비슷한 점이 있어.
위장 [僞裝]
[명사]
1 본래의 정체나 모습
이 드러나지 않도록
거짓으로 꾸밈.
서로 적대적이기는 하지만 서로 원만한 사회관계를 유지해야 하는 사람과 대화를 나눌 때는
그동안 귀공의 무공에 많은 정진이 있었는지요?
말을 부드럽게 해야 할 뿐만 아니라 감정도 잘 감추어야 하지.

비록 건네는 말이 공손하더라도
눈빛이나 몸짓이 증오를 보인다면,
한 수 지도를 부탁드립니다!
면전에서 상대방을 공개적으로 공격하는 것과 다를 바 없겠지.
따라서 감정을 억제하고 철저하게 위장하려면,
화가 나도 미소 짓고,
상대방을 죽이고 싶어도 다정한 척 대할 거야.
이것은 꿈에서 감정이 억제되는 현상과 비슷하다고 할 수 있지.
2차 가공
이제 꿈이 형성되는 데 참여하는 네 번째 요인을 논의해 보자.
지금까지는 검열 기관이 꿈 내용을 제한하고, 생략한다고만 말했지만,
꿈
꿈
추가하기도 해.
이러한 첨가는 쉽게 알아볼 수 있어.
ICECREAM
이는 내용이 다른 두 개의 꿈을 결합시키거나
토막 난 꿈들의 파편들을 이어주지.
꿈

꿈을 꾼 다음 깨어나서 꿈 내용이
잊혀지는 경우
가장 먼저 사라지는 부분도
바로 이런 부분이야.
첨가
첨가
첨가
많은 꿈을 꾸었는데, 대부분
잊어버리고 단편들만 기억나는
현상도
꿈과 꿈을 이어주는 이러한
부분들이 쉽게 사라지기 때문이지.
그러나 그것은 누더기를
기우듯 꿈 구성의
틈을 메워.
이러한 노력의 결과로 꿈은 앞뒤가
맞지 않는 부조리한 외양에서
벗어나
이해 가능한 체험에
가까워져.
표면상으로 나무랄 데 없이 논리적이고 정확하게
보이는 꿈들이 그렇게 해서 이루어지는 거지.
going to school ~♪
다다다다
이것이 2차적
가공이야.
그러나 이런 노력이 매번 완전히 성공하는 것은
아니어서, 우리는 무의미하게 널려 있는
수많은 단편적인 꿈을 꾸기도 해.

꿈과 상징적 표현

프로이트에 따르면 꿈을 만드는 심리적 작업은 두 가지로 나뉩니다. 하나는 꿈 사고의 생산이고, 다른 하나는 이것을 가공해서 꿈의 발현 내용으로 변형하는 것입니다. 이번 장은 이 중 두 번째 과정을 설명했습니다. 프로이트는 이를 꿈 작업이라 하고, 이를 네 가지로 요약했습니다. 압축, 이동, 형상화의 고려, 2차 가공이 그것입니다. 압축, 이동, 형상화에서 중요한 개념은 상징적 표현과 연관있답니다. 상징은 형상화하는 능력 때문에 꿈이 요구조건에 좀 더 일치할 뿐 아니라 일반적으로 검열을 벗어나게 해주기 때문입니다.

프로이트는 꿈에 대한 상징적 해석을 비판했습니다. 그러나 프로이트 역시 꿈을 해석하는 데 상징적 표현을 중요시합니다. 특히 욕망이나 갈등이 비슷한 방식으로 표현되는 전형적인 꿈은 꿈꾼 사람이 누구일지라도 동일하게 해석될 수 있다고까지 주장합니다. 사실 그는 상징에 더 큰 중요성을 부여합니다. 프로이트를 이렇게 이끈 것은 전형적인 꿈의 수많은 변형들을 분석하려는 자신의 노력과 꿈 이외의 곳에서 상징적 표현의 존재를 보여주는 당시의 인류학적 연구결과입니다. 이 시점에서 그는 과거 상징적 해석에 대한 경계를 하면서 상징적인 해석만으로 꿈을 자동적으로 해석해서는 안 되고 반드시 꿈꾼 사람의 배경을 기반으로 해석해야 한다고 경고합니다. 결과적으로 프로이트 이론에서는 두 종류의 꿈 해석이 존재하게 되

는데, 하나는 꿈꾼 사람의 연상에 의거해 해석하는 것이고, 다른 하나는 연상과 관계없이 이루어지는 상징의 해석입니다.

상징적 표현이라는 개념은 오늘날 정신분석과도 아주 밀접하게 연관됩니다. 그러나 정신분석에서 상징되는 영역은 아주 제한되어 있습니다. 육체, 부모와 혈족, 출생, 사망, 나체, 그리고 성 등이 그것인데, 특히 성기나 성교와 관련된 상징이 많습니다. 최근까지 정신분석학 문헌에 소개된 상징들을 재검토한 연구에서도 그것을 확인할 수 있습니다. 프로이트 이론을 따르는 정신분석 이론가들이 공통적으로 확인한 709개의 꿈 상징들 가운데 102개의 물건이 남성 성기를, 95개는 여성 성기를, 55개는 성교를 상징하는 것으로 분류되었습니다. 전체 상징 가운데 성과 관련된 상징이 35%나 되는 것입니다. 프로이트 이론에서 꿈이란 소원성취이고, 이는 예외 없이 성적 소원이기 때문입니다. 이는 본문의 '꿈에 나타나는 상징 표현' 에서도 확인할 수 있습니다.

프로이트가 활동하던 19세기 말 유럽에서 정신을 다루는 학자와 의사 들은 성 연구에 관심이 많았습니다. 성에 대한 과학이 발달하기 시작한 것도 이즈음입니다. 프로이트는 이들 이론에서 리비도와 같은 개념을 빌려왔지만, 그가 말하는 리비도 혹은 성욕은 생식기와 관련된 쾌감에 한정된 것은 아니고, 기본적인 생리 욕구인 호흡, 배고픔, 배설 등을 만족시키는 쾌감까지 포함합니다.

제9장
꿈-과정의 심리학
내가 다른 사람에게서 들은 꿈 가운데 특별히 살펴봐야 할 꿈이 있어.
어느 여성 환자의 꿈인데,
그녀가 이 꿈을 꾸게 된 동기가 독특해.
그 부인은 꿈에 관한 어떤 강좌에서
What is a Dream?
꿈 얘기를 듣고 깊은 인상을 받아
비슷한 꿈을 꾸었다고 해.

어떤 아버지가 병든 아이의 침상을 지키며 며칠을 뜬눈으로 지새웠다.
그는 아이가 죽은 다음 옆방으로 가 휴식을 취하면서 아이의 시신이 커다란 촛불들로 둘러싸여 안치된 곳이 보이도록 방문을 열어놓는다.
한 노인이 그곳을 지키라는 명령을 받고 시신 곁에 앉아 기도문을 중얼거리고 있다.
아버지는 몇 시간 동안 잠이 들어 아이가 침대 옆에 서서 자신의 팔을 잡고 비난하듯이 속삭이는 꿈을 꾼다.
"아빠, 내가 불에 타는 것이 안 보여요?"
그는 잠에서 깨어나 시신이 안치된 방에서 밝은 불빛이 비치는 것을 보고 달려간다.
그곳을 지키고 있던 노인은 잠이 들었고, 불붙은 촛불이 넘어져 사랑하는 아이의 수의와 한쪽 팔이 타고 있었다.

이 감동적인 꿈을 해석하기란 그렇게 어렵지 않을 거야.
훌쩍~
꿈을 강연하던 사람은 다음과 같이 꿈을 해석했어.
이 꿈은 말이죠….
밝은 불빛이 열린 문을 통해 잠든 사람의 눈에 비쳤고,
그를 본능적으로 일으켜 세워
깨어 있는 사람이라면 당연히 했을 행동을 하게 한 겁니다.
즉 촛불이 넘어져 불이 났음을 깨닫게 된 것입니다.
아마 아버지는 잠이 들면서도 노인과 옆방에 대한 걱정을 했을 겁니다.
나도 역시 이런 해석에 전적으로 동감이야.
끄덕 끄덕
이 꿈 역시 소원성취에서 벗어나지 않아.
아들을 한 번이라도 더 보고 싶다는 소원이겠지.
그런데 이 꿈은 다른 꿈과는 다르기 때문에 이 꿈이 갖는 의미를 조금 더 살펴보자.
꿈 꿈 꿈
이제까지 나는 꿈속에 숨겨진 의미를 찾기 위해
꿈
의미

꿈을 해석하는 방법을 설명했었지.
How To Read 꿈
그런데 이 꿈은 굳이 해석할 필요도 없이
꿈이 내포하는 의미를 금방 누구나 알 수 있어.
그러나 또 한편으로는 깨어 있을 때의 생각과는 분명히 다르지.
이봐, 지금 잠자고 있을 때가 아니라고!
나는 이 꿈을 통해서 우리의 정신세계에 대한 이해가
얼마나 불완전한지를 다시 한 번 깨달았지.
똑 똑
꿈 해석을 통해서 우리는 사람 개개인의
DREAM
내적 · 심리적 충동이나 욕구 등을 이해할 수는 있게 되었지만
정신세계의 전 과정에 대해서는 아직 아는 것이 별로 없어.
이제 나는 꿈에 대한 심리학적 연구를 토대로
심리학
꿈의 해석
정신세계가 작동하는 원리를 추론해 보고자 해.
꿈의 망각
지금까지 내 이론을 전개하면서 무시해 왔지만

그냥 지나칠 수 없는 반론들이 있어.
우리가 해석하려고 하는 꿈을
꿈
전혀 알고 있지 못하다는 비난이지.
누구…?
꿈
첫째는 우리가 분석 대상으로 삼고 있는 꿈들은
부실한 기억력 때문에 훼손되어 있게 마련이라는 점이야.
너덜
너덜
실제 꿈 내용 가운데 가장 중요한 부분을
그래서? 그래서?
기억하지 못할 수도 있겠지.
그 뒤는… 까맣게… 기억이 안 나.
휘청
실제로 많은 꿈을 꾸었으나 일부만 기억하거나
기억나는 것마저도 불확실한 경우가 대다수이니까.
둘째는 기억하고 있는 꿈 자체도 불완전해서
… 산삼 열 뿌리… 얻으리라 ….
기억하고 있는 꿈을 말하면서도 위조해서 표현한다는 점이야.
아, 글쎄 뒷동산에 산삼 열뿌리가 묻혀있대!
그래서 실제 꾼 꿈과 재현한 꿈 내용은 많이 다를 수 있어.
산삼이 어디있다는 거예요!!
산삼 열 뿌리를 먹으면 옥동자를 얻으리라~

이러한 반론이 틀린 것은 아니지만,
No!
Objection!
나는 지금까지 꿈을 해석하면서 이러한 경고들을 무시했어.
Objection!
STOP
오히려 정반대로 지극히 사소하고 불확실한 꿈이라 하더라도
꿈
꿈
꿈
분명하고 확실히 기억하고 있는 꿈과 마찬가지로 같은 중요성을 부여하고 해석해야 한다고 주장했지.
꿈
사소한 특징들도
꿈을 해석하는 데는 꼭 필요하고,
이를 게을리할 경우 숨어 있는 꿈 사고를 이해하기가 어려워.
그게 중요한 거였군!
그러면 내 이론에 대한 반론도 맞는 말이고, 내 이론도 틀린 것이 아니라는 주장은 모순처럼 보이지?
이러한 모순이 발생하는 이유를 설명해 보자.
사실 꿈에 대한 기억은 불완전하고, 실제로 꾼 꿈과 기억해서 말하는 꿈 역시 다를 수 있습니다!
맞는 말입니다!
그러나 깨어 있을 때의 망각과 왜곡은
꿈과 현실의 심리적 차이에서 오는 것이 아니라
일부러 그러는 게 아니라는 얘기지요….

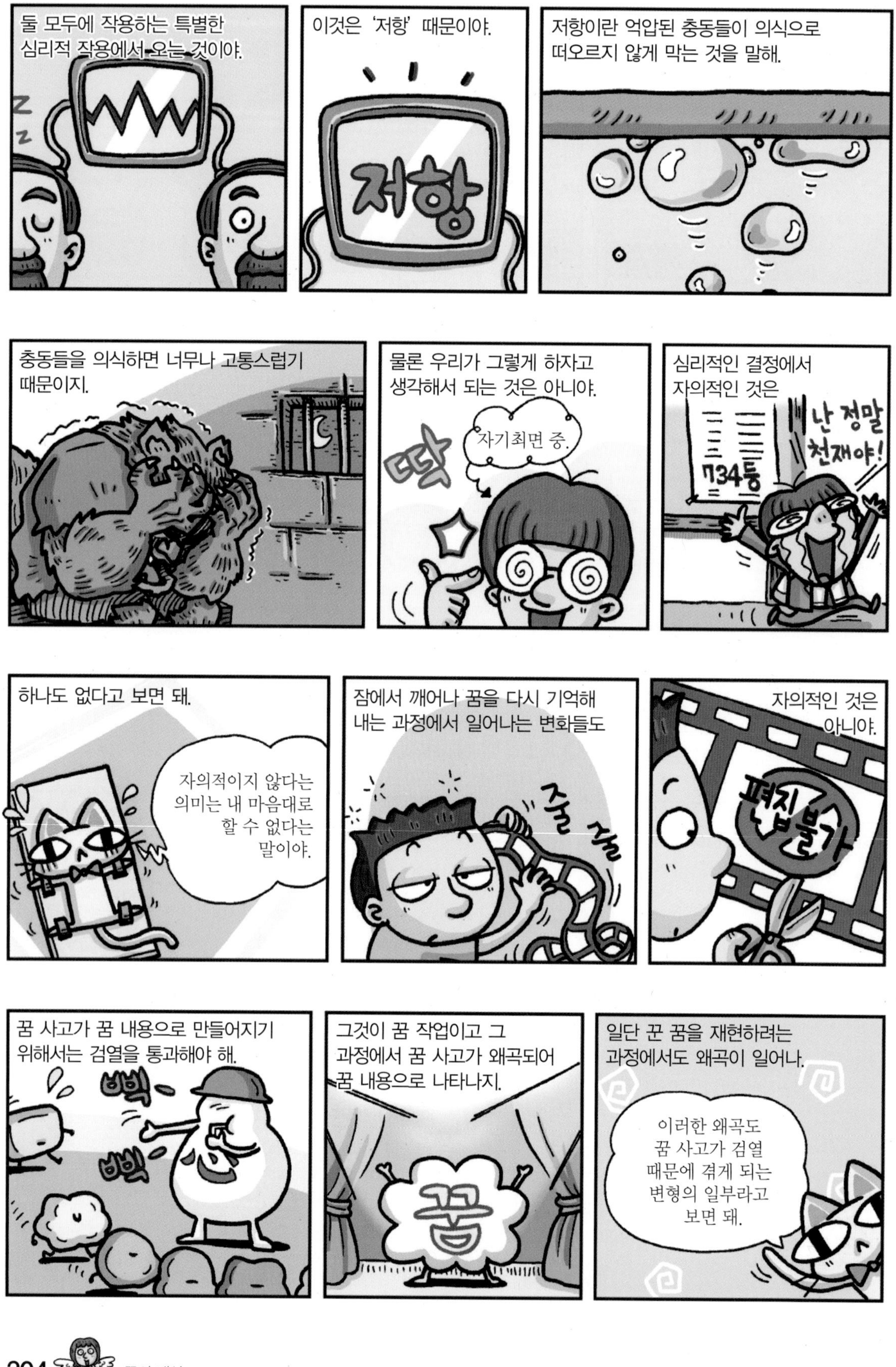

둘 모두에 작용하는 특별한 심리적 작용에서 오는 것이야.
이것은 '저항' 때문이야.
저항
저항이란 억압된 충동들이 의식으로 떠오르지 않게 막는 것을 말해.
충동들을 의식하면 너무나 고통스럽기 때문이지.
물론 우리가 그렇게 하자고 생각해서 되는 것은 아니야.
딱
자기최면 중.
심리적인 결정에서 자의적인 것은
734등
난 정말 천재야!
하나도 없다고 보면 돼.
자의적이지 않다는 의미는 내 마음대로 할 수 없다는 말이야.
잠에서 깨어나 꿈을 다시 기억해 내는 과정에서 일어나는 변화들도
줄 줄
자의적인 것은 아니야.
편집 불가
꿈 사고가 꿈 내용으로 만들어지기 위해서는 검열을 통과해야 해.
삐빅
삐빅
그것이 꿈 작업이고 그 과정에서 꿈 사고가 왜곡되어 꿈 내용으로 나타나지.
꿈
일단 꾼 꿈을 재현하려는 과정에서도 왜곡이 일어나.
이러한 왜곡도 꿈 사고가 검열 때문에 겪게 되는 변형의 일부라고 보면 돼.

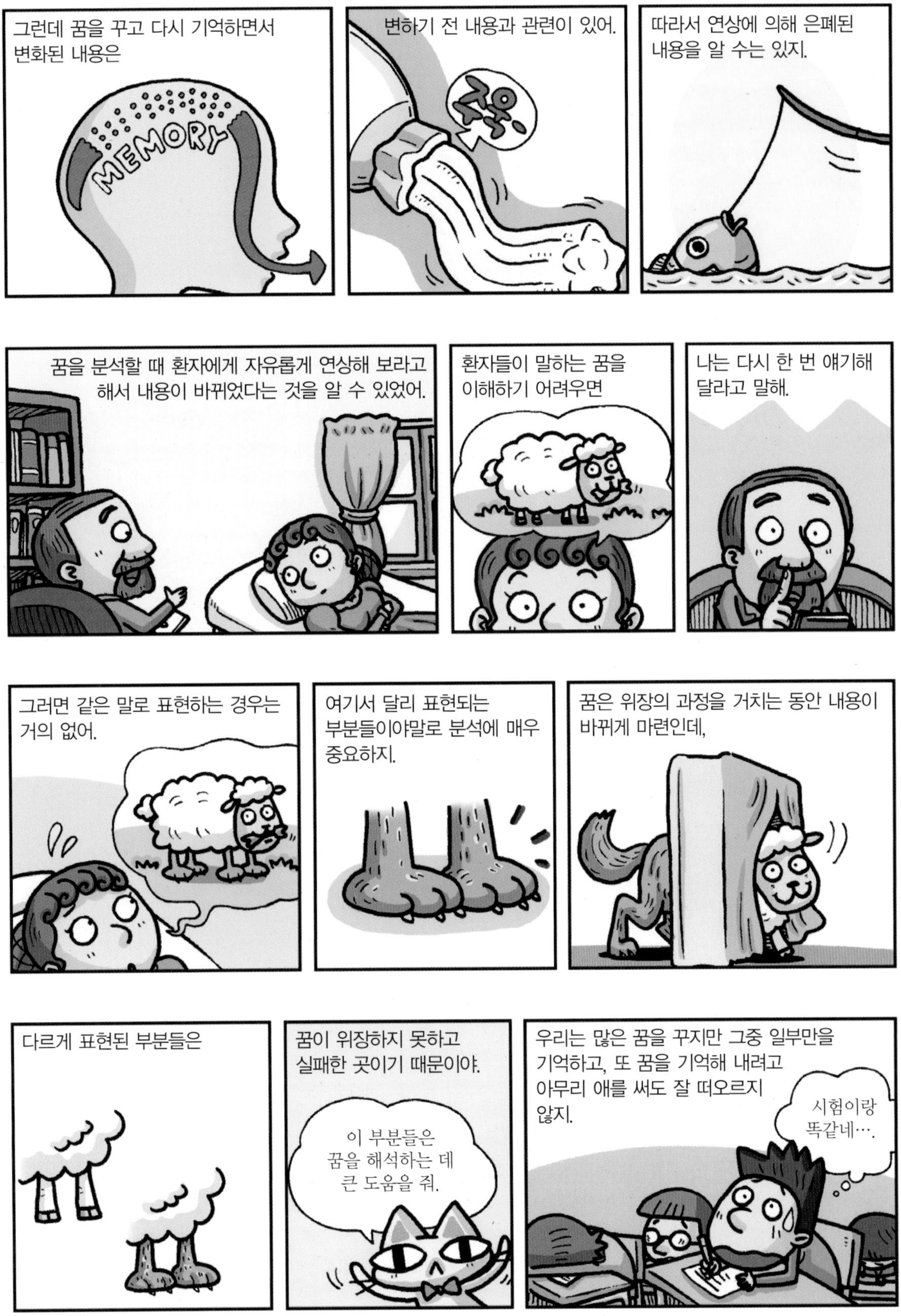
그런데 꿈을 꾸고 다시 기억하면서
변화된 내용은
MEMORY
변하기 전 내용과 관련이 있어.
꿈.
따라서 연상에 의해 은폐된
내용을 알 수는 있지.
꿈을 분석할 때 환자에게 자유롭게 연상해 보라고
해서 내용이 바뀌었다는 것을 알 수 있었어.
환자들이 말하는 꿈을
이해하기 어려우면
나는 다시 한 번 얘기해
달라고 말해.
그러면 같은 말로 표현하는 경우는
거의 없어.
여기서 달리 표현되는
부분들이야말로 분석에 매우
중요하지.
꿈은 위장의 과정을 거치는 동안 내용이
바뀌게 마련인데,
다르게 표현된 부분들은
꿈이 위장하지 못하고
실패한 곳이기 때문이야.
이 부분들은
꿈을 해석하는 데
큰 도움을 줘.
우리는 많은 꿈을 꾸지만 그중 일부만을
기억하고, 또 꿈을 기억해 내려고
아무리 애를 써도 잘 떠오르지
않지.
시험이랑
똑같네….

심리적인 검열의 힘이 작용하기 때문이야.
두둥
그러나 이러한 꿈의 망각을 과대평가할 필요는 없어.
꿈에서 망각된 부분은 분석을 통해 재생할 수 있기 때문이지.
단편적인 조각만 있다면
꿈의 내용을 온전하게 복원하지는 못할지라도
나는박사님이
지난밤에뭘먹
꿈 사고는 전부 찾아낼 수 있어.
불만
원망
식탁
복수
꿈을 망각하기 이전의 단계를 분석해 보면
Bye~
꿈
망각이 저항을 도와주고 있다는 것을 알 수 있어.
꿈
꿈을 해석하다 보면 망각했다고 여긴 부분이 불시에 떠오르는 경우가 있는데,
아악!
이 부분이야말로 해석에서 가장 중요해.
다시 기억난 부분은 꿈의 해석에
가장 빠른 길을 제시하지.
슝~
하지만 이러한 망각의 주된 원인이
안녕-…
안녕-…
안녕…
안녕…
안녕…
이미 밤 동안 꿈에 대해 자신의 의무를 다한 정신의 저항이라면,
딱 한 번만 더 꿈에 나타나게….

굳이 저항에 맞서가면서까지 왜 꿈을 꾸는 걸까?
드라마
멜로
스포츠
극단적으로 가정해서 깨어 있는 동안의 저항이 매우 강력하면
꿈을 꾸어도 아예 없었던 일처럼 꿈을 전혀 기억하지 못하겠지.
텅~
또 아주 강력한 저항이 밤에도 똑같이 작용한다면
꿈
아예 꿈이 만들어지지도 않겠지.
해고
꿈
하지만 저항은 자는 동안 힘이 약해져.
빠
꿈
결국 밤에는 저항의 힘이 약해지기 때문에 꿈이 만들어진다고 할 수 있어.
그러나 저항은 꿈에서 깨어나는 순간 다시 잃었던 힘을 되찾아
자신의 세력이 약화되었을 때 허용한 것들을 즉시 취소하기 때문에
꿈
망각이 발생하는 거지.
아, 잘잤다~
퇴행
다음 이야기를 하기 전에 지금까지 내가 주장해 온 바를 먼저 요약해 보자.
똑똑-
첫째, 꿈은 중요한 심리적 행위이며, 언제나 그 원동력은 성취되어야 하는 소원이다.
소원성취

둘째, 소원이라고 말하기 어렵게 보이는 기이한 것들이나 논리가 맞지 않는 내용들은 꿈이 만들어지는 과정에서 심리적 검열이 작동하기 때문이다.
검열

셋째, 이러한 검열을 벗어나기 위해 압축, 이동, 형상화 가능성 고려, 2차 가공 등 네 가지의 작업이 이루어진다.
압축
이동(전위)
형상화의 고려
2차 가공

앞으로 이야기하고 싶은 것은 꿈 작업과 꿈을 꾸게 된 동기인 소원의 관계야.

즉 꿈을 정신생활의 맥락 속에 어떻게 배열할 수 있을까 문제이지.

정신활동을 하는 심리장치를 망원경과 같은 조립된 기구라고 생각해 보자.

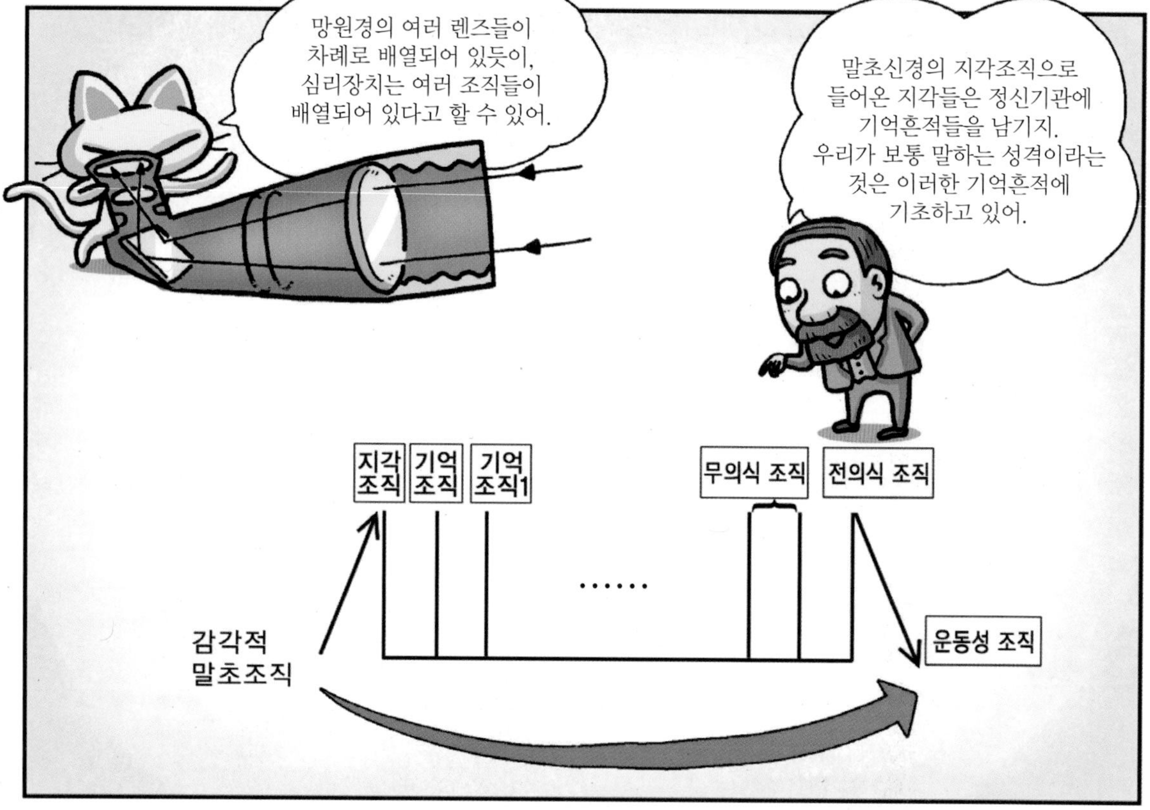
망원경의 여러 렌즈들이 차례로 배열되어 있듯이, 심리장치는 여러 조직들이 배열되어 있다고 할 수 있어.
말초신경의 지각조직으로 들어온 지각들은 정신기관에 기억흔적들을 남기지. 우리가 보통 말하는 성격이라는 것은 이러한 기억흔적에 기초하고 있어.
지각 조직
기억 조직
기억 조직1
무의식 조직
전의식 조직
......
감각적 말초조직
운동성 조직

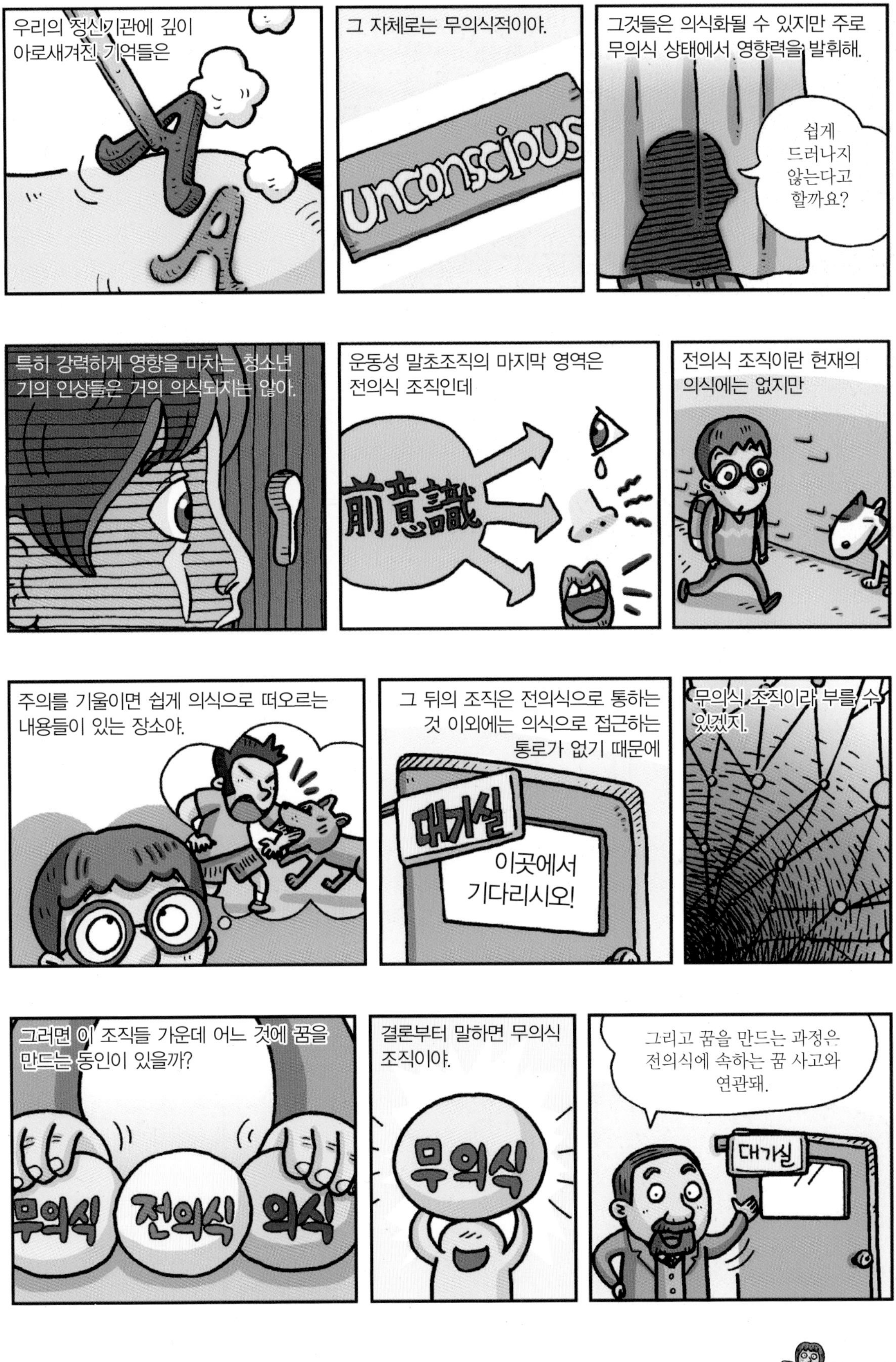
우리의 정신기관에 깊이 아로새겨진 기억들은
그 자체로는 무의식적이야.
Unconscious
그것들은 의식화될 수 있지만 주로 무의식 상태에서 영향력을 발휘해.
쉽게 드러나지 않는다고 할까요?
특히 강력하게 영향을 미치는 청소년기의 인상들은 거의 의식되지는 않아.
운동성 말초조직의 마지막 영역은 전의식 조직인데
前意識
전의식 조직이란 현재의 의식에는 없지만
주의를 기울이면 쉽게 의식으로 떠오르는 내용들이 있는 장소야.
그 뒤의 조직은 전의식으로 통하는 것 이외에는 의식으로 접근하는 통로가 없기 때문에
대기실
이곳에서 기다리시오!
무의식 조직이라 부를 수 있겠지.
그러면 이 조직들 가운데 어느 것에 꿈을 만드는 동인이 있을까?
무의식
전의식
의식
결론부터 말하면 무의식 조직이야.
무의식
그리고 꿈을 만드는 과정은 전의식에 속하는 꿈 사고와 연관돼.
대기실

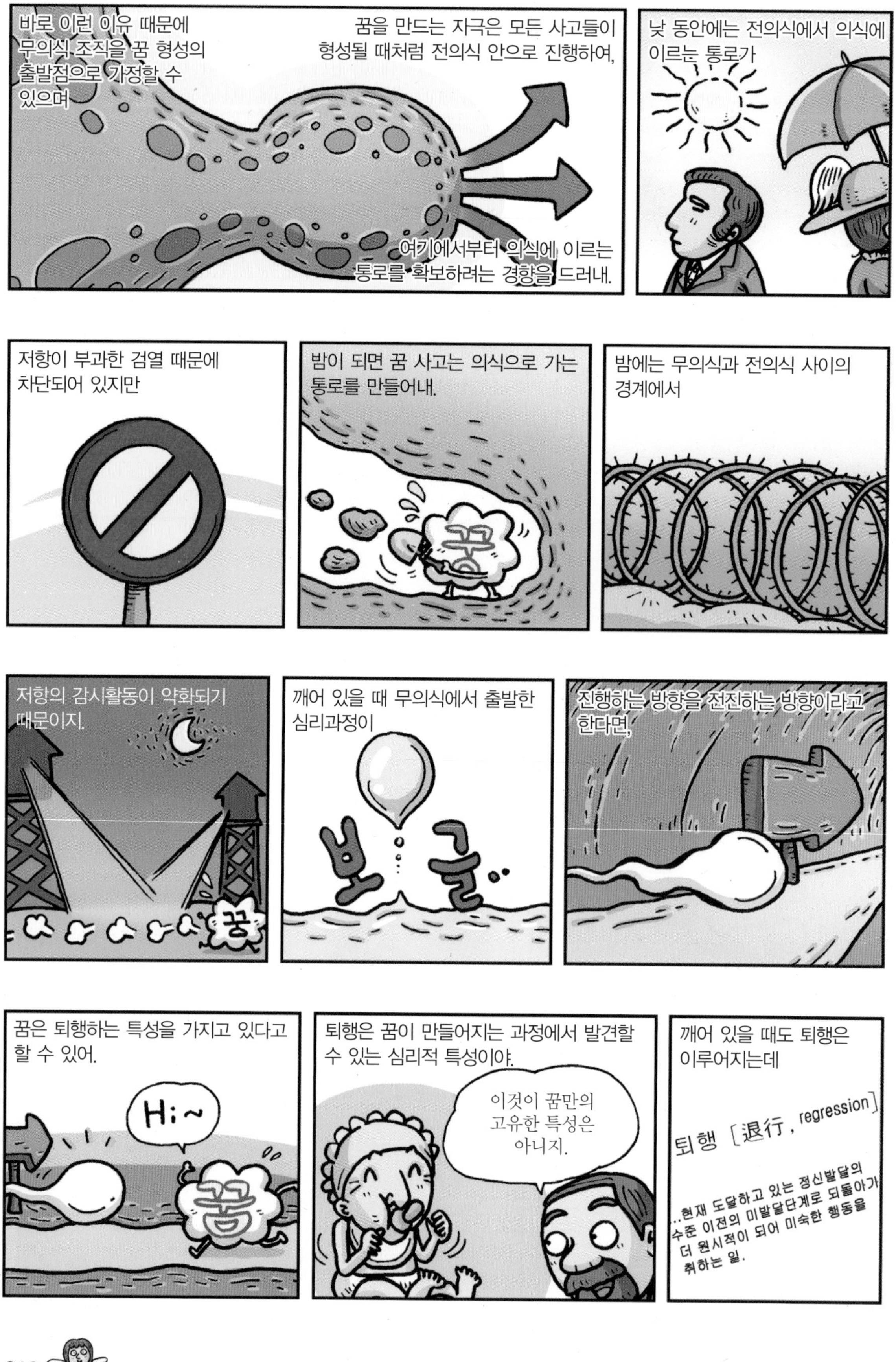
바로 이런 이유 때문에 무의식 조직을 꿈 형성의 출발점으로 가정할 수 있으며
꿈을 만드는 자극은 모든 사고들이 형성될 때처럼 전의식 안으로 진행하여,
여기에서부터 의식에 이르는 통로를 확보하려는 경향을 드러내.
낮 동안에는 전의식에서 의식에 이르는 통로가
저항이 부과한 검열 때문에 차단되어 있지만
밤이 되면 꿈 사고는 의식으로 가는 통로를 만들어내.
꿈
밤에는 무의식과 전의식 사이의 경계에서
저항의 감시활동이 약화되기 때문이지.
꿈
깨어 있을 때 무의식에서 출발한 심리과정이
보글
진행하는 방향을 전진하는 방향이라고 한다면,
꿈은 퇴행하는 특성을 가지고 있다고 할 수 있어.
Hi~
꿈
퇴행은 꿈이 만들어지는 과정에서 발견할 수 있는 심리적 특성이야.
이것이 꿈만의 고유한 특성은 아니지.
깨어 있을 때도 퇴행은 이루어지는데
퇴행 [退行, regression]
...현재 도달하고 있는 정신발달의 수준 이전의 미발달단계로 되돌아가 더 원시적이 되어 미숙한 행동을 취하는 일.

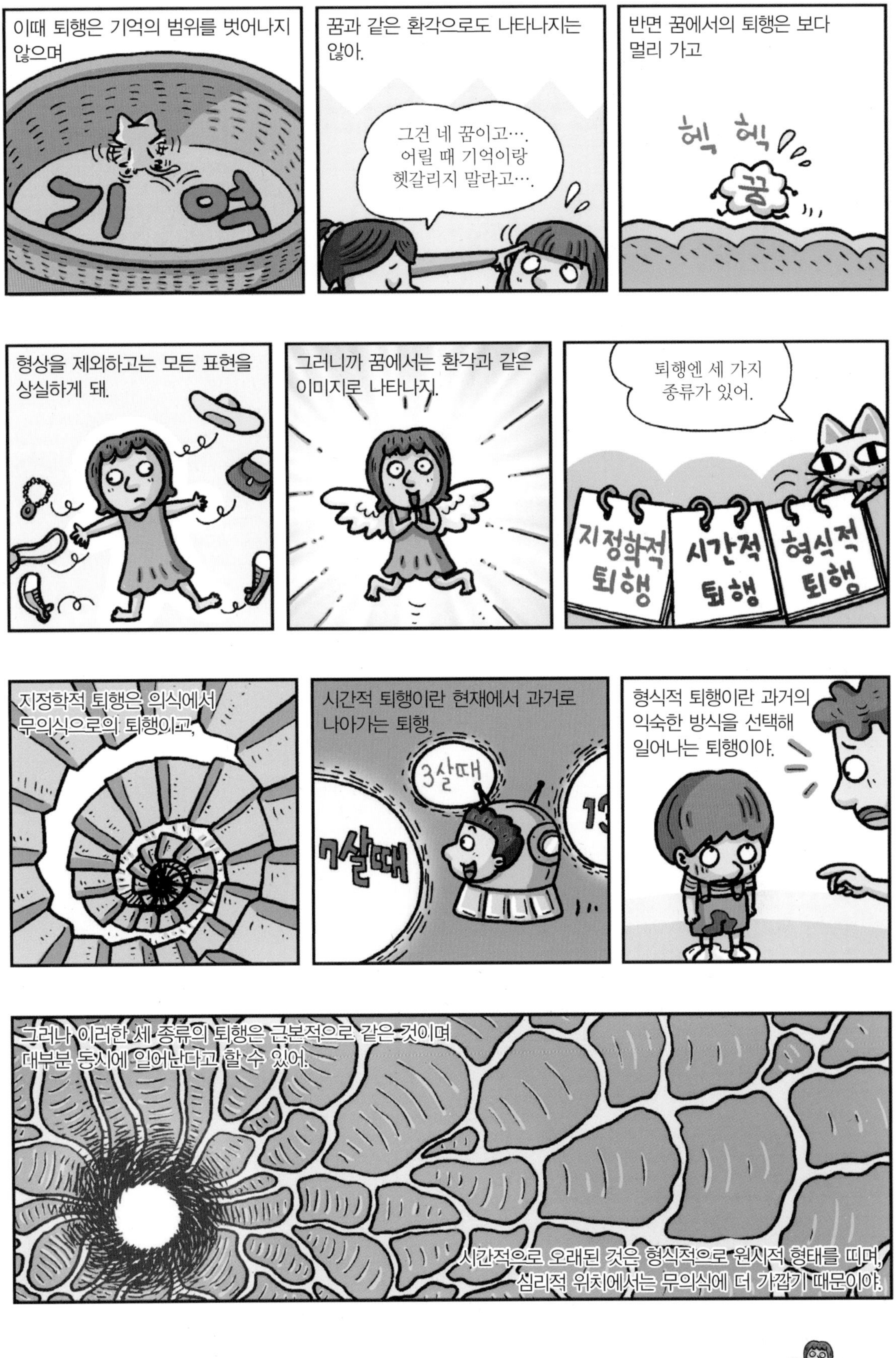
이때 퇴행은 기억의 범위를 벗어나지 않으며
기억
꿈과 같은 환각으로도 나타나지는 않아.
그건 네 꿈이고….
어릴 때 기억이랑
헷갈리지 말라고….
반면 꿈에서의 퇴행은 보다 멀리 가고
헥 헥
꿈
형상을 제외하고는 모든 표현을 상실하게 돼.
그러니까 꿈에서는 환각과 같은 이미지로 나타나지.
퇴행엔 세 가지 종류가 있어.
지정학적 퇴행
시간적 퇴행
형식적 퇴행
지정학적 퇴행은 의식에서 무의식으로의 퇴행이고,
시간적 퇴행이란 현재에서 과거로 나아가는 퇴행.
3살때
7살때
형식적 퇴행이란 과거의 익숙한 방식을 선택해 일어나는 퇴행이야.
그러나 이러한 세 종류의 퇴행은 근본적으로 같은 것이며 대부분 동시에 일어난다고 할 수 있어.
시간적으로 오래된 것은 형식적으로 원시적 형태를 띠며, 심리적 위치에서는 무의식에 더 가깝기 때문이야.

꿈을 꾼다는 것은 시간적으로 봤을 때 꿈꾼 사람의 아득한 과거로 회귀하는 퇴행이라고 볼 수 있어.
또 그것은 어린 시절을 지배했던 충동과 그때 사용했던 표현 방식을 재현하는 일이기도 하지.
소원성취에 관하여
지금까지 나는 꿈은 소원성취에 대한 표현이라고 했지.
소원
그러나 앞에서 소개한 불에 타는 아이에 관한 꿈과 같이
불안이나 걱정 등과 같은 심리적 행위가 꿈에서 나타나기도 해.
이러한 상황에서 꿈은 오로지 소원성취를 하려는 표현작업이라고 단정할 수 있을지
꽝
좀 더 생각해 봐야겠지.
꿈은 소원 성취다!
그러면 먼저 꿈속에 나타나는 소원의 근원을 정리해 보자.
아마도 다음과 같이 세 가지로 나눌 수 있을 거야.
첫째, 소원이 낮에 생겼지만 어떤 사정 때문에 충족되지 못한 경우
둘째, 소원이 낮에 생겼지만 비난받아 억압된 경우
셋째, 낮 생활과 관계없는 소원이 밤에 비로소 억압에서 풀려난 경우
그런데 여기에 하나를 더 추가한다면, 성적 욕망이나 갈증과 같이 밤에만 나타나는 현실적인 소원욕구일 거야.

어린아이의 꿈에서는 어떤 사정 때문에 낮에 충족되지 못한 소원이
왜곡되지 않고 그대로 나타나는 경우가 많지만
성인은 그렇지 않아.
오히려 성인의 꿈은 의식적인 소원보다는
제발 맞게 해주옵소서!!
꿈
무의식 속에 있는 소원이 더 큰 힘을 발휘해.
그런데 무의식적인 소원은 주로 어린 시절에서 유래하므로
꿈속 소원은 유아기적 소원이라고 정의할 수 있을 거야.
소원
하지만 꿈이 소원성취만으로 형성되지는 않아.
꿈이 만들어지는 과정에는 낮의 잔재들도 큰 역할을 하지.
처리해야할 업무
월급
이것은 그 자체가 어떤 소원일 수도 있지만
단지 사소한 최근의 인상일 수도 있고,
휴가지
특별한 심리적 활동일 수도 있으며,
휴가 출발
현재 프로젝트 완수

아직 해결되지 않은 낮의 문제들일 수도 있어.
휴가계획서 아직 안 냈어?
응, 아직….
이러한 낮의 잔재들은 꿈속에서 재료로 사용돼.
오늘의 요리
재료는~
친구와 싸움
꿈
즉 무의식적인 소원이 꿈 내용의 주제라면
지침… 쉬고싶어…
스트레스…
낮의 잔재들은 그 소원을 표현하기 위한 재료라고 할 수 있지.
휴가계획
꿈은 우선 낮의 잔재 가운데
시험
COMIC
가장 가까운 일이나 하찮게 보이는 일 등을 주로 사용해.
꿈
왜냐하면 이러한 인상들이 심리적 이동과 왜곡 작업을 쉽게 해주기 때문이지.
다시 말해 무의식적인 소원은 그 자체로는 전의식 속으로 들어갈 수 없기 때문에
삐익
삐익
전의식 속에 있는 아무런 의미 없는 낮의 잔재와 결합해.
최근에 경험한 시시한 인상들은 주의를 끌지 않아
꿈
검문소의 저항을 쉽게 통과하는 거지.
꿈
또 낮의 잔재와 연관된 고통이나 불쾌감 같은 감정도
결재
부장

무의식적으로 억제된 소원을
충족시키기 위해 사용돼.
무의식적으로 억제된 소원은
실현이 되면 만족감이 매우 크지만
현실적으로 충족되기에는
부적절해.
그래서 꿈속에서는 그 만족감을
위장하기 위해
드르릉~~ ~~
낮의 잔재인 고통스러운
감정과 소원을 결합해
꿈속에 나타나.
김대리 | 박부장
45 | 0
즉 꿈에서는 이 소원과 상관없는
정반대의 감정이 들어오거나 또는
적당한 변형을 거쳐 꿈속에
나타나는 거지.

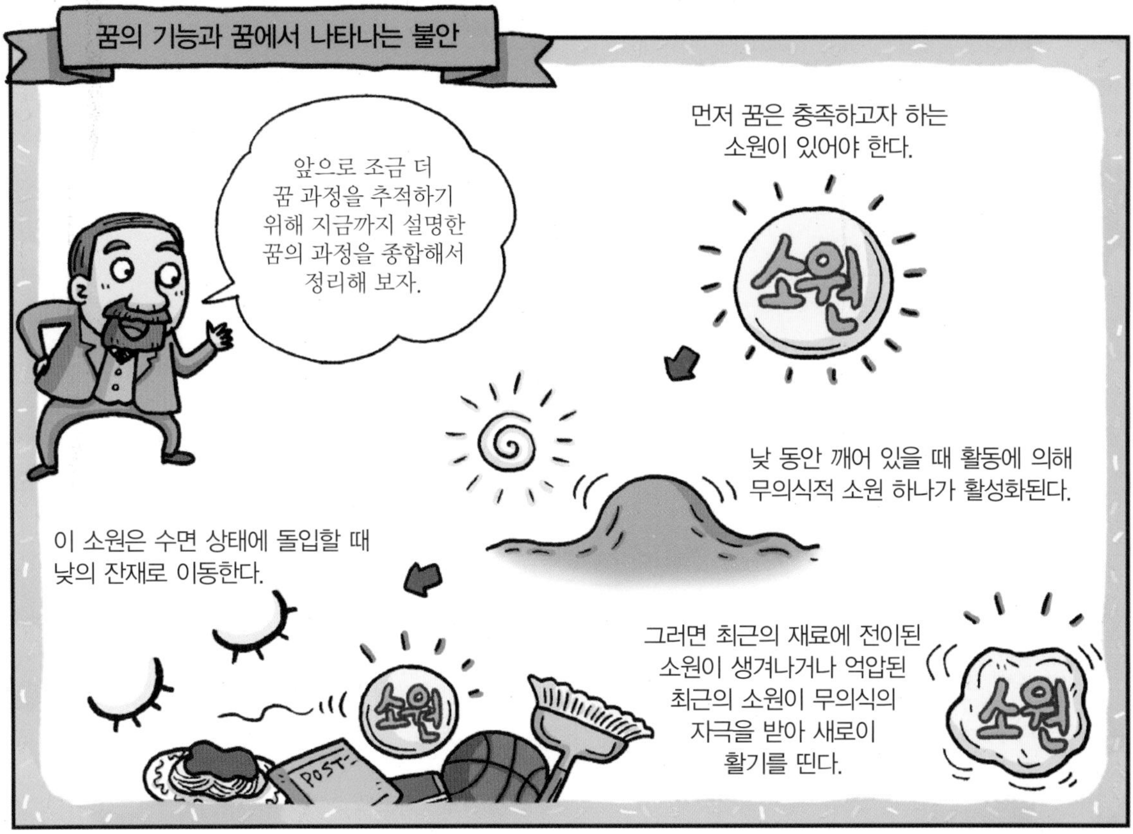
꿈의 기능과 꿈에서 나타나는 불안
앞으로 조금 더
꿈 과정을 추적하기
위해 지금까지 설명한
꿈의 과정을 종합해서
정리해 보자.
먼저 꿈은 충족하고자 하는
소원이 있어야 한다.
소원
낮 동안 깨어 있을 때 활동에 의해
무의식적 소원 하나가 활성화된다.
이 소원은 수면 상태에 돌입할 때
낮의 잔재로 이동한다.
소원
POST
그러면 최근의 재료에 전이된
소원이 생겨나거나 억압된
최근의 소원이 무의식의
자극을 받아 새로이
활기를 띤다.
소원

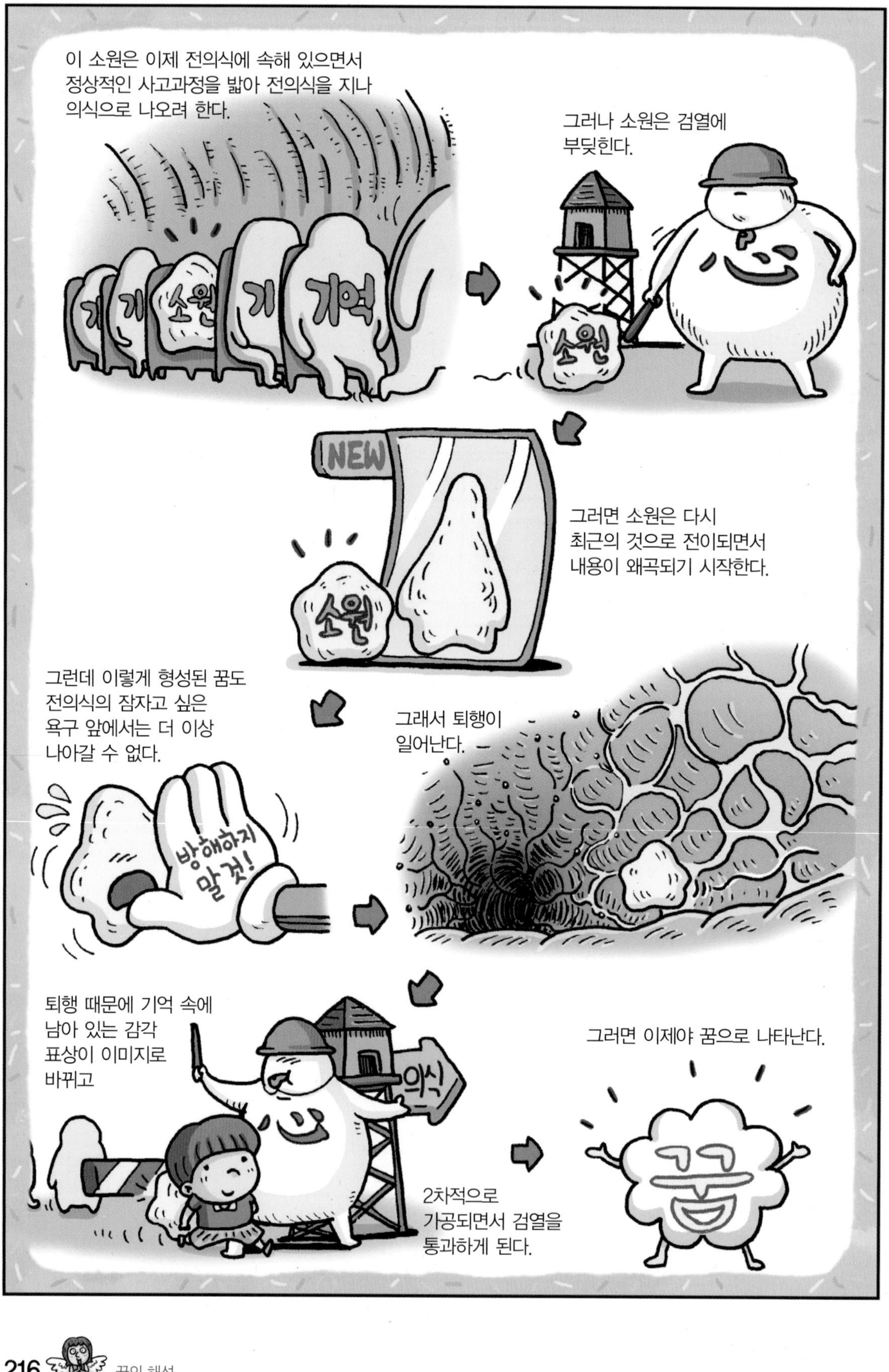
이 소원은 이제 전의식에 속해 있으면서
정상적인 사고과정을 밟아 전의식을 지나
의식으로 나오려 한다.
기
기
소원
기
기억
그러나 소원은 검열에
부딪힌다.
소원
NEW
그러면 소원은 다시
최근의 것으로 전이되면서
내용이 왜곡되기 시작한다.
소원
그런데 이렇게 형성된 꿈도
전의식의 잠자고 싶은
욕구 앞에서는 더 이상
나아갈 수 없다.
방해하지
말 것!
그래서 퇴행이
일어난다.
퇴행 때문에 기억 속에
남아 있는 감각
표상이 이미지로
바뀌고
의식
2차적으로
가공되면서 검열을
통과하게 된다.
그러면 이제야 꿈으로 나타난다.
꿈

무의식적 소원들은 항상 활동하고 있어.
소원
소원
소원
그러면 무의식적 소원의 표현인 꿈은 왜 잘 때만 나타날까?
꿈
꿈 잠
꿈 작업의 첫 부분은 이미 낮에 전의식의 지배에서 시작할 가능성이 많아.
무의식 전의식 의식
꿈 작업의 두 번째 부분, 즉 검열에 의한 수정과 의식으로의 진입은 밤에 이루어져.
의식
꿈은 자유롭게 방임된 무의식의 흥분을
다시 전의식의 지배하에 끌어들이는 임무를 맡는다고 할 수 있지.
전의식
꿈
또한 꿈은 무의식의 흥분을 배출시키고, 무의식의 밸브 역할을 하는 동시에
무의식
꿈
약간의 각성활동을 통해 전의식의 꿈을 보장해.
'꿈'과 '깸'은 일정정도의 유사성이 있다!
하지만 소원의 성취시도가 평정을 유지할 수 없을 정도로 전의식을 강하게 뒤흔들면
꿈은 타협을 포기하게 돼.
긴급 출현
그러면 꿈은 즉시 중단되고 완전히 잠에서 깨어나게 돼.
벌떡
평소에는 수면을 보호하던 꿈이 오히려 수면을 방해하는 상황이 벌어지는 거지.
꿈

또 소원이 충돌한다는 사실에서 소원성취가 항상 기쁘기만 한 것은 아니라는 것을 알 수 있어.
삐이잉~
삐이잉~
이것은 불안의 형태로 나타나지.
내가 일곱 살인가 여덟 살 무렵 불안이 주제가 되는 꿈을 꾼 기억이 있는데,
거의 30년이 지난 후에야 그 꿈을 해석할 수 있었어.
아주 선명한 꿈이었어.
잠자는 듯이 유난히 고요한 표정을 하고 있는 사랑하는 어머니를
입이 새 부리 모양을 한 두 사람이 방으로 떠메고 와 침대에 눕힌다.
그 꿈을 꾼 나는 울부짖으며 잠에서 깨어나 부모님을 깨웠지.
새의 부리 모양을 한 유난히 키 큰 사람들은
필립손 성서의 삽화에서 비롯된 거야.
Philippson Bible
나는 삽화의 그림이 이집트 무덤에 새겨져 있는 매의 머리를 한 신들이었다고 생각해.
꿈을 분석하면서 또래들과 집 앞 풀밭에서 놀곤 했던 관리인 아들도 기억났어.
버릇없던 그 애의 이름이 필립이었는데
Philipp

성교를 뜻하는 저속한 낱말들을 그 소년에게서 처음으로 들었지.
그리고 꿈에서 본 새의 부리는 성적 상징을 암시해.
독일어에서 성교를 의미하는 푀겔른(vögeln)이라는 말은 새라는 단어 포겔(Vogel)에서 유래한 거야.
Vögeln
꿈속에 나타난 어머니의 얼굴 표정은
돌아가시기 전 혼수상태에서 코를 골던 할아버지의 표정 그대로였어.
따라서 이 꿈은 어머니가 죽는다는 것을 암시하고 있어.
내가 불안 속에서 눈을 뜬 것 역시 그 때문인데,
이러한 불안은 부모님이 잠에서 깨어날 때까지 계속되었어.
나는 어머니를 보고 어머니가 살아 있다는 것을 확인한 다음에야
마음이 진정되었다는 것을 지금도 기억해.
그러나 이 꿈은 성적 욕망에서 불안의 근원을 찾을 수도 있어.
아마도 근친상간과 처벌에 대한 불안이었을 거야.
근친상간 [近親相姦]
촌수가 가까운 일가 사이의 남녀가 서로 성적 관계를 맺음. 늑친족상간.

몸이 허약한 열세 살 난 소년이 있었어.
그 소년은 불안해지면서 몽상적으로 변해 갔어.
잠을 설치는가 하면 거의 매주 한 번씩 환각을 동반한 불안 발작으로 잠에서 깨어났어.
꿈의 내용은 언제나 아주 뚜렷했어.
악마가 소년에게 "너는 우리에게 잡혔다, 잡혔어." 하고 소리쳤으며,
역겨운 유황 냄새가 나면서 자신의 피부가 불에 탔다고 말했어.
소년은 놀라 꿈에서 깨어 소리쳤지.
"아니야, 나는 아니야, 나는 아무 짓도 안 했어요!"
"제발 그러지 말아요. 다시는 안 할게요."
그런가 하면 "알베르는 그런 짓을 안 했어요."라고 말하기도 했어.
나중에 그는 "옷만 벗으면 몸에 불이 붙는다."면서 옷 벗기를 꺼려했지.
결국 꿈 때문에 몸이 쇠약해진 소년은 시골에서 1년 반 동안 요양한 후에야 치료 되었어.
그런 다음 열다섯 살 때 한 번은 이렇게 고백했어.
"그때는 어떻게 털어놓을 수가 없었어요. 너무 신경이 자극되어 기숙사 창문에서 뛰어내리려는 생각도 여러 번 했었어요."
이 상황은 어렵지 않게 다음과 같이 추측해 볼 수 있지.

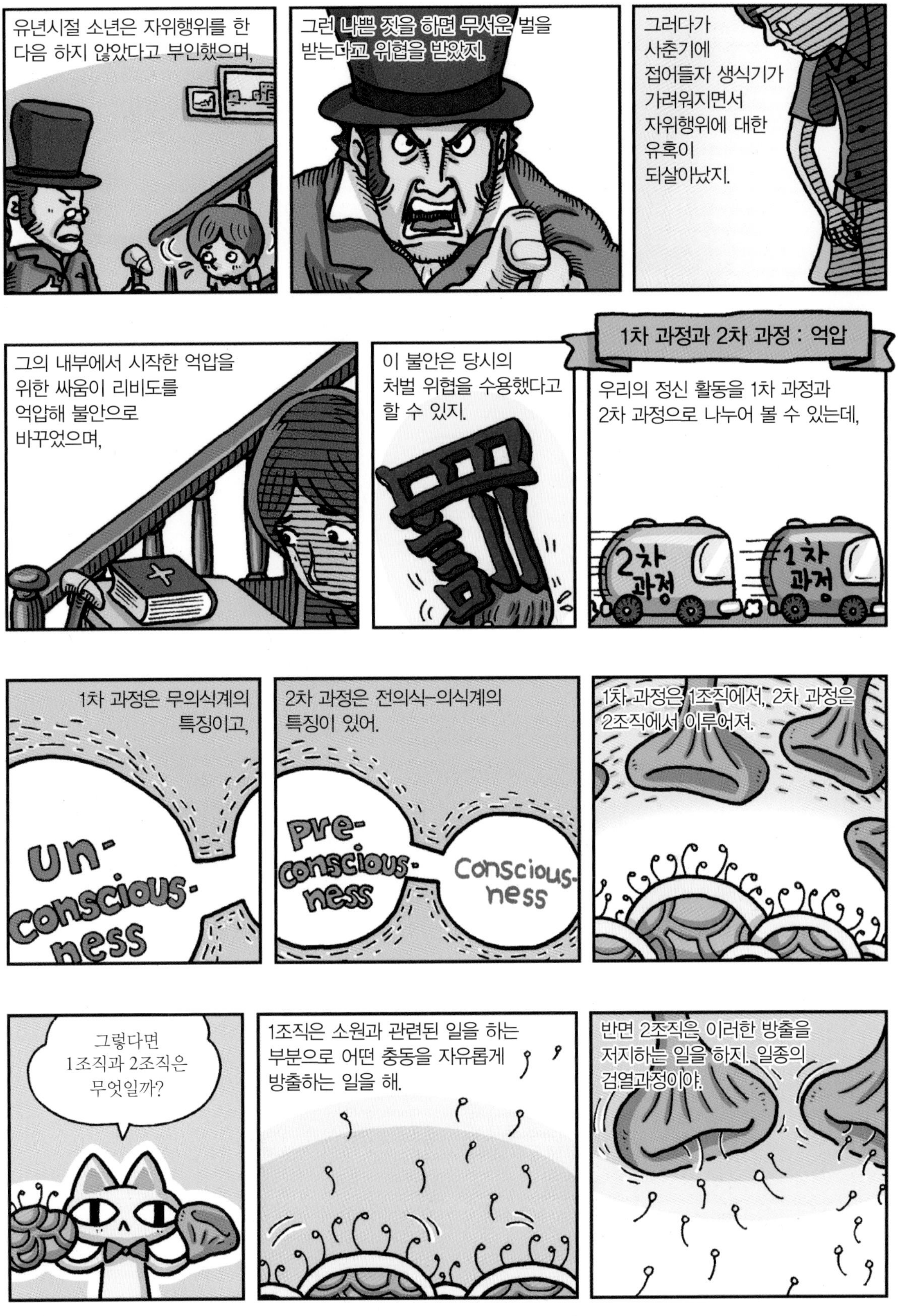
유년시절 소년은 자위행위를 한 다음 하지 않았다고 부인했으며,
그런 나쁜 짓을 하면 무서운 벌을 받는다고 위협을 받았지.
그러다가 사춘기에 접어들자 생식기가 가려워지면서 자위행위에 대한 유혹이 되살아났지.
그의 내부에서 시작한 억압을 위한 싸움이 리비도를 억압해 불안으로 바꾸었으며,
이 불안은 당시의 처벌 위협을 수용했다고 할 수 있지.
벌
1차 과정과 2차 과정 : 억압
우리의 정신 활동을 1차 과정과 2차 과정으로 나누어 볼 수 있는데,
2차 과정
1차 과정
1차 과정은 무의식계의 특징이고,
Un-conscious-ness
2차 과정은 전의식-의식계의 특징이 있어.
Pre-conscious-ness
Conscious-ness
1차 과정은 1조직에서, 2차 과정은 2조직에서 이루어져.
그렇다면 1조직과 2조직은 무엇일까?
1조직은 소원과 관련된 일을 하는 부분으로 어떤 충동을 자유롭게 방출하는 일을 해.
반면 2조직은 이러한 방출을 저지하는 일을 하지. 일종의 검열과정이야.

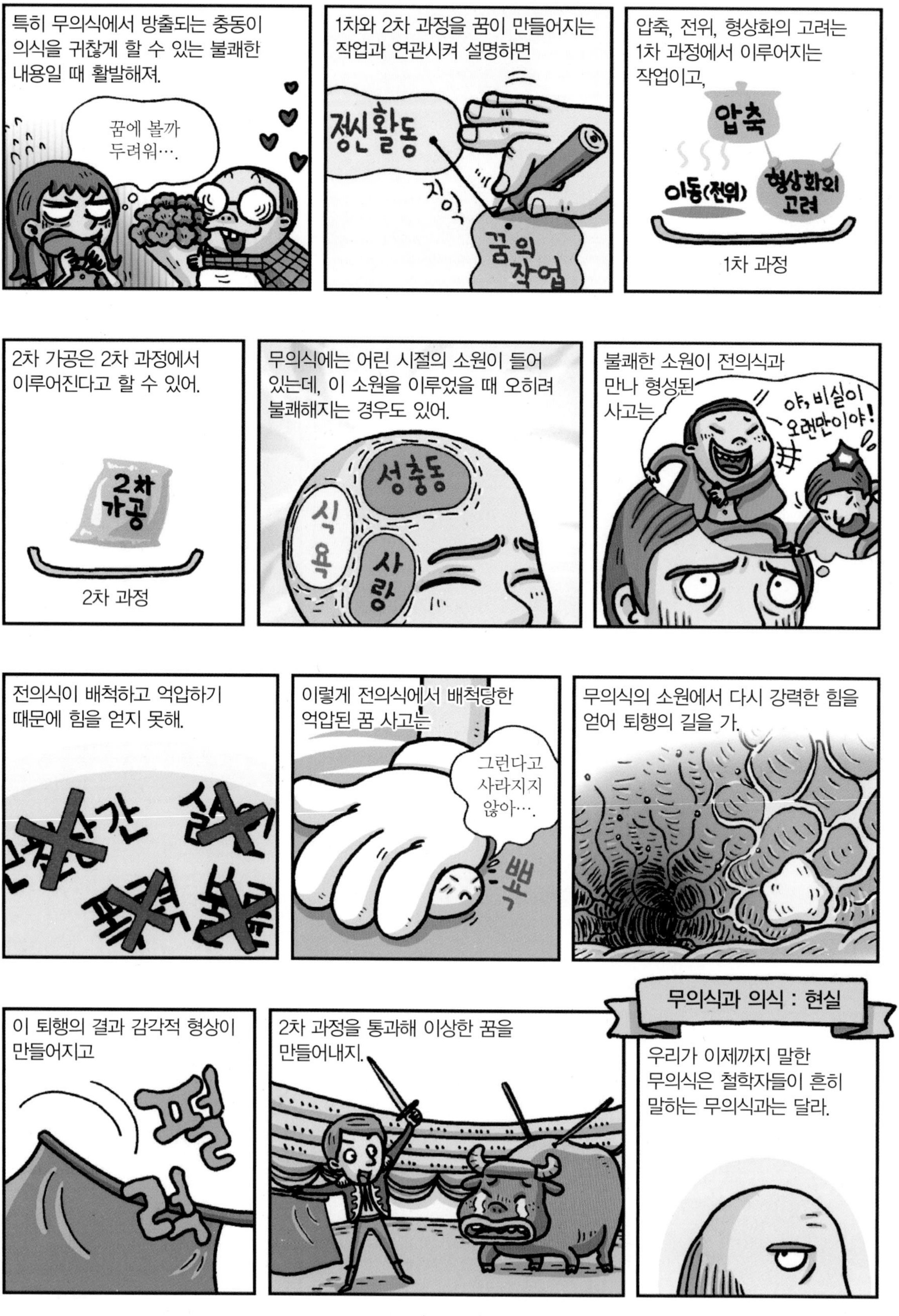
특히 무의식에서 방출되는 충동이 의식을 귀찮게 할 수 있는 불쾌한 내용일 때 활발해져.
꿈에 볼까 두려워….
1차와 2차 과정을 꿈이 만들어지는 작업과 연관시켜 설명하면
정신활동
지익
꿈의 작업
압축, 전위, 형상화의 고려는 1차 과정에서 이루어지는 작업이고,
압축
이동(전위)
형상화의 고려
1차 과정
2차 가공은 2차 과정에서 이루어진다고 할 수 있어.
2차 가공
2차 과정
무의식에는 어린 시절의 소원이 들어 있는데, 이 소원을 이루었을 때 오히려 불쾌해지는 경우도 있어.
성충동
식욕
사랑
불쾌한 소원이 전의식과 만나 형성된 사고는
야, 비실이 오랜만이야!
전의식이 배척하고 억압하기 때문에 힘을 얻지 못해.
이렇게 전의식에서 배척당한 억압된 꿈 사고는
그런다고 사라지지 않아….
빡
무의식의 소원에서 다시 강력한 힘을 얻어 퇴행의 길을 가.
이 퇴행의 결과 감각적 형상이 만들어지고
펄럭
2차 과정을 통과해 이상한 꿈을 만들어내지.
무의식과 의식 : 현실
우리가 이제까지 말한 무의식은 철학자들이 흔히 말하는 무의식과는 달라.

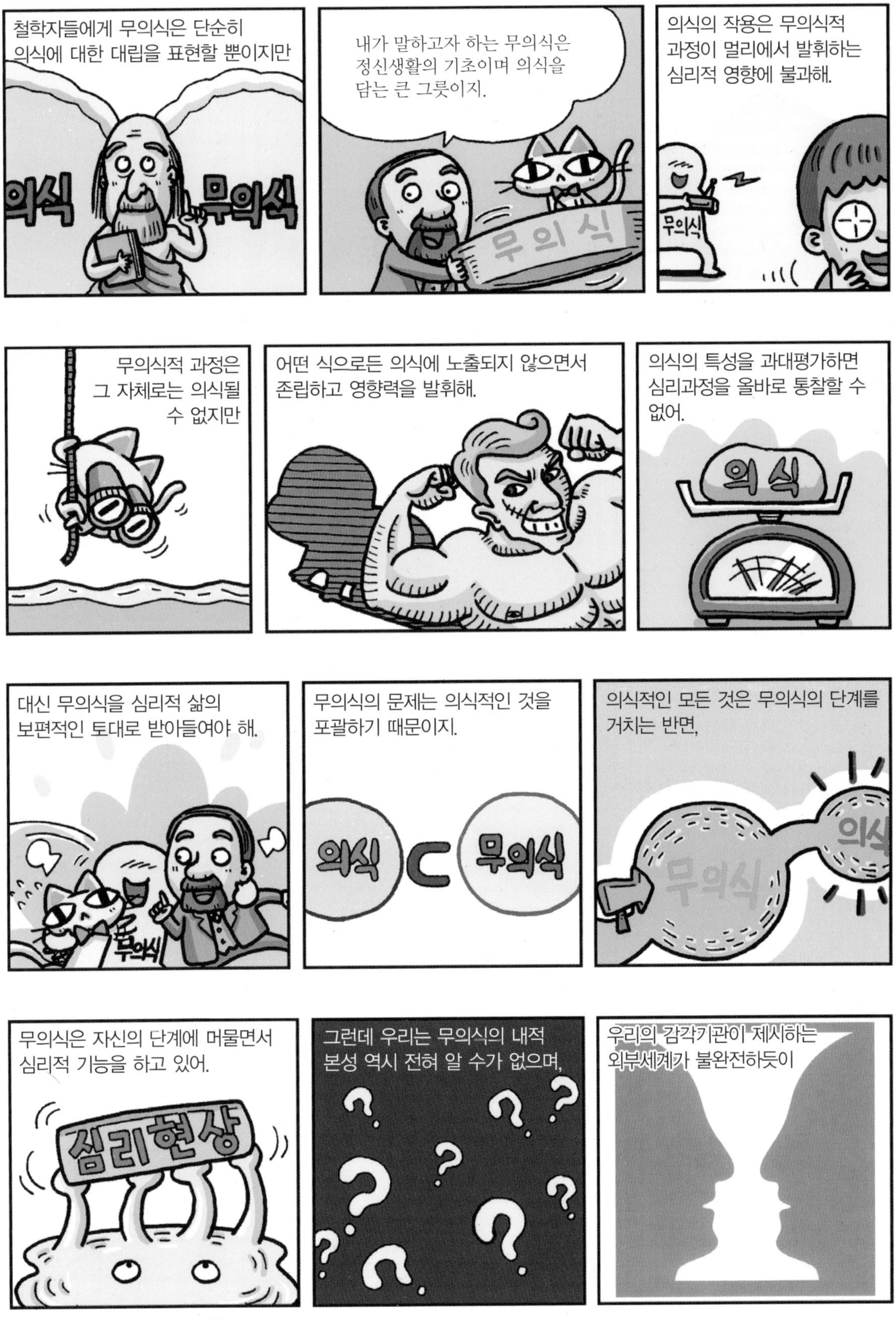
철학자들에게 무의식은 단순히 의식에 대한 대립을 표현할 뿐이지만
의식
무의식
내가 말하고자 하는 무의식은 정신생활의 기초이며 의식을 담는 큰 그릇이지.
무의식
의식의 작용은 무의식적 과정이 멀리에서 발휘하는 심리적 영향에 불과해.
무의식
무의식적 과정은 그 자체로는 의식될 수 없지만
어떤 식으로든 의식에 노출되지 않으면서 존립하고 영향력을 발휘해.
의식의 특성을 과대평가하면 심리과정을 올바로 통찰할 수 없어.
의식
대신 무의식을 심리적 삶의 보편적인 토대로 받아들여야 해.
무의식
무의식의 문제는 의식적인 것을 포괄하기 때문이지.
의식
⊂
무의식
의식적인 모든 것은 무의식의 단계를 거치는 반면,
무의식
의식
무의식은 자신의 단계에 머물면서 심리적 기능을 하고 있어.
심리현상
그런데 우리는 무의식의 내적 본성 역시 전혀 알 수가 없으며,
우리의 감각기관이 제시하는 외부세계가 불완전하듯이

의식의 자료를 통해 파악된 무의식도 우리에게 불완전해.
Data
우리는 꿈을 통해서 그것을 엿볼 수는 있지만 여전히 완전하게 알 수는 없지.
꿈
무의식
내가 정신질환의 증상과 꿈을 분석하면서 알게 된 새로운 사실은
무의식은 서로 분리된 두 조직들의 기능으로 나타난다는 것이야.
꼼지락
이 말은 심리 학자들이 아직 구분하지 않은 두 종류의 무의식이 있다는 뜻이지.
우리가 무의식이라고 부르는 하나는 의식화될 수 없는 반면,
의식
다른 하나는 그 흥분이 일정한 규칙을 준수하고 필요한 경우
보글~
새로운 검열을 극복하면 의식에 도달할 수 있어.
이것이 앞에서 설명한 전의식이야.
前意識
preconsciousness
전의식 조직은 의식에 이르는 통로를 차단하고 지배하면서, 검열을 통과한 무의식만 의식으로 내보내지.
의식
그렇다면 꿈에서 드러나는 무의식적 충동은 실제 생활에 나타날 수 있는가?
꿈에선 분명히 다 했는데….
숙제 안한사람
그리고 꿈의 가치가 미래를 알려 주는가?

프리드리히 니체*는 이런 말을 했어.
"꿈에는 직접 도달할 수 없는 태곳적 인간 본성이 작용하고 있다."
나는 이 꿈 연구를 통해서 인간정신에 대한 심리학적 이해를 넓히고, 정신 신경증에 대한 이해를 넓히고자 했어.
그래서 꿈은 꿈 그대로 자유롭게 내버려두는 것이 좋다고 생각하며, 아직은 무의식적 소원에 현실로서의 가치를 인정해야 하느냐는 물음에 관해서는 답변할 수 없어.
박사님, 꿈은 정말 오묘한 정신활동의 결과물인 것 같아요.
다만 꿈이란 미래보다는 과거를 알려준다는 점을 말하고 싶어. 자신을 죽이는 꿈을 꾸었다고 해서 신하를 처형시킨 로마 황제가 있었는데, 그의 생각이나 행동은 분명 잘못된 것이었지. 꿈의 의미는 겉으로 보이는 내용과는 다르고, 꿈이란 어떤 의미로 보아도 과거에 유래를 두고 있기 때문이야.

*프리드리히 니체 Friedrich Wilhelm Nietzsche 1844~1900 – 독일의 시인이자 철학자. 쇼펜하우어의 의지철학을 계승하는 '생의 철학'의 기수이며, 키르케고르와 함께 실존주의의 선구자로 칭한다.

프로이트의 심리장치와 물리법칙

STOP

프로이트는 마지막 장에서 인간의 정신구조를 설명합니다. 이 '정신구조'는 '심리장치'와 같은 말로, 프로이트는 정신구조가 여러 체계로 분화되어 있다고 생각했습니다. 이러한 관점을 지형학적 이론이라고 하지요. 지형학(topology)이란 장소를 의미합니다. 그리고 심리장치의 하부구조는 심역心域이라고 합니다. 프로이트는 심역이라는 말 대신 체계, 조직, 구역이라는 용어로 바꾸어 사용하기도 합니다. 프로이트가 말하는 지형학은 두 가지인데, 하나는 《꿈의 해석》 마지막 장에 나와 있는 무의식 · 전의식 · 의식 사이의 구분이고, 나머지 하나는 이드 · 자아 · 초자아의 구분입니다. 첫째 지형학에서 심역은 무의식 · 전의식 · 의식의 세 가지이고, 둘째 지형학에서 심역은 이드 · 자아 · 초자아입니다.

프로이트가 주장하는 심리적 장소라는 개념은 단순한 기능의 해부학적 위치를 말하는 것이 아닙니다. 인간의 뇌에는 팔이나 다리를 움직이는 영역이 따로 있습니다. 시력이나 청력을 담당하는 영역도 있고요. 그러나 프로이트가 말하는 심역이란, 이처럼 뇌를 해부해서 위치를 정할 수 있는 것이 아닙니다. 프로이트의 심역이라는 용어는 해부학적 용어가 아니고, 완전히 의인화된 개념입니다.

프로이트는 자신의 이론을 세우면서 당시 발전하고 있던 해부생리학이나 물리학의 원칙을 따릅니다. 프로이트는 모든 심리과정은 심리장치의 지각말단과 운동말단 사이에 위치하고 있다고 했습니다. 그가 사용한 해부학적 비유는 '반사궁' 모델입니다. 대표적인 반사궁은 무릎을 고무망치로 탁 치면 무릎 근육이 자동으로 수축하여 다리가 움찔하는 현상입니다. 프로이트가 생각하는 반사궁 모델은 그것이 받은 에너지 전부를 전달하는 것입니다. 이것은 19세기 말 유럽의 학문적인 환경에서 널리 받아들여진 물리학 법칙에 토대를 두고 있습니다. 대표적인 물리학 법칙은 항상성의 법칙과 관성의 법칙입니다. 그는 물리학의 가장 일반적인 법칙을 심리학과 정신생리학에 확장시키려 한 것입니다. 항상성의 법칙은 프로이트가 "심리장치의 기능은 결국 인체 내의 에너지를 가장 낮은 수준으로 유지하는 데 있다."고 하는 표현에서 잘 나타납니다. 꿈에서 이루고자 하는 소원이 있는데, 이 소원이 그대로 의식으로 드러나면 흥분 에너지가 너무 높아지기 때문에 이것을 가능하면 낮추기 위해 의식 아래 단계에서 변형을 시켜 흥분 에너지를 낮춘다는 것입니다.

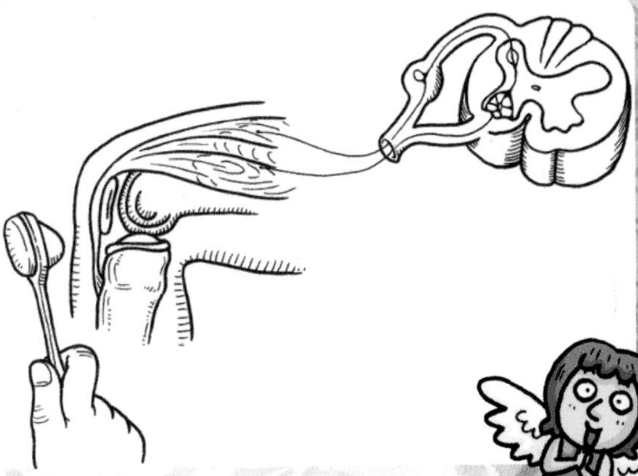
▲ 반사궁 실험

프로이트가 말하는 심리장치란 결국 자극을 받아 반응을 하는 장치인데, 거기에는 심역이라는 몇 개의 구역이 있습니다. 각각의 심역은 나름대로의 임무가 있고, 그 임무를 수행하는 작업과정에는 나름대로의 규칙이 있고, 순서가 있습니다. 그리고 각각의 심역에는 심판관이 있어서 자기 조직의 규칙이나 방식에 맞지 않으면 뒤로 다시 돌려보낸다고 합니다. 이것이 억압이고, 퇴행입니다. 다시 심역을 통과하기 위해서는 사고를 가공해야 하는데, 이때 왜곡이 발생합니다. 꿈에서는 압축, 이동, 형상화, 2차 가공 등이 그 역할을 담당합니다. 관성의 법칙은 잠재사고가 본질적으로 구속없이 자유롭게 이동한다는 개념에서 잘 나타납니다. 이처럼 프로이트는 자신의 이론을 물리학 법칙을 기초로 세우고자 했지만 그 원칙은 자의적인 요소가 많아서 과학을 하는 사람들의 원칙과는 많이 다릅니다.

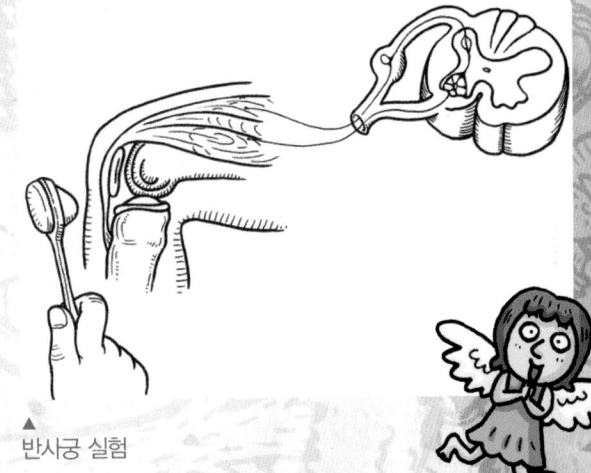

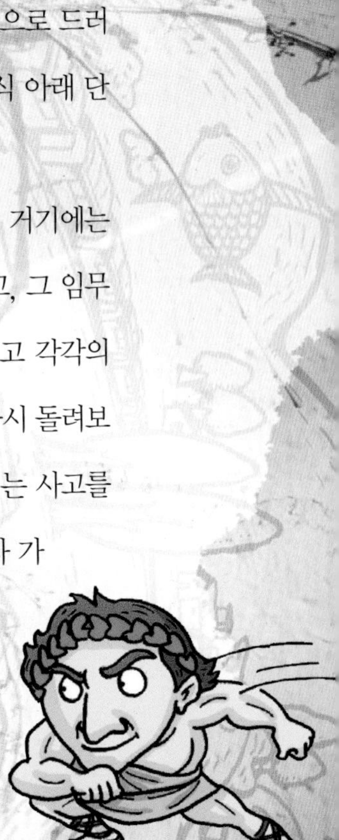

프로이트 꿈의 해석

최현석 글 | 이상윤 그림

01 《꿈의 해석》을 쓴 사람은 누구일까요?

① 플라톤 ② 아르키메데스 ③ 프랭클린
④ 페니실린 ⑤ 프로이트

02 《꿈의 해석》에서 다루는 주제는 무엇일까요?

① 무의식 ② 의식 ③ 몽유병
④ 점성술 ⑤ 유령이나 귀신

03 심리적인 갈등 때문에 나타나는 팔다리 마비, 경련, 불안증, 공포증 등을 무엇이라고 할까요?

① 트라우마 ② 카타르시스 ③ 히스테리
④ 카리스마 ⑤ 홀로그램

04 다음은 프로이트가 감동받은 시의 일부입니다. 프로이트는 이 시를 읽고 법대에 진학해 장관이 되려던 꿈을 버리고, 자연과학을 연구하기로 마음먹었습니다. 《파우스트》의 저자이기도 한, 이 시의 작가는 누구일까요?

자연은 끊임없이 우리에게 자기에 대해서 말해 주지만, 인간은 자연의 비밀을 알지 못한다. 인간은 자연의 품에 살면서도 자연의 이방인이다.

① 셰익스피어 ② 괴테 ③ 헤세
④ 헤밍웨이 ⑤ 톨스토이

05 다음 중 꿈에 대한 프로이트의 설명과 거리가 먼 것을 고르세요.

① 잠을 자는 동안 배가 아픈 것과 같이 수면을 방해하는 일 등이 꿈을 만들 수 있다.

② 잠을 자는 동안에도 정신은 외부 세계와 연결되어 있다.

③ 같은 종류의 자극에도 다른 내용의 꿈을 꿀 수 있다.

④ 꿈은 심리적 자극과 전혀 상관이 없다.

⑤ 폐질환 환자들은 질식하거나 궁지에 몰리는 꿈을 자주 꾼다.

06 다음은 〈구약성서〉에 나오는 이야기입니다. 이야기에서 '살찐 암소'가 의미하는 것은 무엇일까요?

이집트의 왕 파라오가 어느 날 꿈을 꾸었다.

일곱 마리의 살찐 암소가 나타난다. 뒤이어 일곱 마리의 마른 암소가 뒤쫓아 와서 살찐 암소를 잡아먹는다.

① 비 ② 돈 ③ 풍년

④ 흉년 ⑤ 파라오

07 아들이 아버지에게 적대적인 감정을 가지는 한편, 어머니에게는 애착을 느끼는 무의식적인 감정을 무엇이라고 하나요?

____

08 꿈의 해석

09 이드 : 이드는 선천적으로 타고난 것인데 인간이 생존하는 데 필수적인 욕구라 할 수 있습니다. 이드는 쾌락 원칙에 따라 활동하는 것이 특징입니다.

10 내용이 다른 두 개의 꿈을 결합시키거나 토막이 난 꿈들의 파편을 이어 주어서 꿈이 논리적이고 정확하게 보이도록 해주는 과정을 2차 가공이라고 합니다.

: 2차 가공이 잘 일어나지 않으면, 꿈을 꾼 다음 깨어나서 꿈 내용을 잘 기억하지 못하고, 꿈의 단편들만 기억납니다.

08 우리가 무슨 꿈을 꾸었다고 이야기하는 것은 꿈의 내용이라 할 수 있습니다. 그렇다면 겉으로 드러난 꿈을 토대로 내면에 숨어 있는 진짜 속마음을 알아내는 과정은 무엇이라고 할까요?

09 프로이트의 성격 구조 이론에 따르면, 인간의 정신세계는 이드(id), 자아(ego), 초자아(superego) 세 개의 구조로 되어 있습니다. 이 중에서 '인간의 원시적이고 본능적인 욕구'는 어디에 해당할까요?

정답

01 ⑤

02 ① : 《꿈의 해석》은 꿈에 대한 '과학적인 연구'라기보다는 꿈의 '해석'을 통해 인간의 무의식을 탐구한 책입니다. 03 ③ : '트라우마'는 정신적인 큰 충격을 의미하고, '카타르시스'는 그리스어로 '정화'라는 뜻을 가진 단어입니다. 04 ② / 05 ④ : 프로이트는 심리적 자극이 꿈을 만든다는 사실을 증명함으로써 꿈 형성의 수수께끼를 해결할 수 있다는 것을 보여 주기 위해 오랜 세월 꿈에 대해 연구했습니다. / 06 ③

07 오이디푸스 콤플렉스 : 일반적으로 오이디푸스 콤플렉스는 2~3세 무렵에 나타나 5~6세까지 지속되다가 사춘기 이후 해결됩니다.

10 프로이트는 꿈이 이루어지는 과정에서 '2차 가공'이라는 작업이 관여한다고 했습니다. '2차 가공'이란 어떤 작업을 말하는지 간단히 설명하세요.